KB181010

문학, 권력, 금기

아시아금기문화연구총서 3

문학, 권력, 금기

조선대학교 BK21+ 아시아금기문화전문인력양성사업팀

역락

아시아금기문화연구총서 발간에 부쳐

현대 사회는 자본의 요구에 따라 국경을 넘는 인구의 이동이 가장 활발한 시대에 속한다. 국경조차도 자본의 흐름을 막을 수 없는 이 시대에 인구의 이동은 인종 문제를 다시 전면에 등장시키는 배경이 된다. 국경을 넘는 인구의 이동에 따라 하나의 국가에 여러 인종이 공존하는 현상은 이제 흔한 일이 되었다. 우리 시대는 그러한 현상을 다문화주의라는 개념으로 설명하고 있다. 순수 혈통, 단일 문화를 자랑하던 한국도 이른바 다문화사회로 접어든 지는 충분히 오래되었다. 현재 전체 인구의 10% 이상이 해외 이주민으로 채워진 한국의 다문화 현상은 향후 더욱 가속화될 전망이다.

잘 알다시피 결혼과 노동, 그리고 유학 등의 이유로 한국 사회로 이주한 세계 시민 중에서는 아시아권이 단연 압도적이다. 한국이 다문화사회로 진입할 수 있었던 것도 아시아에서 유입된 인구를 배경으로 한다. 이제 한국 사회는 그들의 도움을 받지 않으면 사회 체제를 유지하지 못할 수준에 도달해 있다. 가족, 노동시장, 그리고 교육현장에 이르기까지 아시아 시민들이 활약하지 않는 곳은 찾아보기 어려울 정도이다. 이런 상황에서 아시아를 테마로 하는 학문적 연구가 활성화되는 것은 당연한 일이다.

조선대학교 국어국문학과에서 진행하고 있는 아시아금기문화연구 또한 그 연장선상에서 이해할 수 있다. 광주전남 지역은 다문화 가정의 비율이 높을 뿐 아니라 아시아 유학생의 숫자도 적지 않다. 그런 의미에서 광주전남은 이제 지역(locality)과 세계(global)가 연결되어 있는 글로컬 문화를 구성할 단계에 이르렀다. 그것은 문화적 혼종을 의미하는 것인데, 거기에는 화해와 친화만 있는 것이 아니라 갈등과 반목도 배제할 수 없는 현상으로 포함되어 있다. 서로 다른 문화권의 사람들이 한 국가에서 공존하다 보면 자연스럽게 발생하는 현상이기도 하다. 하지만 작은 갈등이 자칫 배타적 인종주의로 확산될 가능성도 배제하기 어렵다. 그래서 인종과 인종 사이에 문화적 차이에 대한 충분한 이해가 동반되어야 하는 것이다. 아시아 각국의 금기문화를 이해하려는 우리의 노력은 문화적 차이에 대한 상호 이해를 뒷받침하려는 이론적 작업에 해당한다.

이 책은 그동안의 연구 성과를 모아서 결산하고, 향후 연구의 방향을 새롭게 모색하기 위한 중간점검의 의미가 크다. 이 책을 시작으로 우리 연구팀은 아시아금기문화에 대한 연구 성과를 축적하고, 이를 단행본 형식으로 출간하는 작업을 지속할 예정이다. 우리 연구팀에는 현대문학, 고전문학, 언어학 등 전공별로 소규모 연구팀이 구성되어 있는데, 각 전공별 교수님을 중심으로 BK연구교수, 박사과정생, 그리고 석사과정생이 한 팀을 이루어 연구를 진행하고 있다. 사업 시작 초기에는 다문화적 상황을 포함하여 금기문화 자체에 대한 종합적 이해를 목적으로 연구를 진행하면서, 각 전공별 연구 주제를 모색하는 데에 시간을 충분히 투자하였다. 향후에는 이러한 기초적 연구를 중심으로 국내뿐 아니라 아시아로 연구의 범위를 점차 확산할 예정이다.

한국 사회의 다문화적 상황은 이후에도 더욱 심화될 것인데, 문화적 차이에 대한 몰이해로 인한 사회적 갈등을 사전에 예방할 수 있는 연구도 필요하다. 우리 연구팀에서는 미래 한국 사회에서 발생할 것으로 예상되는 다문화적 갈등 상황에 대비하는 연구를 진행하고 있는 것이다. 이것은 다문화 현상이 가장 활발하게 진행되고 있는 광주전남을 중심으로 지역학문의 세계화를 달성하고자 하는 의지에 연결되어 있다. 지역의 문제가 곧 세계의 문제라는 인식을 강조하면서, 글로컬리티(glocality)에 기반한 지역 학문의 독자성을 천명할 기회도 여기에 연결되어 있다. 이 논문들은 그 가능성의 중심을 엿보는 작업이라 할 수 있다.

2015. 6.

조선대학교 BK21+ 아시아금기문화전문인력양성사업팀

팀장 오문석

머리말

'조선대학교 BK21+ 아시아금기문화전문인력양성사업팀'에서 발간하는 아시아금기문화연구총서 3권은 현대문학 분야에서 이루어진 그간의 연구 성과들을 담았다. 푸코가 지적하듯이 현대사회에서 '금기'는 단순히 '법'(사법권력)이나 '규율'(규율권력)의 형태로만 존재하지 않는다. 여러 징후들로 미루어, 작금의 한국 사회는 법과 규율이 권력의 지배소 역할을 하던 시대에서 소위 '생명정치 biopolitics'가 사회 전체를 전면적으로 '통치'하는 시대로 급격히 이행 중인 듯하다. 범죄자나 광인 개개인을 대상으로 하는 통치가 아니라 인구 전체를 통계학적 시스템에 따라 관리하는 통치, 그리고 단순히 정치의 영역만이 아니라 경제와 사회 및 문화 전체를 동시에 관통하는 통치가 '생명정치'임을 감안할 때, 현대 사회의 금기에 대한 연구는 그 범위와 분야를 가늠하기 힘들 만큼 다양해질 수밖에 없다.

그간 본 연구팀이 '통치성'의 문제에 관한 이론적 탐구와 구체적인 문학(문화) 텍스트에 대한 탐구를 병행했던 것도 실은 한국 사회의 이와 같은 변화와 관련이 있다. 한편으로는 아렌트, 푸코, 아감벤 등의 저작들을 읽으면서 현대의 통치성 변화에 대한 이론적 기반을 다지고자 시도했고, 그러는 와중에 집적된 이론적 역량을 한국 현대 문학과 문화 현장에 적용해 유의미한 연구 성과들을 내고자 노력했다. 그 결과물들이 이 책에 실려 있다.

1부에는 이청준 문학에 나타난 금기의 양상을 살펴 본 글들을 모았다. 작가 이청준은 본 연구팀이 속한 호남 지역을 무대로 수많은 걸작들을 써낸 한국문학사의 대표적 작가이다. 아울러 그의 문학 속에는 다양한 전통적 금기들뿐만 아니라 한국 사회의 파행적 모더니티가 낳은 여러 사회적 · 심리적 금기들이 풍부하게 형상화되어 있다. 2014년 10월 본 연구팀이 이청준 기념사업회와 함께 '이청준 문학제'를 주최하고 그 주제를 '이청준 문학과 금기'로 정한 것도 이 때문이었다. 거기서 발표되었거나, 연구팀 성원들의 기존 성과들 중 그 주제와 관련된 글들로 1부를 구성했다. 여기 실린 글들을 통해 이청준 문학 연구에 새 지평이 열리기를 기대한다.

현대 사회의 금기가 날로 세분화되고 일상화되면서 이제 금기가 존재하는 영역은 사회 · 심리학적으로 '모든 장소'라고 해도 무방할 듯싶다. 2부에 실린 연구 성과들이 하나의 주제로 잘 묶이지 않는 것처럼 보인다면 실은 그런 이유가 크다. 식민지시대 한국 문학에서 정용준이나 김애란 같은 동시대 작가들에 이르기까지, 김남천의 소설에서 최근의 음악 오디션 프로그램까지 우리가 관심을 가져 온 연구의 영역은 실로 넓다. 그러나 크게는 모두 '금기'라는 단일한 주제로 통합 가능하도록 노력했고, 또한 우리 사회가 당면하고 있는 현안들에 대한 인문학적 해답을 제시하고자 노력했다. 여기 실린 글들이 독자들에게 우리가 속해 있는 사회와 문화에 대한 유익한 통찰들을 조금이나마 제공할 수 있다면, 본 연구팀으로서는 더 바랄 바가 없다.

차 례

제1부 이청준 문학과 금기

제2부 문학, 권력, 금기

제1부
이청준 문학과 금기

질문으로서의 금기와 헤테로토피아*

이청준의 소설론에 대하여

한 순 미

1. 금기와 황홀이라는 상관쌍

이 글은 '금기'가 이청준의 소설 행로를 전개하는 주요한 '질문'으로 자리해 있다는 점에 주목해 그의 소설론을 다시 읽어보는 것을 목적으로 한다. 이청준 소설 속의 '금기'가 어떤 문제의식들을 제기해 왔는지를 읽는 과정에서 이청준의 소설론을 '금기'라는 장치를 통해 해명할 수 있을 것이다. 이를 위해 소설 속의 소년들의 원초적 경험과 기억에서 '금기와 황홀'의 상관쌍을 추출하여 논의의 매개점으로 삼아 본다.

이청준의 데뷔작 「퇴원」(1965)에는 "남몰래 즐기고 있는 한 가지 비

* 이 글은 2014년 10월 17일, 조선대학교에서 열린 제6회 이청준 문학제 학술대회 <이청준 문학과 금기>에서 발표한 논문을 수정, 보완한 것이다. 금기와 위반, 숨김과 드러남, 실종, 이야기, 기다림 등은 이청준 소설 속에 자주 등장하는 모티프와 구조로서 그의 소설론을 보여주는 주요한 장치들이다. 이에 관해서는 한순미, 『미적 근대의 주변부 : 추방당한 자들의 귀환』, 문학들, 2014에서 간략하게 언급한 바 있다. 이 글은 선행 논의를 바탕으로 하여 '금기'를 중심으로 그의 소설론을 다시 읽기 위한 시도에 해당한다.

밀"을 지닌 소년이 등장한다. 소년은 광 안에 가득 쌓인 볏섬 사이로 몸을 비집고 들어가 어머니와 누이들의 속옷 냄새를 맡으면서 잠을 자다 빠져나오곤 한다. "그런데 어느 날", 소년은 광 안에 "너무 오래 잠이 들어 있다가" 아버지의 "전짓불"을 받고서 잠이 깬 후 이틀 동안 그곳에 감금된다. 이것은 소년이 "소학교 3학년 때" 일어난 사건이다. 그 황홀한 시간이 어떻게 처참하게 부서졌는지를 되감아 읽어본다.

> 나는 그즈음 남몰래 즐기고 있는 한 가지 비밀이 있었다. 광에 가득히 쌓아 올린 볏섬 사이에 내 몸이 들어가면 꼭 맞는 틈이 하나 나 있었다. 나는 거기다 몰래 어머니와 누이들의 속옷을 한 가지 두 가지씩 깔아놓고, 학교에서 돌아오면 그곳으로 기어들어 생쥐처럼 낮잠을 자곤 했다. (…) 그러다 나는 스르르 잠이 들고, 잠이 깨면 다시 생쥐처럼 몰래 그곳을 빠져나왔다. 그런데 어느 날은 거기서 **너무 오래 잠이 들어 있다가** 아버지가 비춘 전짓불빛을 받고서야 눈을 떴었다. 아버지는 아무 말도 하지 않고 그대로 광을 나가더니 나를 남겨둔 채 문에다 자물쇠를 채워 버렸다. 그 문은 이틀 뒷날 저녁때 열렸다. 나는 광에다 나를 가두어놓은 동안 밖에서 일어난 일에 대해서는 **아무 것도 모른다**. 그러나 문이 열렸을 때, 거기 있던 옷가지는 한 오라기도 성한 것이 없이 백 갈래 천 갈래로 찢겨 있었다.[1)]

아버지의 전짓불은 소년에게 밀실을 더 이상 허락하지 않았다. 이틀이 지나고 문이 열렸을 때 소년은 그 옷가지들이 갈기갈기 찢겨 있는 것을 확인한다. 이제 소년에겐 어두운 밀실에서 어머니와 누이들의 부드러운 옷 냄새를 맡으면서 잠드는 일은 절대로 '해서는 안 될 일'이다. 밀실로 들어가고 싶은 욕망이 너무 컸던("너무 오래 잠이 들어") 탓에 소년

---

1) 이청준, 「퇴원」, 『병신과 머저리』(이청준 전집 1), 문학과지성사, 2010, 17-18쪽.

에게 그 황홀한 밀실은 다시는 들어갈 수 없는 금기의 공간이 된 것이다. 소년에게 밀실은 비밀스러운 문자로 쓰인 한 편의 신화가 된다.

소년이 광 안에 격리된 사건은 버릇처럼 "광 속 굴"을 드나들던 이전의 경험과 분명한 차이가 있다. 그 격리의 경험은 이후 '금기와 욕망'의 대립을 낳는다. 이처럼 이청준 소설 속의 인물들은 '갇혀 있는 자의 시선'으로 "다른 세계를 보았다는 점이 비극적 운명을 형성하며 그 운명을 감내하는 길을 선택하게 된다는 사실이 중요하다."[2] 또 "그 대립 자체를 하나의 징후, 기호로" 하여, 쾌락 원칙의 충족을 지향하는 것이 아니라 "교정된 쾌락 원칙"이 "금기로 작용"하지 않도록 쾌락 원칙을 통해 현실 원칙을 지속적인 반성의 대상으로 삼는다는 점[3]이 이청준의 소설에서 밝혀 읽을 부분이다.

다음은 광 안이 아니라 '나무 위'다. 「나무 위에서 잠자기」(1968)[4]에서 소년은 나무 위에서 잠을 자려고 하지만 떨어질 것 같은 불안감에 잠을 이루지 못한다. 나무 위에서 견디어 보려고 애를 쓰지만 좌절과 실패를 거듭한다. 그러던 어느 날 소년은 고향 마을을 떠난다. 나무 위에서 잠을 잘 수 없는 것처럼, 소년에게 고향은 편안하게 머물 수 없는 곳이다. 그 운명의 굴레와 같은 고향을 어떻게 벗어날 수 있을 것인가. 그리고 다시 고향으로 돌아갈 수 있을 것인가. 이런 물음이 훗날 소년의 삶 속에 어떤 모습으로 자리하게 되었는지를 「서편제」(1976)의 소년에게서 읽을 수 있다.

---

2) 오생근, 「갇혀 있는 자의 시선」(1974), 『이청준 깊이 읽기』(권오룡 엮음), 문학과지성사, 1999, 128쪽 ; 122-145쪽.

3) 김현, 「「욕망과 금기」(1978)—이청준에 대한 세 편의 글」, 『문학과 유토피아』(김현 문학전집 4), 문학과지성사, 1992/1993, 254쪽 ; 242-256쪽.

4) 이청준, 「나무 위에서 잠자기」, 『매잡이』(이청준 전집 2), 문학과지성사, 2010.

> 소년은 날마다 그 무덤가 잔디에서 고삐가 매인 짐승 꼴로 긴긴 여름날을 기다려야 했다. (…) 어미의 웅웅거리는 노랫가락 소리만이 진종일 소년의 곁을 서서히 멀어져 갔다간 다시 가까워져 오고, 가까워졌다간 어느 틈엔가 다시 까마득하게 멀어져 가곤 할 뿐이었다.
>
> **그러던 어느 날.**
>
> (…) 진종일 녹음 속에 숨어 있던 노랫소리가 비로소 뱀처럼 은밀스럽게 산 어스름을 타고 내려왔다. 그리곤 그 뱀이 먹이를 덮치듯 아직도 가물가물 밭고랑 사이를 떠돌고 있던 소년의 어미를 후닥닥 덮쳐버렸다.
>
> **그런 일이 있고 난 뒤부터** 그날의 소리는 아주 소년의 마을로 들어와 집 문간방에 둥지를 틀고 살게 되었으며, 동네 안에 둥지를 틀고 들어앉게 된 소리의 남자는 날만 밝으면 언제나 그 언덕밭 뒷산의 녹음 속으로 숨어들어가 진종일 지겹도록 산울림만 지어 내리곤 하였다. (…) **잠을 자거나 잠을 깨거나 소년의 귓가에선 노랫소리가 떠돌고 있었고 소년의 머리 위에는 언제나 그 이글이글 불타오르는 뜨거운 햇덩이가 걸려 있었다.**[5]

소년은 바닷가 언덕밭에 "고삐가 매인 짐승꼴"로 몸이 묶인 채 밭이랑을 오가며 웅얼거리는 어머니의 소리를 "뜨거운 햇덩이" 아래에서 견디어야 했다. "그러던 어느 날" 뒷산 고갯길 근처에서 들려오던 "이상스런 노랫가락 소리"가 어머니를 덮쳐버린다. "그런 일이 있고 난 뒤부터" 소년은 떠도는 소리를 "잠을 자거나 잠을 깨어나" 상관없이 "언제나" 들어야 했다. 그 이상한 소리는 소년이 견디면서 살아야 하는 운명의 얼굴이 된다. 어머니의 소리와 낯선 사내의 소리가 뒤섞인 그 소리는 소년에게 금기의 대상이자 황홀의 대상으로 자리하게 된 것이다.[6]

---

5) 이청준, 「서편제—남도 사람 1」, 『서편제』(이청준 전집 12), 문학과지성사, 2013, 17-18쪽.
6) 이에 관해서는 한순미, 『가(假)의 언어 : 이청준 문학 연구』, 푸른사상, 2008을 참조.

여기서 저 세 명의 소년들의 기억 가운데 어느 것이 더 원초적인 장면인지를 헤아리는 것은 별 의미가 없는 일이다.[7] 이청준의 소설들에는 아버지의 전짓불 이후 광 안에 강제로 격리된 소년, 나무 위에서 잠들지 못한 소년, 그리고 어머니를 앗아간 사내의 소리를 견뎌야 하는 소년들이 반복적으로 등장한다.[8] 따라서 "원초적 장면으로서의 전짓불에 관한 상징적 기억"을 반복하는 것은 "불안"의 표출이며,[9] "아주 이른 시기 바닷가 언덕밭에서 시작된 저 기이한 왕복운동"[10]이 이청준의 소설 세계를 생산하는 힘이라는 지적은 설득력이 있다.

그런데 중요한 것은 사건의 경험과 기억을 반복해서 쓰게 된 계기와 그것이 어떤 문제의식을 낳고 있는지를 살피는 일일 것이다. 이 글에서는 특히 금기가 이청준 소설의 문제의식을 주조하는 주요한 바탕이라는 점에 주목하고자 한다. 또 그 금기가 욕망과 대립적 관계에 있는 것이 아니라 긴밀한 상관관계를 이루고 있는 점을 주의 깊게 읽어보려 한다.

이 글의 2장에서는 「가학성 훈련」(1970), 「소문과 두려움」(1972), 「들

7) 소설 속에 제시된 화자의 나이 순서에 따라 배열하면 다음과 같다. 「서편제-남도 사람 1」(1976) : 묘지 옆 바위에 매여 있는 소년, 「나무 위에서 잠자기」(1968) : "초등학교도 다니기 전, 어렸을 적의 일", 「황홀한 실종」(1976) : "초등학교 1학년 때", 「퇴원」(1965) : "소학교 3학년 때 가을", 「소문의 벽」(1972) : "국민학교 4학년쯤 되었을 때의 일" 등.

8) 그렇게 보았을 때 어두운 광 안에 갇힌 소년과(「퇴원」) 몸이 묶인 채 소리와 햇덩이를 견디고 있는 아이는(「서편제」) 전짓불 앞에서 두려움에 떨고 있는 소년과 겹친다(「소문의 벽」). 나무 위에서 잠들지 못한 채 마을을 떠나는 소년과(「나무 위에서 잠자기」) 꽃을 꺾으면서 안개 속으로 사라진 소년은(「황홀한 실종」) 서로의 얼굴을 비춘다. 소년의 얼굴들은 "자신의 실종을 몰래 혼자 즐기는 버릇"을 지닌 윤일섭의 "가학성 유희욕", "사람 기피증", "안팎 개념의 도착증"과 함께 나타난다(「황홀한 실종」).

9) 우찬제, 「소문의 불안, 불안의 소문」, 『문학과 사회』봄호(통권 제85호), 문학과지성사, 2009.2, 433쪽 ; 428-440쪽.

10) 김형중, 「지상에서 가장 생산적인 왕복운동」(작품해설), 『서편제』(이청준 전집 12), 문학과지성사, 2013, 363-382쪽.

어보면 아시겠지만」(1972), 「황홀한 실종」(1976) 등에서 "이상한 쾌감"에 사로잡혀 있는 인물들에 주목해 금기체계에 대응하는 부정성의 면모를 살핀다. 3장에서는 금기의 문제를 「전쟁과 악기」(1970)에서 반음과 온음의 관계, 「치질과 자존심」(1980)에서 문명과 질병의 관계, 그리고 「황홀한 실종」(1976)과 「조만득 씨」(1980)에서 의사와 환자의 관계를 통해 다루고 있는 지점을 분석하면서 실종 욕망이 궁극적으로 금기의 실체와 경계를 드러내고 있음을 읽어볼 예정이다. 마지막 4장에서는 「얼굴 없는 방문객」(1978)에서의 "황홀한 죽음", 「용소고(龍沼考)」(1990)에 나오는 "연못 속의 용", 「이상한 선물」(2007) 속의 무위사 벽화 전설의 "눈동자 없는 눈" 등에서 숨김과 드러남, 금기와 위반이라는 금기 설화의 구조를 확인하게 된다. 그것은 또한 이청준 소설이 지향한 문학에 대한 공간적 상징이라는 점을 볼 수 있을 것이다.

2. "이상한 쾌감" : 가학적 유희 욕망의 부정성

「가학성 훈련」(1970)[11]의 주인공 현수가 던진 다음과 같은 물음은 이청준 소설의 금기를 살피는 데에 있어서 매우 중요한 것이다. 즉, 굴레를 사랑할 수 있는가. 또 굴레를 사랑한다는 것은 대체 무슨 뜻인가. 그와 같은 현수의 물음은 주어진 운명을 과연 벗어날 수 있는가라는 물음으로 바꿀 수 있다.

현수는 그 누구보다 자신의 굴레를 사랑했던 아버지와 달리 자신의 굴레를 사랑할 수 없는 사람이다. 아버지처럼 자신의 굴레를 사랑하는

11) 이청준, 「가학성 훈련」, 『소문의 벽』(이청준 전집 4), 문학과지성사, 2011.

자만이 그것을 기꺼이 버릴 수 있을 터인데, 현수는 굴레를 "어쩔 수 없이 쓰게 된 자"이고 굴레를 사랑하지 못해 "끝끝내 벗어던지고 싶어 하는 자"(38쪽)이기 때문이다. 그렇듯 굴레를 사랑할 수도 없고, 벗어던질 수도 없는 현수는 결국 자신과 딸 선희가 굴레를 더욱 사랑할 수 있도록 가학적인 훈련을 실행한다.

그와 같은 현수의 노력은 자기학대에 가까운 것이다. 그러나 그것은 굴레를 영영 벗어날 수 없다는 깊은 절망감의 표현이 아니라 오히려 굴레를 정확하게 인식하고 있다는 증거라 할 수 있다. "가학성 훈련"이 억압적인 체계에 저항하는 방식이 될 수 있는 것은 바로 그 때문이다. 가학성 훈련은 몸에 스며든 금기의 흔적을 뚜렷하게 확인하는 일임과 동시에 그것을 언젠가 벗어던질 수 있을 것이라는 부정적 잠재성을 함축하고 있는 것이다.

현수의 굴레가 보여주듯이 우리의 몸에 깊숙하게 자리한 금기는 그것이 비가시적인 것이어서 더욱 두려움을 준다. 그러나 이청준 소설은 금기를 비가시적인 억압으로서가 아니라 저항의 방식으로 전유한다. 그리하여 억압적인 금기가 오히려 저항적인 힘이 된다. 마찬가지로, 실체 없는 '소문'과 '소리'는 그의 소설 속에서 지배력의 수단이 되기도 하고 체계에 균열을 가져오는 힘이 되기도 한다. 다음 두 작품을 그 예로 들 수 있다.

먼저 「소문과 두려움」(1971)[12]에서 '나'는 동수에 관한 소문 때문에 그를 두려운 존재로 여긴다. '나'는 소문에 전혀 아랑곳하지 않는 동수를 보면서 "녀석을 이기면 이길수록 이상스럽게 그가 자꾸 더 두려워졌

12) 이청준, 「소문과 두려움」, 『소문의 벽』, 앞의 책, 125-126쪽.

기 때문"(132쪽)이라고 말한다. 동수를 죽이게 된 결정적인 이유는 그동안 '나'의 주먹 아래 놓여 있던 반 아이들이 동수에 관한 소문에 기대어 그를 신화화하고 결국 '나'를 '배반'하리라는 두려운 예감 때문이었다. 바꿔 말하면 소문이 바로 '나'와 반 아이들 사이의 암묵적인 권력 관계에 균열을 일으킨 것이다. 이와 비슷한 구조를 「들어보면 아시겠지만」(1972)[13]에서도 읽을 수 있다. 이 소설에서 '나'의 트럼펫 소리를 듣게 된 곰 수돌은 곽수진 청년의 명령을 "배반"하기 시작한다. '나'의 트럼펫 소리가 개입되면서 곽수진 청년과 곰 수돌 사이에 불화가 생겨난 것이다. 결국 수돌은 수진에게 일격을 가하고 만다. '나'의 트럼펫 소리가 도입된 후 이들의 관계를 구축하고 있는 명령의 금기체계는 위기에 직면한다.

앞서 읽은 두 작품은 외부에서 개입된 소문과 소리에 의해 규율권력과 금기체계가 균열되는 지점을 보여준다. 낯선 이방인처럼 출몰한 소문과 소리는 권력체계의 억압적 구조를 바깥으로 현상하고 규율체계의 지속적인 흐름을 중단하는 효과를 가져온다. 이청준 소설 속의 금기가 문제적인 것은 바로 이처럼 그것이 단지 욕망의 대립항이 아니기 때문이다. 다시 말해 이청준 소설에서 금기는 욕망, 안과 밖, 지배와 종속이라는 이원적 대립 관계로 선명하게 분리되지 않는다. 아울러 금기체계에 빈틈이 생기는 것은 강력한 저항의 결과라기보다는 소문과 소리와 같은 우연한 사건의 개입으로 인한 결과다.

이러한 점을 「황홀한 실종」(1976)에서는 안과 밖의 개념이 도착된 환자 윤일섭을 통해 미시적으로 접근한다. 이 소설이 우리의 관심을 끄는

13) 이청준, 「들어보면 아시겠지만」, 『소문의 벽』, 앞의 책, 355쪽.

대목은 도착증 환자를 매개로 하여 우리가 금기와 맺고 있는 복잡한 관계를 질문하고 있는 부분이다.

주인공 윤일섭은 정신 병동에 아무런 저항도 없이 '쉰다'는 소리까지 해가며 입원한 환자다. 정신신경과 의사는 그 병증의 일차적 원인을 사람을 속여 골탕을 먹이거나 쓸데없는 헛소문을 퍼뜨려 상대방의 입장을 난처하게 만드는 "이상한 쾌감"에서 찾는다. 의사의 분석에 따르면 윤일섭이 보여준 가학적 유희 욕망의 이면에는 "스스로를 격리시키고서야 차분한 안정감을 찾는" "사람 기피증"이 자리하고 있다는 것이다. 의사는 윤일섭이 자주 되풀이한 이야기(어수선했던 대학 시절의 추억과 은행원으로서의 고충)에서 그의 근본적 병인을 발견한다.

> "(…) 윤 형은 은행 문을 뛰쳐나가고 싶어 하면서도 한편으로는 또 그러는 자신을 두려워하고 있었습니다. 윤 형의 열망이 거기서부터 거꾸로 심한 금기 의식으로 잠재하기 시작한 것이지요. 바깥으로 나가고 싶다는 욕망이 거꾸로 안으로 들어가고 싶다는 쪽으로 음흉한 탈바꿈을 감행하여 스스로를 위장하기 시작했단 말입니다.
>
> (…) 윤 형의 그런 진실과 위장 간의 싸움은 별로 오래가지도 않았습니다. 안과 바깥을 완전히 뒤바꿔놓고 싶은 윤 형의 욕망은 언젠가 윤 형의 그 있지도 않은 은행의 쇠창살을 눈앞에 보기 시작하면서부터 마지막 완성을 보게 되었기 때문이지요. (…)"[14]

의사는 윤일섭의 전도된 의식이 학교 문 밖으로 나가고 싶은 "자유에의 열망"이 좌절되었을 때의 경험, 그 "실패의 기억"이 "금기"가 되면서 나타난 증상이라고 진단한다. 윤일섭에겐 "늘 그 안과 밖이 따로

14) 이청준, 「황홀한 실종」, 『서편제』(이청준 전집 12), 문학과지성사, 2013, 70쪽.

있기 때문에" "불안한 자기 도착에 빠지게 되고" "불안을 이기기 위해 상대방을 먼저 공격하게 된다는" 게 의사의 설명이다. 따라서 의사는 "안팎 개념의 도착" 증세를 앓고 있는 윤일섭이 "문을 들어가고 싶어 한 게 아니라 나가고 싶어했었다는 사실을 사실대로 받아들일 수 있다면"(69쪽), 또 "마음속의 쇠창살이나 안팎의 도착증이 제거되고 나면 그런 외형적인 증상은 저절로 자취를 감추어가게 될"(76쪽) 것이라고 전망한다.

그러나, 의사의 권유로 창경원 소풍을 나선 윤일섭에게 예상치 못한 일이 벌어진다. 윤일섭이 보기에 "선택받은 자들은 그 안전한 쇠울타리 보호 속에서 기분 좋게 바깥세상 구경이나 하면서 살아가고, 선택받지 못한 자들은 바깥으로 쫓겨난 채 선택받은 자들의 모욕적인 눈길 속에 우왕좌왕 방황을 계속하고 있는 게 현실이"(79-80쪽)었다. 이때, 윤일섭은 현실이 쇠창살로 되어 있다는 것과 의사의 진단을 동시에 증거하기 위해 쇠창살을 제거하기로 결단을 내린다.

이 희극적 사태에 대해 소설은 어떤 판단과 해석을 유보한다. 그 대신 윤일섭이 만들어놓은 마음 속의 쇠창살, 그 금기의 경계선을 제거하는 것이 진정 윤일섭을 위한 치료법이 될 수 있는지를 질문한다. 그 질문이 의도하는 바는 과거를 사실대로 확인하길 거부하는 윤일섭에겐 마음 속에 쇠창살을 지니는 것이 오히려 비극적 사태를 예방하는 장치가 될 수 있다는 역설적 인식이다. 나아가 윤일섭이 보이는 "이상한 쾌감"은 금기를 승인하는 듯하면서 금기에 저항하는 힘이 된다. 그래서 윤일섭의 몸에는 금기와 욕망, 지배와 저항이 동시에 작동한다. 여기에서 금기는 욕망을 억압하는 대립물이 아니라 오히려 욕망을 생산하는 황홀한 힘이 된다.

이렇듯 이청준 소설 속 주인공들이 보여준 가학적인 쾌락 욕망은 안과 밖, 지배와 저항, 이성과 광기 등으로 양분된 것 중에서 어느 하나를 선택하길 요구하는 것이 아니라 그 이분법적 경계선 자체에 대해 다음과 같이 질문한다. 무엇이 우리를 억압하는가. 우리는 금기를 견디면서 어떻게 살아가야 할 것인가.

3. "추방된 음가" : 실종 욕망을 통한 금기의 드러냄

앞서 읽은 것처럼 이청준 소설에서 금기와 욕망은 분리될 수 없는 양면으로 설정되어 있다. 따라서 금기는 황홀한 욕망의 대상이 되기도 한다. 이러한 점은 「전쟁과 악기」(1970)[15]에 나오는 한 편의 일화에서 잘 읽을 수 있다. 이 일화는 전쟁 욕망을 일으키는 무현(武絃)을 제거한 결과 실제로 전쟁이 자주 일어나게 되었다는 이야기가 핵심 내용이다. 이 일화를 바탕으로 이 소설에서는 '반음'과 '온음' 중에서 어느 한쪽의 음을 제거했을 경우 우리는 불행하게도 "모든 음을 잃고 부끄러운 야만으로 돌아가게 될 것이"므로 "어떤 반음도 다른 어떤 온음과 마찬가지로 추방되어서는 안 된다"고 경고한다. 만약 둘 중의 어느 한 쪽을 제거하게 된다면 무질서와 혼란이 생겨날 수 있다는 것이다. 그리하여 "추방된 음가"를 제자리로 되돌려놓는 것이 한 사회의 질서를 회복하기 위해 선행되어야 할 과제가 된다.

이러한 문제를 「치질과 자존심－새를 위한 악보①」(1980)[16]에서는 문

15) 이청준, 「전쟁과 악기」, 『소문의 벽』(이청준 전집 4), 문학과지성사, 2011.
16) 이청준, 「치질과 자존심－새를 위한 악보①」, 『가면의 꿈』, 열림원, 2002, 347쪽.

명과 질병의 관계를 통해 탐구한다. 치질 전문의 가수로 씨와 치질 환자이자 언어학자는 치질이라는 질병 치료에 대한 상반된 입장을 가지고 있다. 의사는 치질을 근본적으로 치료하기 위해서 직립 이전의 사지보행의 상태로 돌아가야 한다고 주장한다. 반면 언어학자는 인간이 자신의 부끄러운 곳을 감추기 위해 직립한 결과 치질을 얻게 된 것인데 그 치질을 없애기 위해 인간으로서의 자존심을 버리고 사지보행으로 돌아갈 수 있겠느냐고 반박한다. 사지보행으로 돌아가는 것은 인간으로서의 자존심을 포기하고 "부끄러운 야만"의 상태로 회귀하는 것과 다르지 않기 때문이라는 설명이다. 이런 언어학자의 주장에 대해 의사 가수로 씨는 "자존심"을 이 세상에서 "박멸"해야겠다고 생각한다.

자존심인가, 치질인가. 문명인가, 질병인가. 이 소설은 그런 이분법적인 물음에 대한 선택을 요구하지 않는다. 여기에서 우선 "인간의 문명 속에 있는 매우 고귀한 것들이 모두 이러한 본능적 억압에 기초하고 있는 것",[17] 즉 문명이란 쾌락의 희생에 치러지는 비용이며 문명을 누리려면 쾌락을 포기해야 한다는 프로이트의 견해를 참조할 수 있다. 프로이트에 따르면 '문명 속의 불만'은 문명의 진보가 인간에게서 쾌락을 추방한 결과로 주어진 것이다. 그러나 이청준은 프로이트가 말한 문명의 자리에 인간으로서의 부끄러움과 자존심을 놓는다. 문명화의 과정을 인간이 자존심과 부끄러움을 획득하게 된 과정으로 여긴다면 문명과 질병의 관계는 훨씬 복잡한 논점이 된다. 치질을 치료하는 것은 곧 인간으로서의 자존심과 부끄러움을 포기하는 일이 되기 때문이다. 요컨대

17) Sigmund Freud, 박찬부 옮김, 『쾌락 원칙을 넘어서』(프로이트 전집 14), 열린책들, 1997, 58쪽.

'치질과 자존심'은 분리할 수 없는 양면적 조건이며, '문명 속의 질병'을 껴안고 살아가는 것이 야만의 상태로 돌아가지 않는 방법인 셈이다.

위와 같은 문제의식을 따를 때 앞서 읽은 「황홀한 실종」에서 윤일섭의 안과 밖의 도착증을 이해할 수 있는 다른 시선이 마련된다. 윤일섭은 현실의 억압을 견딜 수 없어서 병원으로 들어가려 했지만 병원 역시 의사의 권력적인 시선이 자리한 곳이라는 점을 알게 된다. "격리감과 쇠창살" 덕분에 묘한 안정감을 느끼고 "자신의 실종을 마련해놓고 그것을 몰래 혼자 즐기는 버릇" 등[18] 윤일섭의 증상들은 스스로 현실에서 '격리'되거나 '실종'되고자 욕망이 투영되어 있다. 그 증상들을 해명할 수 있는 결정적인 단서는 어린 시절 '빗속을 뚫고 안개 낀 산길에서 들꽃을 꺾으며 돌아오던 길에서의 실종 경험'에서 찾을 수 있다.

> "(…) 문득 주위를 둘러보니 산길가에 이름을 알 수 없는 흰색 들꽃들이 여기저기 비를 맞고 피어 있더군요. 난 그 꽃들을 꺾기 시작했어요. 길을 가는 것도 잊고 그 들꽃들을 꺾기 위해 물소리가 쿵쿵거리는 골짜기를 따라 들어갔어요. 주위에는 전혀 인적 같은 것이 없는데도 이상스럽게 무서운 생각이 들질 않더군요. 골짜기는 전에 들어가본 일이 없는 것인데도 전혀 낯이 선 것 같지 않았구요. 언젠가 전에 한번 와본 일이 있는 것같이 모든 게 익숙했어요. **골짜기를 깊이 들어갈수록 기분이 점점 더 아늑해져왔구요. 전 한 송이만 더, 한 송이만 더 하는 식으로 그 들꽃을 꺾고 꺾으며 끝없이 골짜기의 안개 속으로 사라져가고 있었어요…… 그리고는 그만이었지요……**"[19]

18) 이는 「퇴원」의 격리된 소년이 아버지가 있는 바깥으로 나가려 하기보다 어두운 밀실에 그대로 실종되고 싶어 했는지도 모른다는 추측을 함께 떠올려 볼 수 있다.

19) 이청준, 「황홀한 실종」, 『서편제』, 앞의 책, 93-94쪽.

윤일섭은 골짜기의 "안개 속으로 사라져 들어간" 후, 어머니 곁에서 정신이 들었을 때를 이렇게 기억한다. "전 그때 어머니 곁에서 다른 아이로 태어난 거란 말입니다. 골짜기로 들어간 저는 영원히 그 안개 속으로 모습이 사라져 들어가버린 거구요."(94쪽). 그는 그런 순간의 경험이 야구 게임에서 공이 피처 손을 떠나 타자 앞을 지날 때까지의 시간, 0.3초밖에 되지 않는 그 짧은 시간 정지해 있는 공을 치게 된다면 "0.3초의 시간 벽을 완전히 뚫고 나가 자유의 몸이 되는 것"과 같은 이치라고 덧붙인다. 의사는 그의 실종 경험이 실제의 자신을 망각하고 환상 속에서 이루어진 것이기에 "잃어버린 자신의 모습을 다시 찾아보도록 하라고 충고"한다.

윤일섭은 안과 밖, 어느 곳에서도 추방된 존재다. 그러나 윤일섭은 정지된 실종의 시간을 현실에서의 부재 상태이면서 "진정한 자유"를 획득하는 시간이며, 현실 속의 자기를 망각한 후 다른 사람으로 다시 태어나는 순간으로 견인한다. 즉 그에게 안개 골짜기 속으로 자기를 망각하고 사라져 들어간 실종의 시간은 금기의 문을 향해 가는 황홀한 순간이며 그것은 비극적인 현실을 견디는 힘인 것이다.

같은 맥락에서 「조만득 씨」(1980)[20]에서 백만장자라고 생각하면서 스스로 행복해 하는 "과대 망상성 정신분열증" 환자 조만득의 병증을 읽을 수 있다. 그의 병증에 대한 의사의 처방은 아주 간단하다. "미친 것은 가짜의 삶이고 가짜의 행복이니까", 정직한 현실과 대면하게 해주어야 한다는 것이다. 그런데 과거의 기억을 사실 그대로 떠올리는 것을 애써 거부하면서 망상증에서 행복을 느끼는 사람에게 과거를 사실대로

20) 이청준, 「조만득 씨」, 『소문의 벽』, 열림원, 1998.

확인시키는 것이 진정한 치료법이 될 수 있을까. 조만득에게 망상은 세상에 대한 복수를 감행하여 더 큰 재앙을 초래하지 않도록 하는 보호장치라면 의사의 진단에 쉽게 동의할 수 없을 것이다.

하지만 현실은 그 사라짐의 욕망을 허락하지 않는다. 이청준은 이렇게 말한다. "변신이나 사라짐"은 "상상적 희망의 기호에 불과하며 그 기호가 지시하고 있는 바는 갈등과 억눌림의 현상"이다.[21] 하물며 전짓불과 같이 언어를 초과하는 권력 앞에서 스스로의 자리를 지워버리는 실종은 절대로 불가능한 일이다. 그 자리는 오직 자신의 진실을 담아낸 진술을 요구한다.[22] 이렇듯 이청준 소설에서 인물들의 실종 욕망은 세계의 양면, 즉 선과 악, 옳은 것과 그른 것, 아름다운 것과 추한 것, 금지와 허용 등 일면적 가치로 재단할 수 없는 "복합적 양가성"을 수용하는 것이라고 할 수 있다.[23] 다시 말해 추방된 음가들이 거주하고 있는 "자기모색의 깊은 공간, 자신만의 조용한 밀실"은 개인들의 차이를 추방시킨 이분법적 체계에 대항하는 실종 욕망의 자리로서 옹호될 수 있다.[24] 따라서 실종 욕망은 어느 한쪽의 기준에 의해 일방적으로 "추방된 음가"를 회복하려는 몸짓에 다름 아니다.

---

21) 이청준, 「여름의 추상-잃어버린 일기장을 완성하기 위하여」, 『눈길』, 열림원, 2000, 298쪽.

22) 이청준, 「전짓불 앞의 방백-가위 밑 그림의 음화와 양화 2」(1987), 『키 작은 자유인』(이청준 전집 21), 문학과지성사, 2014, 21-23쪽.

23) 이청준은 이렇게 묻는다. 인간과 세상이 "옳은 것과 그른 것, 선한 것과 악한 것, 아름다운 것과 추한 것들이 부분적으로 함께하는 가치와 의미의 복합체로" 되어 있는데 "이분법적 금계 체계의 인식법" 아래 선과 악을 양분하는 것이 과연 옳은 것인가(이청준, 「금지곡 시대-가위 밑 그림의 음화와 양화 3」(1989), 『키 작은 자유인』, 앞의 책, 69-77쪽).

24) "누구나 같은 목소리의 말을 즐겨하고 같은 율조의 노래를 좋아하고, 농담도 비슷하고 웃음도 비슷하고 생각이나 느낌도 다 비슷비슷한 삶만을 살아가야 할 것인가"(이청준, 「사라진 밀실을 찾아서」(1994), 『사라진 밀실을 찾아서』, 월간에세이, 1994, 219쪽).

여기에서 우리는 비로소 앞서 윤일섭이 안개 속으로 사라진 실종의 경험에 대해 현실의 자기를 망각한 후 새로운 모습으로 다시 태어났다고 말한 것을 이해할 수 있다. 그의 실종 욕망은 금기의 공간에서 탈출하려는 것이 아니다. 그것은 안과 밖, 어느 곳이 아닌 다른 공간을 사유하는 긴장된 의식에 가깝다. 그래서 그것은 억압적인 금기의 체계인 아버지(“국가”)와 대립하는 “구멍”, “실패 놀이”, “니르바나”, “죽음”, “무(無)”, “동굴”, “공(空)” 등 “황홀”한 상상력과 교차한다.[25] 이 혼종적이고 이질적 공간은 ‘현실적이면서 가상적인 거울처럼’ 안과 밖도 아닌 곳, 안이면서 밖인 “다른 공간들”이다.[26]

4. “눈동자 없는 눈” : 문학, “다른 공간들”

지금까지 읽은 내용을 바탕으로 이 장에서는 금기가 이청준의 소설 쓰기와 어떻게 연관되는지를 살피고자 한다. 이청준의 소설론은 소설가소설 혹은 예술가소설에서 보다 구체적으로 다루어졌다. 이 글에서는 이청준의 소설론이 금기와 관련된 일화 혹은 설화를 통해 소설과 인간, 세계의 관계를 개진하고 있는 작품들을 중심으로 금기에 대한 사유가 곧 문학이란 무엇인가를 질문과 만나고 있는 지점을 읽어볼 것이다.

---

25) 송상일, 『국가와 황홀』, 문학과지성사, 2001, 13-105쪽.

26) “거울은 헤테로토피아처럼 작동한다. 그것이 내가 거울 안의 나를 바라보는 순간 내게 차지하고 있는 자리를, 절대적으로 현실적인 동시에 절대적으로 비현실적인 것으로 만들기에 그렇다. 그 자리가 주위를 둘러싸고 있는 모든 공간과 연결되어 있다는 점에서 현실적이며, 그것이 지각되려면 [거울] 저편에 있는 가상의 지점을 통과해야만 한다는 점에서 비현실적이다”(Michel Foucault, 이상길 옮김, 「다른 공간들」, 『헤테로토피아』, 문학과지성사, 2014, 48쪽; 41-58쪽).

먼저 읽어볼 작품은 「얼굴 없는 방문객」(1978)이다. 이 소설에는 서예가 손정현 씨와 소설가 P씨의 이야기가 교직되어 있다. 손정현 씨는 산록에서 수석 채집 여행을 하다 기이한 죽음을 경험한 후에 죽음 연구가가 되었다. 그의 기이한 죽음 경험이란 이런 것이다. 그는 하루 종일 산속을 헤매다가 해질녘에야 기괴한 형상의 자석(紫石) 한 점을 캐내어 주변 묘역으로 가서 누워서 "황홀한 행복감"을 느끼고 있었을 때 새 한 마리가 허공을 스쳐 날아가는 것을 보고서 "황홀한 절망감"을 겪은 적이 있다고 한다. 그 순간에 그는 자신의 죽음을 예감한다. 그러자 그는 "마치 무슨 치명적인 금기라도 범한 듯 돌멩이를 다시 제자리에 묻어주고 맨손으로 황급히 산을 내려오고 말았다."

한편 소설가 P씨는 손정현 씨의 이야기를 듣고 난 후 「황홀한 죽음」이라는 제목의 단편을 발표한다. P씨가 손정현 씨에게 들었던 그 이야기를 소설로 쓰게 된 데에는 심상찮은 내력이 있었다. P씨는 소설 속의 이야기가 바로 자신의 일이 되어버릴 것 같은 두려움 때문에 글을 쓰지 못하고 있었는데, 손정현 씨의 이야기를 듣게 된 후 손정현 씨가 "돌멩이를 다시 제자리로 되돌려놓은" 것을 "그 돌멩이를 가지고 산을 내려와 치명적인 복수를 당해 죽음을 맞는" 이야기로 바꾸어 쓴다. 그런 후 그는 자신이 쓴 소설 속의 결말처럼 횡사하고 만다. 그렇다면 P씨는 다른 사람의 이야기를 자신의 이야기로 바꿔 씀으로써 죽음에 대한 두려움을 예감하고 그것을 스스로 증명한 셈이었다.

이렇듯 서예가 손정현 씨와 소설가 P씨가 자신의 삶을 다른 사람의 것과 바꾸어 쓴 것은 무엇을 의미하는가. 그들은 죽음, 그 금기의 세계에 대한 두려움을 견디기 위해 다른 사람의 이야기를 자신의 이야기로, 자신의 이야기를 다른 사람의 이야기로 대신한 것이다. 그것은 자신의 죽음에 대한 두려운 예감을 견디는 방식이었다고 할 수 있다. 두 사람의 죽음 이야기는 손정현 씨가 죽기 전에 남긴 다음의 이야기에 의해 다시 종합된다.

> 그때 내가 자신도 모르는 어떤 힘에 이끌려 새벽 눈길로 벗을 찾아간 것, 그리고 그 친구가 벗이 찾아온 소리를 듣고 자기 집 마당의 깨끗한 눈 위를 먼저 밟고 들게 한 것, **그건 모두가 자신의 자리를 지워버린 다음의 망각 속의 일들이지요. 하지만 그 자신의 망각 속에서 우리는 비로소 서로가 서로를 만나 하나가 될 수 있었던 거지요.** 그게 우리네 우정인 겝니다. 그리고 그 서로가 서로에게로 뒤섞임 속에서 우리는 서로가 자신의 자리를 지우고 보다 크고 새로운 하나의 공동 인격체로 다시 탄생해나가는 우정의 완성을 보게 되는 거구요. 그게 진짜 우정의 멋이지요. 그리고 그 우정의 완성은 곧 우리네 삶의 완성이기도 하구요……[27]

위에서 인용한 부분은 손정현 씨가 죽음 직전에 남긴 그 새벽의 눈길과 친구의 이야기 중의 일부다. 그런데 그 이야기는 실상 자신의 이야기가 아니라 P씨의 이야기였다. 그렇듯 그들은 자신의 죽음을 다른 사람의 삶 속에 위치함으로써 서로 다른 사람들이 될 수 있었고 그것으로 죽음에 대한 두려움을 함께 견딜 수 있었다. 서로의 자리를 지우면서 하나가 될 수 있었던 것, 즉 자신의 자리를 지워버린 망각 속에서 서로가 서로를 만나 하나의 공동 인격체로 다시 탄생한 것이다. 그것은 "우정의 완성"이고 "삶의 완성"이었다. 여기는 서로의 자리를 망각한 후 하나가 되는 "우정"의 자리이며 두 사람이 서로 닿을 수 없는 간극에서 비롯되는 "사랑"의 자리다.[28]

---

27) 이청준, 「얼굴 없는 방문객」, 『눈길』(이청준 전집 13), 문학과지성사, 2012, 327쪽.

이렇게 소설 혹은 이야기를 쓰는 것은 고통스러운 경험과 기억을 견디는 하나의 방법이 된다. 이청준의 소설에서 마을 공동체에 전승되는 '설화'에 주목하는 이유도 바로 거기에 있다. 설화는 마을 사람들이 공동체가 직면한 문제들을 해결하기 위해 만들어서 간직한 이야기인 것이다.

「용소고(龍沼考)」(1990)에서는 마을 사람들이 금기를 어떻게 만들어 가는지, 그리고 그 금기설화가 공동체에서 어떤 기능을 하는지를 잘 보여준다. 소설 속의 화자인 '나'는 친구와 절골로 여행을 갔다가 기억 속의 이름 두천이를 떠올린다. 어릴 적, 마을 사람들은 두천이라는 이름에 온갖 "저주"와 "경계", "허물과 원망"을 투사하곤 했다. 그러나 그 '방두천'이라는 인물이 마을 사람들 앞에 모습을 드러낸 일은 한 번도 없었다. 사람들은 조선인으로서 고등계 형사를 지내면서 무고한 양민들을 괴롭힌 방두천에 대한 기억들을 직접적으로 말하지 않으면서 그 이름에 온갖 감정을 담아 그의 이름을 "상징적 표상"으로 만드는 지혜를 발휘한 것이다.

따라서 "반실제 반가공의 악인" 방두천이 역사 속의 실존했는지의 여부를 확인하는 것은 부차적인 문제다. 그의 이름은 마을 사람들에게 "연못 속의 용"과 같이 증거되지 않은 "설화적 표상"으로 남게 되었다는 사실이 중요한 것이다.[29] 사람들은 방두천이라는 인물에 대한 고통

28) "이미지를 지각하는 것과 그 속에서 우리 자신을 재인하는[알아보는] 것 사이에는 간극이 있는데, 중세 시인들은 이 간극을 사랑이라고 불렀다. 이런 의미에서 나르키소스의 거울은 사랑의 원천이며, 이미지가 우리의 이미지이자 우리의 이미지가 아니라는 미증유의 가혹한 깨달음이다"(Giorgio Agamben, 김상운 옮김, 「스페키에스적 존재」, 『세속화 예찬』, 난장, 2010, 84쪽).

29) "설화성 표상은 그것을 낳게 한 실제 인물들의 정체가 드러나면 그 표상으로서의 구실

스러운 기억을 금기 설화로 만들어냄으로써 그 설화적 표상을 공동체의 위기를 예방하는 장치로 활용한다.

「이상한 선물」(2007)의 황기태 씨는 금기 설화에 내포된 표상과 그 역할이 무엇인지를 보여주는 대표적인 인물이다. 황기태 씨는 "운주사의 천불천탑과 와불", "무위사 벽화" 설화에 관심을 가지고 고향으로 내려온다. 그는 고향 마을 서당에서 함께 썼던 "심지연(心池硯)이란 큰 벼루"에 관한 이상한 사연을 듣게 된다. 동네 사람들은 6 · 25전쟁 이후 서당도 문을 닫았고 한동안 잊고 있었던 그 벼루 이야기를 언제부턴지 "그 심지연의 보이지 않는 신통력과 음덕 때문"에 다시 꺼내기 시작한 것이다.

더욱 이상한 일은 황기태가 그 벼루를 보관하고 있을 거라고 마을 사람들이 믿고 있는 점이다. 마을 사람들은 "오랜 세월 이 동네 발길을 끊고 지내온" 황기태와 같은 사람이 그 벼루를 "이 동넬 위해 밖에서 그걸 지녀줘야 하지 않겠는가"라고 그 이유를 설명한다. 마을 사람들이 왜 황기태를 심지연을 보관하고 있는 사람으로 믿어 왔는지는 이 소설 속에 나오는 "천태산이라는 그림자 도둑 이야기"와 "무위사 벽화 전설"로 대신 설명된다.

> 조선조 초기 이 절을 크게 중축한 스님들이 마지막으로 훌륭한 벽화를 그려 얻고자 고심하고 있었다. 하루는 한 낯선 스님이 절을 지나가다 그 이야기를 듣고 자신이 한번 그 일을 감당해보겠노라 자청하고 나섰다. 그리고 그가 벽화를 그리려고 법당 안으로 문을 걸고 들어가며 그림

은 더 못하게 되고 말지. 실제의 인물이 그 상징적 표상성을 죽여버리고 마니까. ……사람들이 흔히 마을 앞 연못 속에 용이란 영물을 기르는 것과 같은 이칠세."(이청준, 「용소고(龍沼考)」, 앞의 책, 311-312쪽).

> 을 완성하고 나올 때까지 안을 엿보지 말라는 당부를 남겼다. 하지만 미완 모티프의 이야기들이 늘 그렇듯이 그림이 완성되려는 마지막 날 스님 한 분이 끝내 궁금증을 못 이겨 문구멍으로 법당 안을 엿보았다. 그러자 안에서는 파랑새 한 마리가 입에 붓을 물고 마지막 붓질을 하려다 말고 놀라 어디론지 날아가 사라지고 말았다. **그때 파랑새가 미처 끝내지 못한 마지막 붓질 부분이 한 보살님의 눈동자였던 까닭에, 지금까지 전해지는 그 벽화의 보살님상에는 눈만 그려져 있고 눈동자는 비어 있다.**[30)]

마을 사람들은 "마음씨 고운 도둑"의 얼굴을 실제로 본 적이 없지만 그 도둑에 대한 소문과 이야기를 믿고 있었다. 사람들은 그렇게 도둑에 관한 설화를 스스로 지어내고 그것을 믿으면서 살아올 수 있었다. 또 무위사 벽화 전설은 스님이 그림을 완성하고 나올 때까지 안을 엿보지 말라고 당부하지만 그 금기를 파기한 결과 벽화 속의 보살의 눈은 "눈동자 없는 눈"으로 남게 되었다는 이야기다. 이렇듯 무위사 벽화 전설 속의 비어있는 눈동자는 마을 사람들의 아픔과 소망을 동시에 담아내는 여백이 된다.

이렇듯 마을 사람들 사이에서 전승되는 설화는 두려운 금기의 기억과 새로운 세상을 향한 기다림을 함께 내장하고 있다. 여기서 벼루가 아니라 실상 숫돌판에 불과한 그 '이상한 선물'을 마을의 바깥에 있는 황기태가 지녀야 하는 이유는 분명해진다. 그럴 때, '이상한 선물'은 아무 것도 아니면서 모든 사람들을 위한 것이 될 수 있는 것이다.

앞서 읽은 소설에서 확인할 수 있는 것처럼 이청준 소설은 금기를 우리의 삶을 구성하는 내적 계기로 끌어들이는 과정과 금기가 공동체

30) 이청준, 「이상한 선물」, 『그곳을 다시 잊어야 했다』, 열림원, 2007, 181쪽.

의 질서를 유지하는 설화적 장치가 되는 방식에 주목한다. 그런 과정은 곧 소설이 인간의 운명, 세계와 맺는 방식이기도 하다. 「천년의 돛배」(2006)는 그와 같은 방식을 한 편의 소설로 짜놓은 작품이다.

이 소설 속에 들어 있는 이야기는 대략 이렇다. 아이는 바닷가가 내려다보이는 밭이랑에서 "사라졌다 다시 솟아나기를 되풀이하고 있"는 조각배를 보면서, 바다 위의 조각배가 돛대도 없이 어디로 가려는 것인지를 궁금해 한다. 그런 아이에게 어머니는 그 '바윗돌 배'에 얽힌 사연을 들려준다. 어머니가 들려주는 돌배 이야기를 듣고 자란 아이는 청년이 되어 돌배를 찾아가게 되고 청년은 그것이 돌배가 아니라 갯바위 섬이라는 사실을 알게 된다. 그리고 청년은 그 돌배 이야기를 자신의 가족 이야기로 겹쳐 듣는다. 청년은 이야기를 오히려 "사실"처럼 믿고 싶어 한다. 청년은 이야기 속의 아이의 아픔을 통해 자신의 아픔의 근원적 자리를 알아간다. 나아가 돌배 이야기는 아이와 청년, 어머니, 그리고 모든 사람들의 이야기로도 들린다.[31]

설화와 이야기에는 그래서 현실과 허구의 경계가 지워지고 나와 타인 사이의 간극이 없어진다. 그래서 그것은 우리 모두의 아픔을 풀어낸 황홀한 세계다. 그런 세계는 이청준 소설에서 "황홀한 죽음", "얼굴 없는 방문객", "실체 없는 그림자", "눈동자 없는 눈" 등과 같이 "장소 없는 장소"(푸코)로 형상화된다.

그러면 이제 우리는 앞서 읽은 「얼굴 없는 방문객」에서 P씨가 남긴 소설 「황홀한 죽음」이 대체 누구의 이야기인가라는 물음을 다시 던져 볼 수 있다. P씨가 죽음을 예감하면서 쓴 그 소설은 죽음, 그 황홀한 금

31) 이청준, 「천년의 돛배」, 『그곳을 다시 잊어야 했다』, 앞의 책, 26-36쪽.

기를 견디기 위한 하나의 시도였었다. 그리고 그것은 자신의 이야기를 다른 사람의 이야기로 대신하고, 다른 사람의 이야기를 자신의 이야기로 바꿔 살았던 장소이기도 하다. 그러니까 소설 「황홀한 죽음」은 특정한 누구의 것이 아닌 '다른 사람들'의 이야기였던 것이다. 그곳은 이청준 소설이 금기의 세계를 견디면서 마련한 '문학의 공간'일 것이며, 푸코의 표현을 빌려 타자성과 이질성으로 충만한 "다른 공간들(hétérotopie)"이라고 말할 수 있을 것이다.

이청준 소설에 나타난 고향의 의미 연구*

『남도사람』 연작을 중심으로

문 으 뜸

1.

이 글은 이청준의 소설 『남도사람』 연작을 통해서 이청준의 소설에서 드러나는 고향의 의미와 그 역할에 대해 고찰하는 것을 목적으로 두고 있다. 이청준은 1965년 「퇴원」으로 등단한 이래 40여 년 동안 꾸준하게 작품 활동으로 지배/피지배의 갈등, 권력과 언어의 관계, 자아와 사회의 모순 등을 치열하게 탐구한 작가라는 평가를 받았으며, 다른 한편으로는 고향과 어머니가 등장하는 「귀향연습」, 『남도사람』 연작, 「눈길」, 『축제』 등의 귀향소설류 또한 꾸준하게 발표해, 관념소설과 귀향소설을 아우르는 문학세계를 보여주는 작가로 평가된다. 이 글은 이청준의 소설들 중 『남도사람』 연작에 주목하여, 『남도사람』 연작에서 드

---

* 이 글은 2015년 1월 23일 전남대학교 대학원 국어국문학과 BK21플러스 사업단에서 주최한 국제학술대회 '세계의 지역어 기반 문화가치 연구의 방법과 과제'에서 발표했던 「이청준 소설에 나타난 장흥의 지역성 연구」를 수정하였음.

러나는 반복[1]이 이청준 소설 전반을 아우르는 원리로 확대 해석이 가능하다는 것을 전제로 하고, 그 반복이 이청준 소설 쓰기의 원동력이 됨을 밝히고자 한다.

이청준은 스스로도 "내 삶과 문학에 대한 은혜를 따지자면야 그 삶을 주고 길러준 고향과 그 고향의 얼굴이라 할 '어머니'를 앞설 자리가 없"[2]다고 밝힌바 있거니와, 이청준의 소설 세계에서 고향은 큰 의미를 가진다. 또 "어떤 뜻에선 어머니의 탯줄을 떨어져 나온 그 순간에 우리는 누구나 제 고향을 떠나 낯선 세상으로 혼자 내보내진 이향의 운명을 타고난 존재인지도 모른다."[3]라는 이청준의 말에서도 볼 수 있듯이, 이청준에게 고향은 어머니 그 자체라고도 말할 수 있다.

> 고향이란 말할 것도 없이 우리가 태어나 자라고 부모형제 이웃들과 장단간 한시절을 함께한 곳으로 우리 생명과 삶의 근원지요, 마음과 정신이 싹터 오른 요람이며 그 삶과 바탕 모양 지어준 어머니의 품이다. 그러므로 우리가 그 고향을 떠나 살고 있음은 우리가 살고 누려야 할 자리를 잃고 있음이요, 함께 살아야 할 사람들과 함께 살지 못함으로 하여 자신이 지녀야 할 옳은 삶의 모습을 지니고 살지 못함이며, 궁극적으로는 자기 자신과 자신의 근원을 잃은 일종의 떠돌이 같은 삶을 살아가

1) 이청준 소설에 드러난 반복은 크게 세 가지로 나누어 볼 수 있는데, 첫째로 귀향과 탈향의 반복, 둘째로는 사람 찾기의 종결 지연으로서의 반복, 더 나아가 소설 쓰기의 완성을 지연하여 글쓰기의 지속을 반복하는 양상이 그것이다. 그 중에서 가장 흔히 볼 수 있는 양상은 고향을 떠난 주인공이 귀향과 탈향을 되풀이하는 것이다. 이청준의 소설 중에서 「꽃 지고 강물 흘러」, 「귀향연습」, 「그곳을 다시 잊어야 했다」, 「남도사람」 연작, 「눈길」, 「빗새 이야기」, 「살아있는 늪」, 「새가 울면」, 「이어도」, 「축제」 등 많은 텍스트들이 고향 혹은 어머니와의 문제를 다루고 있다. 문으뜸, 「이청준 소설에 드러나는 '반복' 연구」, 『인문학연구』 48집, 조선대학교 인문학연구원, 2014, 87~109쪽.

2) 이청준, 권오룡 엮음, 「이 나이의 빛 꾸러미」, 『이청준 깊이 읽기』, 문학과지성사, 1999, 40쪽.

3) 이청준, 「아픔 속에 숙성된 우리 정서의 미덕」, 『서편제』, 열림원, 1998, 194쪽.

고 있음을 뜻하게 될 것이다.[4)]

그럼에도 불구하고 이청준의 귀향소설류에서 고향은 머물지 못하는 곳, 다시 떠나야 하는 곳으로서의 모습을 띈다. 어머니가 있는 곳, 우리 생명과 삶의 근원지임에도 불구하고 이청준 소설의 주인공들이 고향에 머무르지 못하는 이유는 무엇인가. 이 글은 그 이유를 라캉의 'fort-da' 놀이를 통해 설명하고자 한다.

2.

이청준의 『남도사람』 연작은 「서편제」, 「소리의 빛」, 「선학동 나그네」, 「새와 나무」, 「다시 태어나는 말」 등 다섯 편으로 구성되어 있으며, 한 사내가 공통적인 주인공으로 등장하고 있다. 이 사내는 누이(의 소리)를 찾아 남도를 떠돌지만 누이를 만난 후에도 결국 자신과 누이가 오누이 사이임을 밝히지 않고 길을 떠남으로써, 소리를 찾는 행위를 반복한다. 이것이 「남도사람』 연작의 주된 서사이다.

그가 찾는 '소리'는 그가 숙명처럼 찾아 헤매야 하는 그 자신의 운명의 얼굴이다.

> 잠을 자거나 잠을 깨거나 소년의 귓가에선 노랫소리가 떠돌고 있었고 소년의 머리 위에는 언제나 그 이글이글 불타오르는 뜨거운 햇덩이가 걸려 있었다.
> 소리는 얼굴이 없었으되, 소년의 기억 속엔 그 머리 위에 이글거리던

4) 이청준, 위의 책, 195쪽.

> 햇덩이보다도 분명한 소리의 얼굴이 있을 수 없었다. 그리고 언제나 뜨겁게 불타고 있던 그 햇덩이야말로, 그날의 소년이 숙명처럼 아직 그것을 찾아 헤매 다니고 있는 그 자신의 운명의 얼굴이었다.[5]

사내는 그 소리의 얼굴을 '햇덩이'라고 부르고 있다. 그 햇덩이는 "괴롭고 고통스러운 얼굴"[6]이지만, "그는 그의 햇덩이를 만나기 위해 끊임없이 소리를 찾아 다니지 않으면 안 되었다. 그런 식으로 이날 이 때까지 반생을 지녀온 숙명의 태양이요, 소리의 얼굴이었다."[7] 사내가 숙명처럼 찾아다녀야 하는 소리는 무엇인가.『남도사람』연작에서 소리는 크게 세 가지의 형태로 나타난다. 첫 번째로 소년의 엄마가 밭고랑에서 내는 소리, 두 번째는 사내의 의붓아버지의 소리, 마지막으로 누이의 소리가 그것이다.

사내가 찾는 첫 번째 소리인 어머니의 소리는 다음의 '밭고랑' 장면에 등장한다.

> 소년은 날마다 그 무덤가 잔디에서 고삐가 매인 짐승 꼴로 긴긴 여름날을 기다려야 했다. 그리고 그 언덕빼기 무덤가에서 소년은 더러 물비늘 반짝이며 섬 기슭을 돌아 나가는 돛단배를 내려다보기도 했고, 더러는 또 얼굴을 쪄오는 여름 태양별 아래 배고픈 낮잠을 자기도 했다. 그러면서 이제나저제나 밭고랑 사이로 들어간 어미가 일을 끝내고 나오길 기다렸다. 하지만 여름마다 콩이 아니면 콩과 수수를 함께 섞어 심은 밭고랑 사이를 타고 들어간 어미는 소년의 그런 기다림 따위는 아랑곳이 없었다. 물결 위를 떠도는 부표처럼 가물가물 콩밭 사이를 오락가락하

5) 이청준, 앞의 책, 20~21쪽.
6) 이청준, 위의 책, 21쪽.
7) 이청준, 위의 책, 21쪽

> 면서 하루 종일 그 노랫소리도 같고 울음소리도 같은 이상스런 콧소리 같은 것을 웅웅거리고 있었다. 어미의 웅웅거리는 노랫가락 소리만이 진종일 소년의 곁을 서서히 멀어져 갔다간 다시 가까워져 오고, 가까워졌다간 어느 틈엔가 다시 까마득하게 멀어져 가곤 할 뿐이었다.[8)]

이 장면은 『남도사람』 연작에서 뿐만 아니라, 이청준의 소설 세계 전반을 관통하고 있는 이청준식 'fort-da' 놀이다. 이청준 소설 전반을 아우르는 원체험으로서의 이 장면[9)]은 욕망하는 대상으로부터 가까워졌다가 멀어지기를 반복하는 이청준적 주체를 만들어 내며, 『남도사람』 연작에서 등장하는 부친 살해 소망, 누이 찾기와 고향에 머무르지 못하는 주인공 등으로 변주되어 나타난다.

아이가 욕망의 대상으로서의 엄마의 부재라는 분리불안의 현실을 극복하고, 엄마의 부재를 상징적으로 통제하고자 하는 소망을 fort-da 놀이를 통해 드러낸다는 프로이트의 해석과 달리, 라캉은 오히려 분리되지 않을까봐 생기는 불안에 의한 것이라고 fort-da 놀이를 설명한다.[10)] 상상계에 머물러 있는 아이가 자율적인 주체가 되려면 '아이-엄마'라는 상상적 합일의 관계에서 벗어나 상징계로 진입해야한다. 이때 아이로

---

8) 이청준, 「서편제」, 『서편제』, 열림원, 1998, 19쪽.

9) 김형중은 「지상에서 가장 생산적인 왕복운동」에서 서정/관념, 고향/도시, 부계/모계로 양분화 되었다고 일컬어지기도 하는 이청준 소설 세계를 일관되게 꿰뚫어 의미화할 수 있는 '누빔점'을 제공한다는 점을 들며 이 장면을 이청준의 원초적인 원체험의 장면이라고 설명한다. 김형중, 「지상에서 가장 생산적인 왕복운동」, 『서편제』, 문학과지성사, 2013.

10) 이 놀이 활동 전체는 반복을 상징합니다. 하지만 그것은 단순히 아이의 울음소리에서처럼 엄마에게 돌아와 달라고 호소하는 듯한 어떤 욕구의 반복이 아닙니다. 그것은 주체의 Spaltung(분할)의 원인이 된 엄마의 떠남을 반복하는 것이지요. 그러한 주체의 Spaltung은 '여기' 혹은 '저기'라는, 교대로 '여기'의 '저기'나 '저기'의 '여기'가 되는 것을 목표로 하는 '포르트-다'의 교차 놀이를 통해 극복됩니다. 자크 라캉, 맹정현・이수련 옮김, 『세미나 11』, 새물결, 2008, 101쪽.

하여금 상징계로 진입하도록 돕는 기능을 하는 것은 '아버지의 이름'이라는 부성적 은유이다. 아버지의 금기를 받아들임으로써 비로소 아이는 상징계적 주체가 된다.

그러나 주체는 상상계에서 상징계로 넘어오는 과정에서 어떤 상실을 겪게 된다. 이때 아버지의 이름으로 거세됨으로써 주체에서 분리된 것을 라캉은 '대상a'라고 부른다.[11] 주체는 잃어버린 대상a와의 합일을 계속해서 욕망하지만, 이 텅 빈 공간은 어떤 대상으로도 충족시킬 수 없다.[12] 이 결핍을 채울 수 있는 완벽한 대상이라는 것은 존재하지 않으며, 주체로서의 자신을 지키기 위해서는 욕망이 만족되어서는 안 된다. 오히려 욕망의 만족과 거리를 유지하기 위해서 주체는 욕망의 만족을 유예해야 한다. 이때 대상과의 거리를 유지하는 것이 중요하다. 욕망이 실현되어 버리면 주체로서의 자기는 사라져 버리기 때문에 욕망의 대상과의 거리가 너무 가까워서는 안 된다. 그러나 욕망을 유지하기 위해서는 거리가 너무 멀어져서도 안 된다. 그러므로 이청준의 소설에서 곳곳에 드러나는 반복과 왕복운동은 '욕망하는 주체'로서의 위치를 지키기 위해 욕망과의 거리를 유지하기 위한 현상으로 설명할 수 있다.

욕망은 특정 대상을 갖지 않으며 만족을 찾지 않는다. 욕망은 계속해서 욕망하기 위해 욕망의 만족을 억제하고, 욕망을 끊임없이 재생산해낸다. 주체는 대상을 욕망하는 행위를 반복함으로써 주체로서의 위치를

11) 앞으로 시니피앙스가 도입되는 기점이 될 자기 절단이라는 시련을 통해 아이로부터 분리되어버린 무언가가 그 원심적인 궤적을 통해 표현되는 겁니다. … 그 실패꾸러미는 … 축소된 엄마가 아니라, 주체로부터 떨어져나왔지만 여전히 그에게 남아 있는 주체의 일부분이지요. … 우리는 이후에 그 대상을 라캉의 대수학 용어로 소문자 a라 부르게 될 겁니다. 자크 라캉, 『세미나11』, 100~101쪽.

12) 페터 비트머, 홍준기·이승미 옮김, 『욕망의 전복』, 도서출판 한울, 1998, 73쪽.

잃지 않을 수 있게 된다. 이청준 소설 여기저기서 자주 등장하는 '밭고랑 장면' 역시 욕망의 만족과 거리를 유지하기 위한 작용의 일환이다.

아직 엄마와의 이자적 관계를 유지하고 있는 아이는, 밭고랑 사이를 오락가락 하면서 하루 종일 노랫소리도 같고 울음소리도 같은 어머니의 소리를 자신을 향한 것이라고 생각한다. 그러나 소년의 생각과는 달리 그 소리는 산에서 들려오는 소리에 화답한 것이고 그 산소리는 마침내 어머니를 덮친다.[13] 이 장면은 주지하다시피 이청준식의 'fort-da'의 표현[14]이면서, 엄마와 아이의 이자적 관계가 깨지고 오이디푸스 삼각형이 시작되는 장면이다.

3.

이때 어머니를 덮친 소리는 『남도사람』 연작에서 나타나는 두 번째 소리인 의붓아버지의 소리이다. 아버지는 엄마와 아이의 이자적 관계를 깨는 제3항으로서 등장한다. 아버지는 아이와 엄마를 분리시키는 사람

---

13) 그날 그 모습을 볼 수 없는 노랫소리는 진종일 해가 지나도록 숲속에서 흘러 나왔고, 그러자 한 가지 이상스런 일이 일어났다. 밭고랑만 들어서면 우우우 노랫소리도 같고 울음소리도 같던 어미의 그 이상스런 웅얼거림이 이날따라 그 산소리에 화답이라도 보내듯 더욱더 분명하고 극성스럽게 떠돌아 번지기 시작한 것이다. 그러면서 어미는 뜨거운 햇볕 아래 하루 종일 가물가물 밭이랑 사이를 가고 또 오갔다. 그리고 마침내 산봉우리 너머로 뉘엿뉘엿 햇덩이가 떨어지고, 거뭇한 저녁 어스름이 서서히 산기슭을 덮어 내려오기 시작하자, 진종일 녹음 속에 숨어 있던 노랫소리가 비로소 뱀처럼 은밀스럽게 산 어스름을 타고 내려왔다. 그리곤 그 뱀이 먹이를 덮치듯 아직도 가물가물 밭고랑 사이를 떠돌고 있던 소년의 어미를 후다닥 덮쳐 버렸다. 이청준, 위의 책, 19~20쪽.

14) 라캉은 엄마가 자기 곁에 있으면서 자신이 아닌 다른 것에 관심을 기울이기 시작한 순간부터 'fort-da' 놀이가 시작된다고 말한다. "아이가 주의를 기울이게 된 것은 엄마가 자기를 떠난 순간, 자기 곁에 있으면서 자기를 유기한 순간부터였지요." 자크 라캉, 맹정현 · 이수련 옮김, 『세미나 11』, 새물결, 2008, 100쪽.

이면서, 가능하다고 믿어왔던 상상적 합일을 깨뜨리고 억압시키는 존재이다. 그러나 한편으로는 상상계에 머물던 아이를 상징계로 넘어와 주체가 되도록 해주는 해방의 기능을 한다. 주체가 주체로서의 자신을 만들어 내는 것은 욕망의 대상과 떨어져 그 대상을 바라볼 수 있을 때야만 가능하다. 그것은 대상에 종속되어 있는 상상적 단계에서는 불가능한데, 그 관계를 깨주는 것이 금지의 법으로서의 아버지의 이름이다. 이 과정을 지나면서 주체에게는 상징화되지 않은 어떤 결여가 생기며, 이 결여로부터 욕망이 시작된다. 욕망은 결여에서 나오기 때문에 욕망은 어떠한 대상으로도 채울 수가 없으며, 오히려 결여 그 자체가 중요하다. 그러므로 욕망이 만족되지 않도록 욕망의 대상과의 거리를 유지하는 것이 중요하다.

부친 살해의 욕망을 품은 『남도사람』 연작의 주인공이 막상 의붓아버지를 살해할 수 있는 상황이 되자, 살해 계획을 실행하지 못하고 떠나버리는 것 역시 욕망의 대상과 거리를 유지하기 위한 현상이라고 할 수 있다.

주인공 소년은 자신의 어머니를 죽인 것이 사내(의붓아버지)의 소리이며, 사내가 언젠가는 자신도 죽일지도 모른다는 생각에 사내와 사내의 소리를 죽일 계획을 꾸미고 있었다. 그는 의붓아버지를 죽여, 죽은 어머니의 원한을 풀어주고자 했다.[15] 사내를 향한 살기는 사내가 소리를

15) 언제부턴가 그는 자기 손으로 그 나이 먹은 사내와 사내의 소리를 죽이고 말 은밀한 계획을 꾸미고 있었다. 어미를 죽인 것이 바로 사내의 소리였다. 언젠가는 또 사내가 자기를 죽이게 될지도 모른다는 두려움이 항상 녀석을 떨리게 했다. 소리를 하고 있을 때밖엔 좀처럼 입을 여는 일이 드문 버릇이나 사내의 그 말없는 눈길이 더욱더 녀석을 두렵게 했다. 어미의 원한을 풀어 주고 싶었다. 사내가 자기를 해치려 들기 전에 이쪽에서 먼저 사내를 없애 버려야만 했다. 사내를 두려워하면서도 그의 곁을 떠나지 못하는 것은

하고 있을 때마다 뜨거운 햇덩이로 되살아난다. 그러나 "사내의 소리는 또 한 가지 이상스런 마력을 가지고 있었다. 녀석에게 살의를 잔뜩 동해 올려놓고는 그에게서 다시 계략을 좇을 육신의 힘을 몽땅 다 뽑아가 버리는 것이었다."[16] 이것은 부친을 살해하고자 하는 소년의 욕망이 실현될 가능성이 높아지자 욕망의 실현과 거리를 두기 위한 현상의 일환으로 볼 수 있다. 욕망이 실현되어 버리면 주체는 자신을 잃어버리므로 욕망의 만족을 끊임없이 유예시켜야 한다.

> 그는 이윽고 슬그머니 자리를 털고 일어나 잠잠해진 사내의 주위를 조심조심 몇 차례나 맴돌았다.
> 하지만 사내는 그때 실상 잠이 든 것이 아니었는지도 모른다. 녀석이 마침내 계집아이조차 모르게 커다란 돌멩이 하나를 가슴에 안고 가만가만 사내의 뒤쪽으로 다가서 갔을 때였다. 그리고는 제 겁에 제가 질려 어찌할 줄을 모르고 한참 동안이나 그냥 몸을 떨고 서 있을 때였다. 녀석은 그때 차라리 사내가 잠을 깨고 일어나 그의 거동을 들켜 버리게라도 되었으면 싶던 참이었는데, 사내가 정말로 천천히 머리를 비틀어 뒤에 선 녀석을 돌아다보았다.[17]

소년이 의붓아버지를 살해하고자 돌멩이를 집어 들곤 차라리 사내에게 들켜 버렸으면 싶은 마음으로 몸을 떨던 그날, 욕망을 실현할 뻔 했던 자신을 견디지 못한 소년은 결국 그 길로 누이와 의붓아버지 앞에 모습을 감춰 버리고 만다.[18] 욕망이 만족되는 순간 주체로서의 자신은

마음속에 그런 음모가 꾸며지고 있었기 때문이었다. 사내가 두렵기 때문에 그가 시키는 대로 북채잡이 노릇까지는 터놓고 거역을 할 수가 없었다. 순종을 하는 체해 보이면서 때가 오기를 기다렸다. 이청준, 위의 책, 27쪽.

16) 이청준, 위의 책, 28쪽.

17) 이청준, 위의 책, 29쪽.

사라지게 된다. 욕망은 욕망의 대상보다 욕망함 그 자체를 욕망하며, 욕망의 만족은 계속해서 유예되어야 한다. 그렇기 때문에 주인공은 죽은 어미의 원수를 갚으라고 더욱 힘이 뻗치게 목청을 돋운 의붓아버지[19]를 살해할 수 있었음에도 불구하고, 그 가능성의 자리에서 도망쳐 버린 것이다.

4.

『남도사람』 연작 내내 사내가 찾아다니는 누이의 소리와의 관계 역시 욕망과의 거리를 두기 위한 작용의 일환으로 보인다. 라캉에 의하면 욕망은 환유적이다. 욕망은 금지된 자리 근처를 맴돈다. 누이의 소리를 찾는 행위는 어머니의 소리를 향한 욕망의 환유이다. 누이를 찾아 남도를 떠돌던 사내는 장흥의 한 주막에서 누이와 대면한다. 오누이는 서로를 알아보지만, 떠날 때까지도 서로에게 오누이임을 밝히지 않는다. 소

18) 녀석이 사내의 곁을 떠난 것은 그러니까 그런 일이 생겼던 바로 그날 오후의 일이었다. 사내는 끝내 녀석을 모른체했고, 녀석은 더 이상 자신을 견디고 서 있을 수가 없었다. 그는 마침내 끌어안은 돌멩이를 버리고 용변이라도 보러 가듯 스적스적 산길가 숲속으로 들어가 그 길로 영영 두 사람 앞에 모습을 감춰 버리고 만 것이다. 이청준, 위의 책, 30쪽.

19) 노인네가 돌아가시기 전에 제게 말씀하신 것이 또 한 가지 있었답니다. 당신은 늘 소리를 할 때 오라비 눈에 살기가 도는 것을 보았더라고요. 당신이 소리를 하면 오라비는 이상스럽게 눈빛이 더워지면서 당신을 해치고 싶어 못 견뎌하더랍니다. 오라비가 싫은 짓을 참아가면서도 의붓아비를 따라다닌 것은 그 불쌍한 노인네가 당신의 어머니를 죽인 거라 작심하고 어미의 원수를 갚기 위해서였을 거랍니다. 노인네는 그것을 알고 있었기 때문에 어서 원수를 갚으라고 오라비 앞에 더욱 힘이 뻗치게 목청을 돋워대곤 하셨더라고요……. 하지만 오라비는 결국 원수를 갚기는커녕 당신 편에서 먼저 노인의 소리를 못 이기고 도망을 치고 말았다는 말씀이었지요. 이청준, 「소리의 빛」, 『서편제』, 열림원, 1998, 53쪽.

설 「소리의 빛」에 의하면 그것은 '한을 다치지 않'[20]게 하기 위함이다. 이청준은 한 대담에서 한을 다음과 같이 정의했다.

> 한이라는 게 뭐냐 하면, 나는 비정상적인 힘에 의해 자기가 있어야 할 자리에서 누릴 것을 누리지 못하는 삶의 아픔이 곧 한이라고 생각합니다.[21]

한이라는 것이 비정상적인 힘에 의해 자기가 있어야 할 자리에서 누릴 것을 누리지 못하는 삶의 아픔이라면, 아픔임에도 불구하고 그 한을 지켜야 할 이유는 무엇인가. '자기가 있어야 할 자리에서 누릴 것'을 어머니와의 상상적 합일이고, '비정상적인 힘'을 아버지의 금기라고 한다면 한을 지켜내야 할 이유가 분명해진다. 어머니와의 합일이라는 욕망이 실현되어 버리면 상징계적 주체는 무너지고 만다. 그렇기 때문에 오누이의 만남은 성사되어서는 안 되는 것이다. 이청준의 다음과 같은 발언을 미루어 보면 그 의미를 더욱 명확하게 알 수 있다.

> 하지만 마음을 묻어 둔 고향이 없는 두 사람은 상대에게 서로가 고향이 되어 왔으므로, 서로를 그려 온 두 사람의 헤매임은 실상 그 심정적 고향을 향한 행로였음을 생각할 때, 가슴 아픈 일이지만 그 두 오누이의 궁극적인 만남은 처음부터 이루어질 수가 없는 것이며 이루어져서도 안 될 것임이 자명해지는 것이다. 왜냐하면 이미 알고 있듯 우리가 살아 있는 한 진정한 의미에서의 귀향의 길은 애초에 가능한 것이 아닐 뿐 아니라, 섣부른 귀향은 오히려 자기 삶의 어떤 지표로서의 고향과 그 의미를 파손하기 쉽기 때문이다.[22]

---

20) 이청준, 위의 책, 54쪽.

21) 권오룡 엮음, 「시대의 고통에서 영혼의 비상까지」, 『이청준 깊이 읽기』, 문학과지성사, 1999, 35쪽.

고향을 향한 행로는 애초부터 이루어질 수 없다. 그것은 고향이 어머니가 있는 곳이기 때문이다. 어머니와 가까워져 어머니를 향한 욕망과의 거리가 가까워지는 것은 곤란하다. 그렇기 때문에 『남도사람』 연작의 주인공은 누이를 만난 뒤에도, 누이를 찾는 행위를 종결짓지 못하고, 계속해서 소리를 찾아 헤매면서 고향 근처인 남도를 배회한다. 여기서 중요한 것은 찾는다는 행위 그 자체이다. 소리를 찾는다는 이유로 끊임없이 남도를 돌아다니는 행위를 계속함으로써 고향과 어머니에 대한 욕망과 거리를 유지할 수 있는 것이다.

5.

사내는 누이를 이미 만났음에도 불구하고 여전히 누이의 소식을 듣기 위해 장흥 땅을 헤매고 있다. 이는 위에서 이야기했던 대로 욕망과의 거리 유지를 위한 것이다.

> 장삼가락을 길게 벌려 선학동을 싸안은 도승 형국의 관음봉(觀音峰)과 만조에 실려 완연히 모습 지어 오를 그 신비스런 선학(仙鶴)의 자태를, 그리고 또 재수가 좋으면 그는 어쩌면 듣게 될 것이었다. 그 도승의 품 속 어디선가로부터 둥둥둥둥 포구를 울리며 물을 건너오는 산령(山靈)의 북소리를, 그리고 종적 모를 여자의 한스런 후일담을….”[23]

「선학동 나그네」에서 사내는 관음봉의 풍경과 거기에 머물렀을 누이의 소식을 기대하며 장흥에 들어선다. 그러나 그의 앞에 펼쳐진 풍경은

22) 이청준, 「아픔 속에 숙성된 우리 정서의 미덕」, 『서편제』, 열림원, 1998, 205쪽.
23) 「선학동 나그네」, 63쪽.

사내의 기대와는 전혀 다른 것이었다. 간척사업에 의해 포구에는 물이 말랐으며 따라서 비상학(飛翔鶴)의 자취도 찾을 수 없었다. 이런 곳에 누이가 왔을 리가 없을 거라 생각한 사내는 누이의 소식을 듣지 못할 거라며 상심했다.

그러나 그가 머무른 주막 주인에게서 들은 이야기는 달랐다. 주인의 말에 의하면, 한 여자가 동네를 찾아들고 간 다음부터 마른 포구에 다시 학이 날기 시작했다는 것이다. 여자의 소리를 듣고 있으면 비상학이 날아오르는 듯 보였고, 그것은 여자가 떠나간 뒤에도 계속되었다. 여자는 떠나면서 자신이 학이 되겠다며 오라비에게 자신을 찾게 하지 말라는 말을 남겼다.

그렇다면 학이 되어 날아오르는 것의 의미는 무엇인가. 이청준의 소설들에서는 '새'의 이미지가 자주 변주되어 나타나는데, 그 중 학은 어머니로 표현되기도 하였다.[24] 누이는 어머니의 대신항이다. 그리고 학은 어머니와 누이의 이미지라고 한다면, 그녀가 학이 되어 하나의 전설로 고향에 계속해서 머물러야만 『남도 사람』 연작의 주인공 사내가 남도 땅을 나그네로서 돌아다닐 수 있게 된다는 말이 된다. 어머니의 대신항으로서의 누이가 고향에 머물러 주어야 그곳을 향한 욕망의 거리두기가 가능해지기 때문이다.

그것은 작가 이청준에게도 마찬가지이다. 이청준은 "소설 쓰는 일은 때로, 포구의 물이 말랐거나 말았거나 우리들의 가슴에 오래도록 그 물을 지니게 하여 황지(荒地)에 가라앉아 버린 학이 우리의 영혼 가운데서 다시 날아오르게 하고, 혹은 그것을 다시 보게 하는 일이 되게 할 수도

24) 이청준, 「학-새와 어머니를 위한 변주 3」, 『서편제』, 문학과지성사, 2013.

있지 않은가"[25]라고 말한 바 있다. 이청준에게 소설 쓰는 일이 어머니라는 학을 다시 날게 하는 일이라면, 그 학이 전설로 장흥에 머물러야 그의 소설쓰기도 계속될 수 있다는 이야기에 다름 아니다.

『남도사람』 연작의 네 번째 이야기인 「새와 나무」에 등장하는 '빗새'[26]들 역시 한 곳에 머무르지 못하고 계속해서 떠돈다. 「새와 나무」에 등장하는 여러 빗새들 중 '시쟁이'의 이야기는 특기할만하다. 그 시쟁이는 고향을 떠나 도회지 사람 노릇을 해오기는 했으나, 수없이 많은 시를 씀으로써 그의 향토를 빛내온 위인이다. 그는 도회의 삶에서 피곤기를 느끼고, 도회지를 떠나 살 시골 집터를 찾아다니고 있다. 맘에 드는 집터를 발견하고 가격 흥정까지 마쳐놓고도 땅값을 치르지 못한 그는 유력한 재벌가의 자서전 대필을 마친 후 땅값을 마련해오겠다며 마을을 떠났다. 약속한 시간이 지나고도 소식이 없던 그는 다시 비에 젖은 빗새의 형상으로 고향마을에 찾아 왔다. 그 뒤로도 그는 자서전을 써서 땅값을 마련해오겠노라고 다짐하며 떠났다가, 약속을 지키지 못하고 빗새의 모습으로 고향에 돌아오길 반복하다 끝내 둥지를 지니지 못한 채 세상을 떠나고 만다.

마음으로나 실제로나 고향과 서울 사이를 끊임없이 오가며 떠도는 것이 자신의 행적이며, 고향을 떠났다가 돌아오고, 돌아왔다 다시 떠나는 떠돎의 사연을 모은 것이 『남도사람』 연작의 이야기들[27]이라는 이

25) 이청준, 「우리의 영혼 위에 날아오르는 학」, 『서편제』, 열림원, 1998, 93쪽.

26) 빗새는 원래 비가 와도 깃들일 둥지가 없는 새 짐승이어서[사실은 그게 귀곡조(鬼哭鳥)가 아니었는지] 날씨가 궂으면 그렇게 젖은 몸을 쉴 의지를 찾아 빗속을 울며 헤매 다닌다는 것이었다. 이청준, 「새와 나무」, 『서편제』, 열림원, 1988, 112쪽.

27) 서울에서 지낼 땐 내 중요한 무엇을 잃고 잘못 살고 있는 것 같아 늘 고향 동네로 가 살

청준의 고백을 미루어 보자면, 이청준 역시 어떤 욕망의 만족을 끊임없이 유예하고 있음을 짐작할 수 있다. 고향(의 어머니)을 향한 욕망이 만족될 정도로 고향과 가까워 져서는 안 된다. 결여된 부분이 채워질 것처럼 가까워지면, 주체의 자리는 사라지고 그 곳에 대상이 들어서게 될까봐 주체는 불안해진다. 그 불안이 이청준과 이청준 소설의 주인공들에게 끊임없이 무언가를 반복하게 만든다. 이는 이청준이 여러 번 반복하여 고향에 돌아가는 것이 불가능하며, 궁극적 의미에서 허용될 수 없는 '금기'라고 말하고 있는 다음의 글에서 더욱 명확하게 드러난다.

> 하지만 그렇듯 돌아가고 싶다고 돌아가질 수 있는 것이 고향이던가. 누구나 경험해 알고 있듯이 한번 떠나온 곳은 이방인처럼 잠깐씩 스쳐 지나갈 수 있을 뿐 마음과 함께 되돌아가 편하게 안겨 들기는 어려운 곳이 또한 고향이다. 아니 그 고향으로 들어가는 길은 좀체 넘어설 수 없는 장애투성이의 어려운 여정이거나 궁극적인 의미에선 아예 그것이 허용될 수 없는 원망스런 금기의 행로인지도 모른다.[28]

「새와 나무」의 시쟁이, 「다시 태어나는 말」[29]의 주인공인 대필 작가

고 싶고, 고향에 가 있으면 또 세상을 등지고 혼자 적막하게 유폐되어 버린 것 같아 다시 서울로 돌아가고 싶은 변덕스런 심사에 쫓기면서, 마음으로나 실제로나 그 고향 고을과 서울 사이를 끊임없이 오가며 떠돌고 있는 것이 저간의 내 세상살이 행적이다. 그리고 고향을 떠났다가 돌아오고, 돌아왔다 다시 떠나곤 하는 정처 잃은 삶의 떠돎 혹은 떠돌이 삶의 사연을 써모은 것이 졸저 <서편제>의 이야기들이다.
생각해 보면 사람은 누구나 정도의 차이는 있을망정 자기가 있어야 할 자리와 자신의 진정한 모습을 잃고 어느 만큼씩 이리저리 떠돌고 있는 것 같아 보인다. 이청준, 「<서편제>의 회원」, 『서편제』, 열림원, 1998, 57쪽.

28) 이청준, 「아픔 속에 숙성된 우리 정서의 미덕」, 『서편제』, 열림원, 1998, 196쪽.

29) 「다시 태어나는 말」은 『남도사람』 연작 외에 『언어사회학서설』 연작에도 속해 있다. 『언어사회학서설』 연작 중 한 편인 「자서전들 쓰십시다」의 내용으로 미루어 볼 때, 주인공 윤지욱은 자서전 대필에 실패한다.

'윤지욱'은 고향에 머무르지 못하는 것뿐만 아니라, 대필하고 있는 자서전을 완성하지 못한다는 공통점을 가지고 있다. 이청준의 소설 중에는 소설가나 예술가를 내세우거나, 다른 직업을 가지고 있더라도 소설을 쓰는 사람을 주인공으로 쓰는 경우가 많다. 그들 역시 「새와 나무」, 「다시 태어나는 말」의 주인공처럼 작품을 끝내 완성시키지 못한다.

이청준의 주인공, 더 나아가서 이청준에게 쓴다는 것과 쓸 수 없다는 것은 무엇을 의미할까. 앞서 거칠게 살펴보았듯이, 고향과 도시로의 왕복은 어머니(와 누이로 변주된)를 향한 욕망과의 거리를 두기 위해 생긴 결과이다. 이청준은 도회와 고향을 떠나고 돌아오는 것을 반복함으로써 그 양면성을 조화시키는 것이 이청준 자신이 소설을 써온 연유라고 했던 바[30] 결국 이청준에게 소설쓰기란 어머니에 대한 욕망과 그 만족의 유예라고 볼 수 있는 것이다. 그러므로 소설 쓰기 역시 완성되어서는 안 되고, 끊임없이 만족이 지연되어야 한다. 그것이 「새와 나무」의 시쟁이가, 「다시 태어나는 말」의 윤지욱이, 이청준 소설의 수많은 예술가 주인공들이 작품의 완성하지 못했던 이유이다. 그리고 더 나아가 이청준이 꾸준히 작품 활동을 하면서 다작을 할 수 있었던 원동력 또한 욕망의 만족과 가까워졌다 멀어졌다를 반복하는 것에서 찾을 수 있을 것이다.

30) 도회와 고향 사이를 되풀이 오간 떠남과 되돌아옴의 반복과정은 그러니까 그 양면성을 조화시켜 보려는(감싸기) 내 소설의 바른 길 찾기이기도 한 셈이다. 그리고 그것이 내가 지금껏 소설을 써온 또 다른 절실한 연유일 것이다. 소설이란 다름 아닌 우리 삶 베끼기(모방)일뿐더러, 기왕지사 소설질로 삶의 길을 나선 내게는 그 삶의 이룸 성패가 내 소설에 좌우될 수밖에 없는 운명임으로 해서다. 이청준, 『신화의 시대』, 물레, 2008, 308쪽.

> 우리의 삶이 완성이 없는 것이고 보면 그것이 오히려 당연한 노릇인지 모른다. 내 삶이나 소설에 어떤 절정이나 완성이 있었다면 그것으로 소설쓰기는 그치고 말았으려니와, 지금까지 계속 이 일에 매달리고 있음이 그 증거 아닌가. '이곳'과 '저곳'을 아무리 되풀이 도고 가도, 내 옳은 정처, 내 삶과 소설이 온전히 이루어질 곳은 언제나 다시 '저곳'에 있었고, '지금 이곳'은 미구에 다시 '저곳'을 향해 떠나야 할 임시 기항지에 불과해 보이곤 한 때문이다.[31]

이청준에게 소설 쓰기가 계속되기 위해서는 어떤 반복이 계속되어야 한다. 욕망의 대상을 향해 끊임없이 다가갔다 멀어졌다하며 지속을 향한 노력이 이청준의 소설 쓰기를 존속하게 했다.

---

31) 이청준, 「나는 왜, 어떻게 소설을 써 왔나」, 『신화의 시대』, 물레, 2008, 310쪽.

그가 건너간 자리

얼굴 없는 이청준 문학

박 인 성

1. 잃어버린 얼굴

1965년에 한일협정이 있었고 1만 여명의 학생들이 거리로 나와 반대 시위를 펼쳤다. 그와 같은 해 이청준은 소설가로 등단하여 본격적으로 소설을 쓰게 되었다. 소설에서 병원이라는 장소의 등장 자체가 암시하는 것이 많은 시대였다. 비단 4·19세대의 경험과 60년대 전체를 아우르지 않더라도 65년 거리로 나온 학생들 중 누군들 아프지 않은 이가 있었을까? 이러한 '정치적 은유'를 형성하고 있는 이청준의 등단작 「퇴원」에서 '퇴원'이라는 단어가 결코 증상의 해결이나 병의 치료를 뜻하는 것이 아니었기에, 그 이후로도 이청준은 40여 년간 쉽 없이 소설을 써나가야만 했던 셈이다. 아직 40년을 살아내지도 못한 나에게는 좀처럼 감당하기 어려운 긴 세월의 소설경력은 일종의 병력(病歷)으로, 고쳐지지 않는 오랜 지병이나 불치병의 투병기간으로 읽힌다. 그가 소설 속에서 '내력'이라는 말을 그처럼 자주 사용한 이유도 실은 이러한 병력과 관련되어 있지 않을까 생각해보는 것이다.

이청준의 소설의 내력을 짐작한다는 것은 얼굴을 보는 것과 관련되어 있다는 것이 나의 한결같은 생각이다. 갑자기 무슨 관상 이야기를 하는가 싶겠으나, 이청준만큼 사람 얼굴에 그 내력과 이야기를 읽어내고자 노력한 소설가도 드물지 않은가. 사람의 얼굴을 보고 그 내력을 읽어내려 시도했던 그의 소설 속 여러 등장인물들을 흉내 내어 보자면, 소설가 이청준의 얼굴 또한 그의 소설 속 병증과 씨름 하는 사이에 깊어진 주름처럼 소설의 문장의 행간 사이마다 형성되어 있을 것이라 얼추 예상 가능하다. 그러나 그처럼 예상 가능한 대답 이외에 소설가 이청준의 얼굴을 작품 속에서 읽어내려는 시도는 금세 난색을 드러내게 되어 있다. 타인의 얼굴에 대한 관심 이상으로 이청준 스스로가 '얼굴'이라는 것에 요령부득의 물음표만을 거듭하는 태도를 취하는 탓이다. 이러한 사정을 예견이나 하듯 등단작 「퇴원」에서 간호사 미스 윤은 주인공에게 다름 아닌 거울을 내밀지 않았던가. 그 은근한 질책은 자신의 얼굴에 대한 재발견의 촉구인 셈이다. 이 소설에서 가장 내 흥미를 자극한 것은 "대화라는 것이 있을 리는 없다. 그저 상대방의 얼굴을 빌려 자기 이야기를 지껄이면 그만"이라는 문장으로, 이는 주인공이 그와 미스 윤, 의사 친구인 '준' 사이에서 벌어진 일련의 역할 놀이를 자조하듯 논평하는 것이다. 굳이 이청준은 여기에서 가면이 아니라 얼굴이라는 표현을 썼는데, 그것은 이미 가면과 얼굴이 구분되지 않으며 어떤 것을 굳이 진짜 맨얼굴이라 정의할 수도 없는 모호함 탓이다. 이는 차후에 「가면의 꿈」이라는 단편에서도 반복되는 주제로서, 이미 누구나가 맨얼굴을 잃어버린 세태를 요약하는 것이기도 하다. 그러니 얼굴은 이청준에게 있어 언제나 호기심과 곤경을 함께 안겨주는 양가적인 대상이다.

얼굴에 대한 이청준의 관심은 아마도 상당히 뿌리 깊은 것이다. 누구도 자기 얼굴을 직접 볼 수는 없지만, 반대로 얼굴은 신체의 일부분임에도 옷으로는 감출 수 없이 타인에게 노출되어 있다는 특수성 때문인 듯하다. 즉, 자신의 비밀을 알지 못하는 사람일지라도 타인의 삶, 자신이 모르는 다른 세계로 접근하기 위해서 다른 무엇보다도 일단은 얼굴을 절대적인 문턱이나 통로로서 직면해야만 하는 것이다. 흥미롭게도 일찍이 김윤식은 "근 20여년을 사귀어오면서도 나는 그가 그의 글 속에 피력한 과거 이외에 그의 과거를 모른다"는 김현의 증언을 빌려 이청준 문학의 핵심은 '얼굴 감추기'에 있다고 적은 바 있다. 나는 인간 이청준을 실제로 본 일이 없을뿐더러, 그의 소설만을 읽었을 따름이지만, 이청준 문학의 얼굴이란 언제나 물음표의 형태로만 다가온다. 아니, 직접적으로 그의 책날개에 실린 사진 속의 이청준을 보아도 아무래도 그것이 이청준 본인 같지는 않은 이물감이 항상 남아 있다. 그것은 내 주관이기도 하겠으나, 이청준이 여러 차례 카메라에 대한 언급 속에서 카메라의 틀과 그 시선의 힘에 공포를 드러냈듯이 그 스스로 카메라에 대한 거부하고 싶었던 감정이 일정 부분 드러난 것인지도 모르겠다. 「여름의 추상」에서 "그토록 끈질기게 나를 뒤쫓는 카메라"에 대한 언급이나 「시간의 문」에서 사진 기자인 유종열이 그처럼 한사코 거부하고자 했던 사진이 가진 마법과도 같은 강력한 힘은, 실은 얼굴에 대한 그와 같은 요령부득의 태도와 연결되어 있는 셈이다. 바꿔 말하자면 그에게 있어 얼굴은 잃어버린 대상이라기보다는, 찾고 싶지 않은, 알고 싶지 않은 대상일지도 모른다.

2. 얼굴 없이, 묘사 없이

이쯤에서 이청준 소설에는 흥미롭게도 '묘사'가 많지 않다는 점을 이야기해야만 하겠다. 덕분에 이청준은 묘사보다는 관념적 언어와 이성적 논변으로 그 자신의 소설 세계를 물들여왔다. 풍경묘사는 물론이고 인물의 외양에 있어서도 이청준은 그 서술에 많은 언어를 할애하지 않는 듯하다. 하지만 더 엄밀히 말하자면 이청준은 소설가로서는 지독한 원시(遠視)의 소유자로, 먼 풍경보다는 가까이의 사람이 더 잘 보이지 않는 쪽이다. 단편소설 「별을 보여드립니다」에서 "사람을 사랑해 본 일이 없는 녀석들이 어떻게 하늘의 별을 볼 수 있느냐 말야"라는 표현에서 알 수 있듯 별을 향한 망원경의 시선은 별 그 자체보다도 사람을 제대로 향하기 어려운 원시의 시선으로 구성된 현실을 더욱 더 절실하게 지시하고 있다. 그 외에도 타인의 앞에 선 이청준 소설의 인물들은 스스로가 먼저 한 꺼풀 가면을 쓰고서 짐짓 뒷짐을 진 채 상대의 속내를 탐색하거나, 상대의 흐릿한 얼굴 위로 이런 저런 다른 얼굴들을 끼워 맞춰본다. 가까우면 가까울수록 잘 보이지 않는 타인의 얼굴을 위한 여러 광각 렌즈를 바꿔보는 시도이다. 그러나 그러한 시도를 거듭할수록 상대의 얼굴은 더더욱 요령부득의 대상이 되어간다.

원시의 시선으로 구성된 이청준의 세상은 아주 예외적인 순간에만 클로즈업을 통한 구체적 묘사를 수행하는데, 이러한 시도는 『당신들의 천국』에서 두드러진다. 특히 그는 이 작품의 1·2부에서는 전혀 인물의 외양 묘사에 공을 들이지 않다가 3부에 이르러서야 비로소 어떤 얼굴을 그려낸다.

> 눈이 성하면 귀가 멀었고 귀가 들리면 눈이나 코를 잃은 환자들이었다. 눈이나 귀가 어느 한편이 남아 있는 쪽으로 모든 지각 활동을 대신하고 있는 사람들이었다.(중략) 네 팔다리와, 눈, 코, 귀가 하나도 성해 남자 있지 않은 사람들이었다. 코와 귀와 눈들이 흔적도 없이 짓물러버린, 흡사 옷에 싸인 살덩이 한가지의 모습들이었다.(『당신들의 천국』 中)

위의 인용은 정확하게는 묘사가 아니라 오히려 묘사의 실패에 가깝다. 여기에서 "문둥병 환자"의 얼굴은 얼굴이되 보는 사람의 주관적인 묘사만으로는 끝내 그려지지 못할 얼굴이다. 문제는 바로 그러한 실패의 영역에 대해서만 이청준은 비로소 자신의 지독한 원시로부터 새롭게 타자를 발견하는 근시를 회복하고 있다는 점이다. 분명 그에게 얼굴이란 언제나 낯선 타인의 얼굴이면서 범접할 수 없는 숭고한 것의 영역에 있다. 그림으로 말하자면 그는 온갖 종류의 장르를 넘나들면서도 끝내 초상화의 영역, 타인의 얼굴만큼은 그리지 못하는 화가인 셈인데, 「병신과 머저리」에서 동생이 화폭 위에 윤곽만을 잡아 놓았으나 끝내는 그리지 못한 얼굴에 대한 태도는 실은 작가로서 이청준의 태도라 해도 과언은 아닐 것이다. 그러나 동시에 그는 타인의 얼굴로부터 도저히 회피할 수 없는 더 큰 절실함에 사로잡혀 있다. 그것이 묘사불가능성에도 불구하고 타인을 마주보려는 『당신들의 천국』에서의 시도를 가능케 하면서, 「병신과 머저리」에서 동생은 그릴 수 없었으나, 동시에 형은 써야만 했던 소설 속 '얼굴'에 다가서게 하는 힘이 된다.

> 소설의 마지막에서 형은 퍽 서두른 흔적이 보였지만 결코 지워지지 않는 연필로 그린 듯한 강한 선(線)으로 <얼굴>을 이야기하고 있었다. 형이 낮에 나의 그림을 찢은 이유가 거기 있었다.(「병신과 머저리」 中)

「병신과 머저리」에서 형이 자신이 쓴 소설의 결말에 그려낸 것은 "피투성이의 얼굴"이자 곧 자신의 얼굴이었다. 그것은 6·25 참전의 기억이 그에게 남긴 지울 수 없는 흔적이자, 그가 감당할 수 없는 얼굴이기도 하다. 실제로 그가 관모를 죽였는지 아닌지와 무관하게 이미 그를 사로잡은 고통스러운 기억은 어느새 그가 벗어날 수 없는 얼굴이 된 셈이다. 그러한 피투성이 얼굴을 벗어날 수 없어 '병신'이 된 것이 형이라면, 어떤 얼굴조차 떠오르지 않는 '머저리'가 동생을 가리키는 명확하다. 왜냐하면 여기에서 얼굴이란 곧 자기 자신의 극복할 수 없는 내적인 상처의 흔적과 그것이 어느새 삶의 비밀로 향하는 중요한 문턱이 되었음을 의미하므로. 동생이 스스로의 환부를 알 수도 없기에 치료할 수도 없는 요령부득의 상황이듯, 이청준 문학의 얼굴은 스스로의 얼굴을 올바로 재현할 수 없기에 자꾸만 타인의 얼굴을 향하는 문학이다. 어떻게도 자서전을 쓸 수가 없기에 소설을 써야만 하는 소설가의 운명이라고도 바꿔 말할 수 있을 것이다.

그렇다면 한편으로 이청준이 항상 자신의 소설적 분신을 하나가 아니라 둘로, 분열된 짝패로서 그려야 했던 이유도 조금은 이해할 수 있다. 자신의 얼굴이 보이지 않아 불안이 생겨날 때에는 또 다른 얼굴로서 하나의 통로가 되어주는 것이자, 타인의 얼굴이 너무나 명확하게 재현되어 마치 그것만을 진실이양 여기게 될 위태로운 순간에는 그것을 보고 있는 자의 얼굴을 상기시켜주기 때문이다. 그것은 절대 혼자서는 자기 운명을 말할 수 없는 인간 존재가 스스로를 둘로 나누는 고통의 표정이자, 스스로가 알지 못했던 자기 운명을 타인처럼 다시 보게 되는 놀라움의 표정이기도 하다. 언제고 쫓는 자와 쫓기는 자, 가해자와 피해자, 말하는 자와 듣는 자 사이에는 어느 샌가 구분할 수 없게 되는 운명의 뒤얽힘이 있으며 그들 사이의 얼굴은 서로를 비추거나 부지불식간에 닮아가는 것이다. 따라서 이청준 문학의 얼굴이란 하나의 얼굴이라기보다도 항상 다른 얼굴을 향해 열려 있는 얼굴이자, 언제고 가장 낯설고 묘사될 수 없는 얼굴의 형태로 등장한다.

문학에 대한 광범위한 정의 방식이 있겠지만, 한편으로 문학이란 말할 수 없는 것을 말하는 장르이자 보일 리 없는 것을 보이게끔 하는 종류의 영역이다. 그러므로 그러한 우회적인 수고로움을 수행하는 소설가들은 자기 나름의 고유한 소설적 무늬를 만들어낼 수밖에 없다. 그 중에서도 이청준이 그려내는 무늬는 정치적 은유와 윤리적 은유로서의 얼굴, 그리고 그 얼굴에 결코 지워지지 않는 상흔처럼 새겨진 주름이 된다. 어쩌면 문학이 가장 정치적인 순간은 가장 윤리적인 순간과 밀접하게 맞닿아 있는데, 그것은 새롭게 자기 얼굴을 재발견하게 하기 때문이다. 그저 자율적으로 정치적이라 주장하는 소설, 적극적으로 세계만을 재현하여 보여주려는 소설들은 때때로 무엇보다 자기 자신의 얼굴부터 잊어버리기 마련이다. 따라서 이제 거울은 세계 쪽이 아니라 소설가 스스로에게 돌려져야 한다. 고전적인 사실주의 소설뿐만이 아니라 진지한 소설적 탐문을 하는 소설가들조차도 때로는 재현에 대한 과도한 책무로 인해 타인을 그려내면서도 자신의 시선이 지닌 치명적인 성격을 망각하곤 한다. 그렇다면 거꾸로 다른 누구보다도 지켜보는 자의 시선으로부터 두려움과 부끄러움의 얼굴을 발견하는 것은 이청준 문학이 보여준 남다른 윤리적－정치적인 성찰이기도 하다.

3. 부끄럽기에, 올바른

사실 이청준 문학의 얼굴에 대하여 말하고자 준비하는 와중에 나는 계속해서 다른 얼굴들을 떠올리고 있었다. 그것은 안산의 세월호 분향소에서 보았던, 도저히 나의 언어로는 표현할 수 없는 영정사진들 속 아이들의 얼굴들이다. 그 얼굴들에 대해서라면 나는 마주보는 일의 두려움과 부끄러움에 대해서밖에 말할 수 없다. 그러나 두려움과 부끄러움의 얼굴이 아직 제 역할을 다한 것은 아니다. 벌써부터 그러한 부끄러움으로 벗어나기를 주장하거나 우리의 얼굴로부터 아이들의 얼굴을 지워내기를 바라는 이들도 있는 모양이다. 그러나 이청준이 수필 「빼앗긴 부끄러움」에서 주장하듯 어떤 세태 속에서도 우리의 부끄러움마저 빼앗길 수는 없는 노릇이다. 자신의 얼굴로부터 부끄러움을 지워내고 나면 또 그 사실을 망각하기 위해 타인의 얼굴로부터도 부끄러움을 지워내려는 결벽증적 사회에서 이 부끄러움의 얼굴은 마땅히 지워지지 않는 얼룩처럼 보존되어야만 한다.

따라서 어떻게 이러한 부끄러움을 지켜낸 채로 세월호 이후의 문학을 이어갈 것인지를 생각해야만 한다. 그에 대하여 앞으로 오랜 시간의 숙고와 실천이 계속되리라 믿지만 우선적으로 세월호 이후의 문학이 가능하다면, 그것은 아마도 보이지 않는 바다 깊은 곳으로까지 잠수할 수 있는 문학이며, 국가가 구조하지 못했을 뿐만 아니라 사건 이후로 단 한 번도 제대로 마주보지 못하는 그 아이들 한 명 한 명의 얼굴에 마주하고 다가서는 것이라 믿는다. 그리고 그러한 과업에 가장 유리한 것은 오히려 '얼굴 없는 문학'의 민감한 윤리성일 터이다. 스스로를 모르는 얼굴 없는 문학은 언제나 타자의 얼굴을 궁금해 하기에 점차 그 얼굴을 닮아가는 것이다. 따라서 그러한 문학은 언제나 저 절대적인 얼굴들에 부끄러워하면서도 결코 그것을 손쉽게 지워내지 못하는 '병신과 머저리'의 문학, 혹은 '병신과 머저리'로서의 문학이 아니면 안 된다.

기념비적인 작품 「시간의 문」에서 그토록 타인의 얼굴에 매달렸던 유종열 스스로가 카메라를 버리고 보트 위의 난민들에게로 노를 저어 넘어간 행위는 상징적이다. 그 행위는 유종열이 찍힌 사진 속에 지워지지 않는 맹점(盲點)을 낳았을 뿐 아니라, 현실 속의 무사안일한 사람들의 삶에도 맹점을 드리우는 정치적－윤리적 횡단이었다. 사진 바깥에서 모종의 안전거리를 취한채로 유종열의 뒷모습을 지켜보고는 이들은 유종렬이 건너간 자리를 결코 알 수 없다. 그것은 그곳으로 건너간 유종열의 얼굴을 상상하는 것만큼이나 요령부득의 행위다. 그 요령부득을 절실하게 내장한 채로 문학은 이제 어떻게 아이들의 표정이 되어줄 수 있을지를 치열하게 고민해야만 한다. 그 고민에 있어서는 끊임없는 물음들만이 도돌이표처럼 되돌아오지만, 한 가지 당연한 답변이나마 적는다면, 유종열은 저 홀로 횡단했으나, 이제는 우리가 함께 종단할 차례라는 것뿐이다. 저 보이지 않는 깊은 바다 속으로.

「퇴원」에서 병원의 시계는 고장이 나서 멈춘 상태였다. 1965년의 병실이 시간이 멈춘 채로 이어져 지금의 대한민국의 현실 그 자체라면 너무나 오랫동안 환자로 살아온 모두가 이 아픔에 익숙해졌을지언정, 아픔에 신음하는 타인의 얼굴을 읽어내지 못할 리가 없다. 스스로의 환부를 잊어버린 사람들에게 스스로의 얼굴을 보게 할 거울이 필요하다. 그리고 이청준 이후 문학은 다시금 그 거울이 되어야만 한다. 유종열이 건너간 자리, 아니 소설가로서 이청준이 건너간 자리는 그러한 윤리의 지평에 있다. 타자를 재현하거나 공감한다고 손쉽게 말하지 않고, 그 불가능함을 알면서도 자기 얼굴을 비추며 타자를 향해 가는 소설은 가장 무력하기에 빛난다. 이청준 문학이 가장 빛나는 순간은 어쩌면 우리가 본 적 없으며 상상할 수도 없는, 그가 건너간 자리다. 얼굴 없이, 묘사 없이 말이다.

지상에서 가장 생산적인 왕복운동[*]

김 형 중

1. 전짓불 재론

「소문의 벽」(전집 4)의 그 유명한 '전짓불' 장면이, 이청준의 소설 전체를 놓고 볼 때 가장 원초적인(그것이 작가가 기록한 체험들 중 가장 오래된 것이라는 의미에서 뿐만 아니라 그의 소설 세계 전체를 일관되게 해명할 수 있게 해준다는 의미에서도) 장면이라는 점에 대해서는 모종의 합의가 이루어진 듯하다. 실제로 이 장면은 작가 이청준의 소설에서 즐겨 다루어진 많은 테마 들의 기원이라 해도 무방할 만큼 암시적이고 함축적이며 또한 강렬하다. 주인의 존재는 드러내지 않은 채 양자택일적 상황을 강요하는 무소불위의 '응시'가 가져다주는 공포, 그것은 때로 이 작가 특유의 동상(우상)에 대한 주의 깊은 경계심의 형태로, 때로는 이데올로기적 맹목에 대한 경고의 형태로, 그리고 그보다 더 많은 경우 소설 쓰기의 운명(독자들의 응시 앞에서의 진술 공포)에 대한 자의식적 탐구의 형태로 변주된

* 이 글은 『서편제』(문학과 지성사, 2013)에 작품 해설의 형식으로 실렸던 것임을 밝힌다.

다. 이청준 소설의 굵직굵직한 주제들이 이 장면에 그 기원을 두고 있다는 말이 틀린 말은 아닌 셈이다.

그러나 좀 더 면밀히 검토해 볼 때, 이 장면을 이청준 소설의 가장 원초적인 장면으로 인정하기 위해서는 해결해야 할 한 가지 의문이 남아 있다. 그 의문은 이런 것이다.

> "사람이 태어나 겪은 일 중 첫 번째로 기억되고 있는 일이 하필 그 전짓불이라니 이상한 일이군요."
> ……G는 신문관의 태도에 갑자기 다시 공포감이 일기 시작한다. 아닌 게 아니라 G 자신도 왜 하필 그런 이야기가 맨 첫 번째 기억으로 간직되고 있었는지 스스로 의문스러워진다. (「소문의 벽」, <전집 4>, 232쪽)

G는 작중 소설가 박준의 분신이자 이청준 자신의 분신으로 보인다. 그가 신문관 앞에서 떠올리고 있는 의문은 왜 하필 그 전짓불에 대한 기억이 생애 최초의 기억이 되었느냐는 점이다. 이를 심리학적인 용어로 다시 번역해 보자. '도대체 저 기억에 어떤 외상적 체험이 달라붙어 있어서 그토록 집요하게 박준을 괴롭히는가?' 실제로 작중 박준의 대학 시절, 그는 빈 강의실에 숨어들어 잠을 청하려 할 때마다 경비가 들고 다니는 전짓불 앞에서 필요 이상으로 과장된 불안과 공포를 경험하곤 했다. 작가가 된 이후로도 그 기억의 영향력은 여전해서 그는 마치 유년기의 그 전짓불이라도 되는 양 독자들의 시선 앞에서 주눅 든 채 소위 '진술 공포증'을 앓기까지 한다. 말하자면 그에게 전짓불 체험은 전 생애를 걸쳐 반복된 '외상적' 체험이었던 것이다.

물론 「소문의 벽」이 극화하고 있는 바, 한국사 특유의 이데올로기적 대립 상황이(전짓불 너머의 그림자가 묻는다, 이쪽이냐 저쪽이냐!) 그 외상의 내용일 수는 없다. 외상적 체험은 항상 유년기의 오이디푸스적 상황으로부터 불안과 공포의 감정을 끌어올 뿐, 그보다 한 참 후에 형성되기 마련인 관념이나 믿음의 체계에 기원을 두는 경우는 거의 없기 때문이다. 전짓불 체험이 만약 외상적이라면 그것은 분명 그 깊은 곳에 오이디푸스적 상황을 반복하는 어떤 억압된 요소의 흔적을 가지고 있을 것임에 틀림없다. 그리고 그 흔적은 실은 이청준의 등단작 「퇴원」에서 이미 아주 명백한 형태로 등장한 적이 있다.

> 소학교 3학년 때 가을. 나는 그즈음 남몰래 즐기고 있는 한 가지 비밀이 있었다. 광에 가득히 쌓아 올린 볏섬 사이에 내 몸이 들어가면 꼭 맞는 틈이 하나 나 있었다. 나는 거기다 몰래 어머니와 누이들의 속옷을 한 가지 두 가지씩 가져다 깔아놓고, 학교에서 돌아오면 그곳으로 기어들어 생쥐처럼 낮잠을 자곤 했다. 속옷은 하나같이 부드럽고 기분 좋은 향수 냄새가 났다. 장에는 그런 옷이 얼마든지 쌓여 있어 내가 한두 가지씩 덜어내도 어머니와 누이들은 알아내지를 못했다. 어두컴컴한 그 광 속 굴에 들어앉아 이것저것 부드러운 옷자락을 만지작거리며 거기서 흘러나오는 냄새를 맡고 있노라면, 그보다 더 기분 좋은 일은 없었다. 그러다 나는 스르르 잠이 들고, 잠이 깨면 다시 생쥐처럼 몰래 그곳을 빠져나왔다. 그런데 어느 날은 거기서 너무 오래 잠이 들어 있다가 아버지가 비춘 전짓불을 받고서야 눈을 떴었다. 아버지는 아무 말도 하지 않고 그대로 광을 나가더니 나를 남겨둔 채 문에다 자물쇠를 채워버렸다. 그 문은 이틀 뒷날 저녁때 열렸다. 나는 광에다 나를 가두어놓은 동안 밖에서 일어난 일에 대해서는 아무것도 모른다. 그러나 문이 열렸을 때, 거기 있던 옷가지는 한 오라기도 성한 것이 없이 백 갈래 천 갈래로 찢겨 있었다.(「퇴원」, <전집 1>, 17~18쪽)

「소문의 벽」의 전짓불 장면과 비교해 볼 때, 이 장면에서 도드라지는 것은 전형적으로 오이디푸스적인 상황이다. 화자의 기억 속에서 아버지는 근친상간을 금지하는 자이자 팔루스의 도입자라는 아주 낯익은 심리학적 역할을 수행한다. 다른 말로 「소문의 벽」의 전짓불 장면이 상징계적이라면 「퇴원」의 그것은 상상계적이라고도 할 수 있겠다. 유년의 화자는 아마도 저 일이 일어났던 날 언어적 상징계에 최종적으로 편입되었을 것이다. 어머니와 누이에 대한 의사상상계적이고 도착적인 집착이 바로 그날 부성의 개입(아버지의 전짓불)에 의해 "백 갈래 천 갈래로 찢겨" 버렸기 때문이다. 그렇게 읽을 때, 저 장면이 「소문의 벽」에서의 전짓불 체험보다 시기적으로 선행한다. 알다시피 상상계는 오이디푸스 단계 이전에 아이가 어머니와 맺는 이자적 관계를 지칭하므로 팔루스의 도입 이후에야 진입하게 마련인 상징계에 대해 선차적이다. 전짓불은 팔루스였던 셈이고 그런 의미에서 이청준이 겪은 최초의 외상적 체험 역시 오이디푸스 삼각형 내에 있었던 것이다.

2. 이청준식 'fort-da' 놀이

그렇다면 이제 우리는 인용한 「퇴원」의 전짓불 장면이야말로 이청준 소설에 등장하는 주인공들에게는 가장 원초적인 체험이라고 말할 수 있게 된 것일까? 아마도 「서편제—남도사람 1」이 발표되지 않았다면 그럴 수도 있었을 듯싶다. 그러나 「서편제」에는 「퇴원」의 전짓불 체험보다 시기상 더 이른 것으로 짐작되는 이런 장면이 등장한다.

> 파도 비늘 반짝이는 바다가 내려다보이는 해변가 언덕밭의 한 모퉁이 - 그 언덕밭 한 모퉁이에 누군지 주인을 알 수 없는 해묵은 무덤이 하나

> 누워 있었고, 소년은 언제나 그 무덤가 잔디밭에 허리 고삐가 매여 놀고 있었다. 동백나무 숲가로 뻗어 나온 그 길다란 언덕밭은 소년의 죽은 아미가 그의 젊은 아낙에게 남기고 간 거의 유일한 유산이었다. 소년의 어미는 해마다 그 밭뙈기 농사를 거두는 일 한 가지로 여름 한철을 고스란히 넘겨 보내곤 했다.
>
> ……그러면서 이제나저제나 밭고랑 사이로 들어간 어미가 일을 끝내고 나오기를 기다렸다. 하지만 여름마다 콩이 아니면 콩과 수수를 함께 섞어 심은 밭고랑 사이를 타고 들어간 어미는 소년의 그런 기다림 따위는 아랑곳이 없었다. 물결 위를 떠도는 부표처럼 가물가물 콩밭 사이를 오락가락하면서 하루 종일 그 노랫소리도 같고 울음소리도 같은 이상스런 콧소리 같은 것을 웅웅거리고 있었다. 어미의 웅웅거리는 노랫가락 소리만이 진종일 소년의 곁을 서서히 멀어져 갔다간 다시 가까워져 오고, 가까워졌다간 어느 틈엔가 다시 까마득하게 멀어져 가곤 할 뿐이었다.
>
> 그러던 어느 날.
>
> 하루는 그 바다가 내려다보이는 뙈기밭가로 해서 뒷산을 넘어가는 고갯길 근처에서 이상스런 노랫가락 소리가 들려오기 시작했다.(「서편제」, 15~16쪽)

「퇴원」과 「소문의 벽」의 유년기 화자가 초등학생이었음에 반해, 이 작품에서는 화자가 학교 입학 이전 상태, 더 멀리는 아직 제대로 걷지도 못하는 상태에 있다. 그렇지 않고서야 밭을 매는 어머니 인근의 무덤가(아버지의 것으로 짐작되는)에 허리 고삐가 묶여 있을 리는 없기 때문이다. 그러나 화자의 나이보다 더 의미심장한 것은 저 언덕밭이 오이디푸스적 상황이 극화되는 무대가 된다는 점이다. 밭은 아버지의 유산이라고 했으니, 어린 화자는 저 당시 부권 부재 상황에 있다. 아버지가 죽은 자리, 팔루스의 위협이 사라진 바로 그 자리에서 어머니와의 이자적인 관계는 유지되거나 복원될 참이다. 아니나 다를까 밭은 지금, 마치 무슨 심리적 열기와 긴장으로 들끓기라도 하는 듯, 여름날의 뜨거운 뙤약볕이 내리비쳐 숨이 막힐 지경이다. 어머니가 부르는 노랫가락은 울음도 노래도 아닌 이상한 콧소리에 가까운데, 한마디로 말해 관능적이다. 그 어머니가 밭고랑을 따라 화자에게 접근했다가 멀어지기를 반복한다. 이때 화자의 정서는 일종의 성적 안달과 유사해 보인다.

그러나 사태는 인용문의 마지막 문장에서 급변한다. 무언가가 어머니와 화자 둘 만의 무대에 침입한 것이다. 바로 어머니의 것이 아닌 어떤 다른 이의 노랫소리가 그것인데, 소설의 이어지는 부분에서 그것은 후에 의붓아버지가 될 소리꾼의 것임이 밝혀진다. 그 소리의 등장과 함께 어머니가 변한다. 어느 날인가 "밭고랑만 들어서면 우우우 노랫소리도 같고 울음소리도 같던 어미의 그 이상스런 웅얼거림이" "그 산소리에 화답이라도 보내듯 더욱더 분명하고 극성스럽게 떠돌아 번지기 시작"한 것이다. "그리고 마침내 산봉우리 너머로 뉘엿뉘엿 햇덩이가 떨어지고, 거뭇한 저녁 어스름이 서서히 산기슭을 덮어 내려오기 시작하자, 진종일 녹음 속에 숨어 있던 노랫소리가 비로소 뱀처럼 은밀스럽게 산 어스름을 타고 내려"온다. "그리곤 그 뱀이 먹이를 덮치듯 아직도 가물가물 밭고랑 사이를 떠돌고 있던 소년의 어미를 후다닥 덮쳐"(17쪽)버린다. 이후 '남도사람' 연작 내내 소년이 찾아 헤매게 될 사내의 그 '소리'는 여기서 뱀으로 묘사된다. 팔루스다. 상상계적 공간으로서의 언덕밭이 일순 다시 위태로운 오이디푸스적 삼각형의 공간으로 변한다.

「서편제」의 이 장면을 두고 「퇴원」의 전짓불 장면보다 원초적이라고 말하는 것은 바로 이런 이유 때문인데, 「퇴원」의 경우에도 물론 오이디푸스적 삼각형은 건재했다. 어머니와 누이의 속옷 향유에 대한 아버지의 금지가 그렇다. 그러나 그 작품에서 소년의 '도착증'은 일종의 증상

형성과정을 마친 오이디푸스 단계의 잔존물처럼 보이는 반면, 「서편제」의 저 장면은 마치 상상계의 최초 파열 장면을 극화해 놓은 듯한 인상을 준다. 게다가 소년은 새로 도입된 아버지의 법(소리)에 쉽게 굴복하지 않을 뿐만 아니라 대타자 어머니에 대한 욕망도 쉽사리 포기하지 않는데, 이후 연작 내내 이어지게 될 소년의 상징적 부친 살해 시도, 어머니의 대체물이자 '대상 a'로서의 누이 찾기 시도 들은 모두 저 장면에 그 유래를 두고 있는 셈이다.

그리고 이제 살펴보게 되겠지만 저 장면은 또한 이청준 소설이 구축한 전체 세계(어떤 경우 서정/관념, 고향/도시, 부계/모계로 양분화되었다고 일컬어지기도 하는)를 일관되게 꿰뚫어 의미화할 수 있는 어떤 '누빔점'을 제공한다는 점에서도, 그리고 이 작가의 모든 작품 기저에서 서사를 추동하는 원동력으로 작용하고 있다는 점에서도 두루 두루 '원초적'이다.

3. 왕복운동

수많은 이청준 연구자들이 틀림없이 눈여겨 읽었을 것임에도 불구하고, 저 장면에서 프로이트의 '포트-다 놀이'(fort-da)를 연상해내지 못했다는 점은(그리고 덧붙여서, 「퇴원」의 전짓불 장면이 아버지는 산으로 도피해 있고 어머니와 한 이불 속에 누워 있던 소년에게 닥친 재앙이었단 사실을 연상해내지 못했단 점도) 의아스럽다. 프로이트가 설명하는 포트-다 놀이란 이런 것이다.

프로이트의 손자가 어느 시점(서양 나이로 한 살 반쯤), 실이 감겨 있는 실패를 침대 밑에 던져 넣은 뒤 '오오오오'라고 소리친다. 그리고는 다시 실을 당겨 그것이 제 손에 도달하면 이번에는 'da(다)'라고 외친다. 프로이트는 전자의 '오' 발음을 독일어 'fort', 즉 '사라졌다'라는 의미로 해석한다. 그리고 후자의 'da'는 독일어 의미 그대로 '거기에'라는 의미로 해석한다. 그리고는 이렇게 덧붙인다. "그렇다면 그것은 사라짐과 돌아옴이라는 완벽한 놀이였다"(프로이트, <쾌락원칙을 넘어서>). 이어지는 그의 해석에 따르면 이 놀이는 유아가 소위 '분리불안'(separation anxiety)을 극복하기 위해 고안해 낸 것이다. 즉 특정 시기 인간이라면 맞을 수밖에 없는 어머니와의 분리가 주는 불안, 그리고 상상적으로 실현된 어머니의 귀환이 주는 기쁨을 아이는 놀이를 통해 재현하고 있다. 그럼으로써 어머니와 분리될지도 모른다는 불안을 받아들이고 극복한다는 것이 프로이트가 해석한 바 이 놀이의 주제다.

공정을 기하기 위해서라도 이 놀이에 대한 다른 해석이 가능하다는 사실을 언급하고 넘어갈 필요는 있겠다. 라깡과 지젝은 저 놀이의 의미를 프로이트와는 다른 방식으로 해석한다. 그들이 보기에 저 놀이를 통해 아이가 극복하려고 하는 것은 분리에 대한 불안이 아니라 역으로 분리가 일어나지 않을지도 모른다는 불안이다. 즉 어머니와의 분리를 통해 스스로를 자율적(이라고 상상된) 주체로 형성시키지 못할 수도 있다는 불안, 대타자의 욕망의 대상의 지위(자신으로부터의 소외 상태)에서 영원히 벗어나지 못할 수도 있다는 불안이 그런 놀이를 고안하게 했다는 것이다. 알다시피 어머니와의 이자적 관계를 벗어나지 못할 경우 아이는 상징적 질서 내에 편입되지 못하고, 따라서 주체화에 실패한다. 신화적 비유를 사용하자면 저 놀이는 '씹어 먹는 자궁'(vagina dentata)의 공포를 이겨내기 위해 남아가 고안한 놀이인 셈이다.

두 해석 중 어떤 해석이 옳은지에 대해서는 쉽게 말하기 힘들다. 왜냐하면 오이디푸스 단계에 진입한 이후(그리고 이를 겪은 후로도 줄곧), 어머니에 대해 남아가 지니게 되는 양가감정 중 어느 편이 더 근본적인지는 닭이 먼저인지 달걀이 먼저인지 묻는 것만큼이나 부질없어 보이기 때문이다. 다만 프로이트가 말한 구심력과 라깡이 말한 원심력 사이 어디쯤에서 평생 진자운동을 할 수밖에 없는 것이 대부분의 남성 주체에게 주어진 운명이란 사실만 강조하도록 하자.

다시 「서편제」 얘기로 돌아와서, 놀이의 도구와 규칙이 다소 바뀌었다고는 하나, 앞서 인용한 이청준의 유년기 밭 장면이 극화하고 있는 것, 그것이 바로 포트-다 놀이다. 아이는 마치 실패라도 되는 듯 허리고삐가 묶여 있다. 밭고랑이 프로이트 손자의 실을 대신한다. 그 실을 따라 어머니는 사라짐과 귀환의 되풀이를 반복한다. 그 왕복 운동을 지켜보는 아이는 안달과 안심의 양가적인 감정 사이를 오락가락하며 그 더운 여름날들을 이겨낸다. 유년기에 작가 이청준은 분명히 밭고랑을 사이에 두고 어머니를 도구로 포트-다 놀이를 한 적이 있었던 것이다. 「해변 아리랑」, <당신들의 천국>, 「이어도」, 「귀향 연습」 등 많은 작품에서 등장하는 저와 거의 동일하거나 유사한 장면들을 염두에 둔다면 이런 추론은 더더군다나 신빙성이 있어 보인다. 밭고랑에서의 포트-다 놀이, 그것은 어머니가 사라질지도 모른다는 최초의 분리 불안과 관계된 것이므로 평생을 두고 그의 뇌리에 깊이 각인될 수밖에 없는 그런 놀이였다.

따라서 이청준이 어머니를 대상으로 한 저 왕복운동으로부터 얼마나 왕성한 창작의 에너지를 얻어냈는지를 살피는 일은 그의 전체 작품들을 두루 살펴야 하는 노고와 맞먹는다. 다소간의 과장을 보탠다면, 거론한 작품들만 아니라 그의 작품 세계 전체가 바로 저 유년기의 왕복운동으로부터 발생한 에너지에 빚지고 있다고 해도 무방할 정도다. 그러나 이 글이 이청준의 전체 작품 세계를 대상으로 하고 있지는 않으므로, 여기서는 주로 이 책에 실린 작품들을 이청준 문학 특유의 왕복운동과 관련하여 일별하기로 한다.

4. '연'과 '새'

우선 '연'의 이미지가 선명하다. 실패에 줄을 감아 그 끝에 가오리나 방패 모양의 얇은 종이 등속을 매단 후, 날아 올렸다 거둬들이기를 반복하는 놀이가 연놀이다. 그것이 날아오르는 원리는 바람의 원심력과 실패의 구심력이 바로 그 연의 표면에서 팽팽하게 맞서기 때문이다. 연놀이는 그러므로 그 원리에 있어 포트-다 놀이와 다르지 않다. 어머니의 사라짐과 되돌아옴을 반복해서 극화함으로써 과도한 감정의 지출로부터 자신을 방어하던 바로 그 놀이. 연놀이가 주로 유년기에 행해지는 놀이인 이유도 그것일 듯한데, 연의 왕복운동을 통해 우리는 어머니와의 분리 불안 혹은 분리되지 못할 지도 모른다는 불안을 이겨내곤 했던 것이다.

따라서 단편 「연」의 부제가 '새와 어머니를 위한 변주 1'이란 점은 의미심장하다. "봄이 되어 제 또래 아이들이 모두 읍내 상급 학교로 마을을 떠나가버린 다음에도"(347쪽) 어머니 주위를 맴돌며 연놀이에 빠져 지내는 아들과, 하늘에 뜬 연을 통해 아들의 존재와 부재를 가늠하는 어머니의 이야기인 이 작품은, 놀이의 규칙과 도구만 바뀐 포트-다 놀이에 대한 소설이다.

이 책에 함께 실린 '새' 계열의 작품들(「새가 운들」, 「학」, 「빗새 이야기」)에 대해서도 유사한 해석이 가능하다. 이청준의 소설 속에서 '새'의 이미지는 바로 이 '연' 이미지의 파생물이거나 등가물인데, 이 계열의 작품들이 모두 떠났다 돌아오(지 않)는 아들(이청준의 아들들은 거의 예외 없이 귀향과 탈향을 반복한다, 즉 고향과 서울 사이를 왕복 운동한다), 그리고 그를 기다리는 어머니에 대한 이야기란 점은 재차 강조해 둘 필요가 있겠다. 귀향과 탈향의 반복은 아들의 원심력과 어머니의 구심력이 빚어낸 왕복 운동의 결과다. 혹은 장흥과 서울 사이, 신화와 신경증 사이에서 행해진 왕복 운동의 결과다. 그 종류를 불문하고 이청준의 소설 속에서 새들은 예외 없이 귀소성 동물들인 셈이다.

따라서 이청준의 소설들로서는 예외적으로 완성도가 떨어지고 그 분량도 단편에 채 미치지 않는다고는 하지만, 이 작품들이 단순히 소품에 불과한 것으로 치부되어서는 곤란하다. '새'와 연'은, 이청준의 전체 소설들을 이해하는 데 있어 '매'(「매잡이」; 사냥용 매는 살아 있는 연이다)나 '배'(「침몰선」, 「수상한해협」; 이청준의 소년 주인공들은 떠났다 돌아오기를 반복하는 배를 하염없이 지켜보다가 문득 자란다) 못지않게 중요한 이미지들이다.

5. 누이와 아내, '오브제 쁘띠 아'

이청준의 주인공들이 무의식중에 반복하는 변형된 포트-다 놀이들이 항상 사물이나 동물만을 대상으로 행해지지는 않는다. 그 놀이는 더러 사람을 대상으로 행해지기도 한다. 라깡식으로 말해 대타자 어머니의 자리를 차지한 대상들('대상 a')로서의 '누이'와 '아내'가 바로 그들이다. 아래는 「별을 기르는 아이」의 한 장면이다.

> 그런데 그보다 더 뜻밖인 것은 녀석의 다음 행동이었다.
> 일껏 누나라는 소리까지 떠지르며 내달려가던 녀석이 여자애가 정말

> 로 자기를 알아보는 기미를 엿보이고 돌아서자 느닷없이 다시 발길을 멈칫 머물러 서버리는 것이었다. 그리고는 무엇인가 몹시 두려운 사람이라도 대하듯 그녀를 잠시 매섭게 쏘아보고 서 있더니 순간적으로 다시 몸을 홱 돌이켜버리는 게 아닌가(271쪽)

헤어지고 나서 단 한 번도 누나 찾기를 포기해 본 적이 없는 진용이다. 그러고 보면 저 장면에서 진용이가 보여주는 태도는 의아하기 그지없다. 그토록 애타게 찾던 누나(로 보이는 여자)와 대면하게 되자, 정작 그는 누나를 피한다. 그를 지켜보던 일인칭 화자는 오래지 않아 그 이유를 깨닫게 되는데, 사연인즉 이렇다. "녀석에겐 이제 누님이 없었다. 녀석도 이미 그것을 알고 있었다. 녀석이 공장 앞에서 영숙을 쫓아갔다가 그길로 다시 몸을 되돌려 달아난 이유도 이미 그것을 알고 있었기 때문이었다. 녀석은 다만 아직도 그것을 믿고 싶지가 않은 것이었다. 녀석은 아직도 어디엔가 그의 누님이 살아 있기를 바라면서, 그 누님을 찾을 희망을 버리고 싶지가 않은 것이었다".(276쪽)

화자의 깨달음에 따르면 진용이 찾는다는 누나는 허상이다. 너무도 이상화되어 있어서 만약 실제로 발견되면 거대한 실의를 면치 못한다는 의미에서 그렇다. 대타자의 결여와 대면하기 두려운 주체가 상상적으로 만들어낸 것이 '대상 a'일진대, 그 대상에 결여란 없어야 한다. 그러나 도대체 결여 없는 대상이 어디에 있단 말인가? 라깡이 욕망의 대상은 외부의 실체가 아니라 욕망 그 자체라고 말할 때 지시하고자 한 바가 이것이다. 만약 정말로 누나를 발견할 경우 진용의 욕망은 정지될 위험에 처한다. 모든 대상은 결여 투성이일 테니까. 그러느니 누나는 항상 '존재하면서 동시에 부재하는' '당신 안의 당신 이상의 것'이어야 한다. 라깡은 이런 대상을 '커튼 너머의 미녀'라는 탁월한 비유로 표현한다. 미녀가 미녀인 것은 그녀가 가려져 있을 때뿐이다. 차지해 버린 미녀는 주체에게 결코 욕망의 대상이 되지 못한다. 결국 진용이가 끝없이 누나 찾기를 계속하는 상태를 유지하는 편이 낫다는 것이 화자가 내린 결론이다.

아마도 라깡의 '대상 a' 개념에 대한 이보다 더 정확한 소설적 주해를 찾기는 힘들어 보이는데, 그러나 이 글의 논지와 관련해서 더 중요한 것은 작가의 인간심리에 대한 지혜로움의 깊이가 아니다. 여기서도 다시 예의 그 왕복 운동이 발견된다는 점이 중요하다. 누나를 찾으려는 욕망의 구심력과, 그 욕망의 실현을 피하려는 원심력 사이에서 진용의 포트-다 놀이는 끝날 줄을 모른다. 실은 그것이 바로 진용이가(그리고 「서편제」를 포함한 「남도사람」 연작의 주인공이) 삶을 살아가는 동력이자 방법이었던 것이다.

유사한 사례가 「치자꽃 향기」에서도 발견된다. 이번에는 누나가 아니라 아내다.

> 지욱은 그날 밤 오랜만에 다시 아내의 알몸에서 그 냄새의 정처를 찾아 헤맸다. 하지만 아내의 몸에서는 역시 냄새의 정처를 찾을 수가 없었다. 당연한 일이었다. 여자의 냄새는 치자꽃 향기 속에 살아 있을 뿐이었다. 여자의 몸이 너무 가까우면 그 몸에서는 이미 여자의 냄새가 사라지게 마련이었다. 지욱이 아내의 몸에서마저 황홀한 냄새로 그를 취하게 하던 꽃향기를 잃게 된 것은 그녀가 너무 그의 곁에 가깝게 있기 시작한 때부터였다.
>
> 지욱은 이제 그것을 알고 있었다.
>
> "아름다운 것은 아름답게 보이는 거리가 있는 법이지."
>
> 언젠가 친구 영진이 그에게 한 말이었다.(282쪽)

'성관계는 없다'라는 라깡의 명제를 저보다 더 명시적으로 예시하기는 힘들 듯하다. 지욱이 욕망하는 것은 대상으로서의 아내가 아니다. 치자꽃 향기라고 말하지만 실은 그것도 아니다. 그가 욕망하는 것은 스스로 상실했다고 상상하곤 하는 '향유', 그것을 가져다 줄 것이라고 여겨지는, 그러나 결코 그럴 수 없는 대상, 곧 '대상 a'다. 한때 그것은 아내인 것처럼 여겨졌으나 그녀에 대한 욕망이 실현된 지금은 아니다. 그런 의미에서 우리가 상상하는 성관계란 항상 대상 너머와의 관계이고, 내 안의 나 이상의 것과의 관계일 뿐이다. 성관계는 없다. 엄밀하게 말해 지상에는 자위행위만이 존재한다.

그런데 화자의 친구 영진이 참으로 지혜로운 것은 이 비극적인 양자택일 상황을 버텨내는 방법을 그가 알고 있다는 점이다. "아름다운 것을 아름답게 보이는 거리"가 바로 그가 터득한 지혜다. 대상이 너무 멀어져서 아예 사라져버리는 것은 곤란하다. 욕망이 생기지 않을 테니까. 그러나 대상이 너무 가까워져서 그 치명적인 결여들을 드러내서도 곤란하다. 왜냐하면 역시 욕망이 생기지 않을 테니까. 욕망의 대상은 욕망 그 자체이니까. 그런데 욕망의 대상과 멀지도 가깝지도 않은 거리를 유지하는 방법, 그것이 저 유명한 왕복운동, 곧 포트-다 놀이가 아니라면 무엇이란 말인가.

6. 균형

이청준 소설의 무대가 도시로 옮겨가고 그 주제가 형이상학적인 깊이에 이르더라도 저 왕복운동의 영향력은 사라지지 않는다. 그 영향력은 우선 이청준 특유의 '균형 감각'으로 나타난다.

가령 「자서전들 쓰십시다」의 경우, 언어의 양극단 사이에서 왕복운동하는 주인공이 눈에 띈다. 한편에는 기의로부터 해방되어 버린 기표들의 난무가 있다. 실체와의 약속을 잊어버린 말들, 정처가 없는 말들, 해방됨으로써 실체에 대한 지배력을 상실해 버린 말들, 곧 코미디언 피문오의 언어가 한 쪽 극단을 이룬다. 다른 한 쪽 극단에는 최상윤 선생의 언어가 있다. 그의 말은 집요하게 실체와의 완전한 합일을 꿈꾼다. 이해 이전의 믿음으로 충만한 그의 말들은 기의와 기표의 극단적인 일치를 주장하는 언어다.

흥미로운 점은 자서전 대필 작가 지욱이 이 양 극단 사이에서 취하는 태도다. 그는 여기서도 역시 왕복운동의 운명을 받아들인다. 피문오의 언어가 실체로부터 완전히 벗어나버린 말의 원심력 세계라 불릴 만하다면, 최상윤의 언어는 언어가 실체와 완전히 동일해지려는 말의 구심력 세계라 불릴 만하다. 이를 전근대적 언어와 근대적 언어의 대립으로, 혹은 장홍의 언어와 서울의 언어의 대립으로, 혹은 상상계의 (전)언어와 상징계의 언어의 대립으로 읽어도 무방할 것이다. 그런데 지욱은 먼저 전자를, 이어서 후자를 부인한다. 정확히는 그 사이에서 왕복운동한다. 다소간의 도식화를 무릅쓰자면 이 두 언어 사이에서의 왕복 운동으로부터 항상 극단을 피하고 동상과 우상을 경계하던 이청준 특유의 균형감각과 합리주의가 탄생했을 것이다. 두 세계, 두 언어 사이에서도 그는 포트-다 놀이를 계속했던 셈이다.

「지배와 해방」에 이르면 그의 포트-다 놀이가 소설 쓰기 자체의 문제로 확장된다. 전형적으로 메타픽션인 이 작품은 직설화법으로 씌어진 이청준의 문학론에 해당한다. 이 작품에서 그는 작중 이정훈이란 작가의 입을 빌려 소설 쓰기를 '지배'와 '해방'이라는 두 개의 키워드로 요약한다. 긴 논의 끝에 그가 소설 쓰기의 의의에 대해 내린 결론은 이렇다.

> 결국 작가는 자유의 질서로써 독자를 지배해나간다는 것입니다. 억압이나 구속이나 규제가 아닌 자유의 질서를 찾아 그것을 넓게 확대해나감으로써 이 세계를 지배해간다는 것입니다. 지배라는 말이 흔히 우리들에게 인상 지어주기 쉽듯이, 그는 우리의 삶을 그의 지배력으로 구속하고 규제하고 억압하는 것이 아니라 오히려 그것들로부터 우리의 삶을 해방시키고 그 본래의 자유롭고 화창한 삶의 모습으로 돌아가게 하려는 것일진대, 독자들도 그의 지배를 승인하고 스스로 그의 질서를 따르지 않을 수가 없을 것입니다.
>
> 그리고 작가 역시 그가 문 열어 보인 자유의 질서에 의해 독자들의 삶을 보다 넓고 자유로운 세계에로 해방시킴으로써 그 자신도 비로소 그의 지배욕과 복수심 그리고 그의 개인적인 삶의 모든 욕망들로부터 스스로를 해방시키고 그의 삶을 보다 깊이 사랑하고 보다 넓게 실현해나갈 수가 있게 될 것입니다.(342쪽)

논의의 심오함은 제쳐두더라도, 우선 눈에 띄는 것이 '억압/자유' '지배/해방' '구속/확대'와 같은 이항적 개념쌍들이다. 그가 보기에 문학이란 자유로써 구속하고, 지배를 통해 해방한다. 저런 결론에 이르기까지 그가 수행한 문학과 작가의 관계에 대한 치밀한 논의들을 여기서 요약할 게재는 아니다. 다만 저 개념쌍들이 각각 구심력과 원심력의 변증법적 대립을 구성하고 있다는 점은 강조할 필요가 있겠다. 지배하려는 욕망의 구심력과 해방되려는 작품의 원심력이 생산적으로 길항할 때 위대한 문학 작품이 탄생한다는 그의 논지 저 깊은 곳에서, 언덕밭 가에 허리고삐가 채워진 채 밭고랑을 따라 사라졌다가 되돌아오기를 반복하는 어머니를 열에 들떠 바라보던 그 어린 소년의 모습을 감지해내는 일이 이제 그리 어렵거나 황당해 보이지는 않는다.

7. 지상에서 가장 생산적인 왕복운동

이청준의 수많은 신경증적 주인공들(가령 이 작품집에 실린 「황홀한 실종」의 윤일섭이나 「문패도둑」의 임정태)이 보여주는 증상들 또한 위와 유사한 원리에 의해 발생했다는 사실을 다시 지적하는 것은 다만 사족에 불과할 것이다. 모든 신경증이 상충하는 두 욕망 사이의 타협형성물이라는 정신분석의 정설을 받아들일 때, 소속 욕망과 일탈 욕망 사이에서의 병적인 왕복운동이 바로 그들의 병인이자 증상 그 자체라는 사실만을 지적하는 것으로 중언부언을 피하고자 한다.

요컨대 아주 이른 시기 바닷가 언덕밭에서 시작된 저 기이한 왕복운동은 우리가 아는 한 한국문학사에서 가장 생산성이 높았다. 예외적으로 이 책에 실린 작품들이 그 생산성의 비밀을 비교적 온전히 가시화하고 있을 뿐, 이청준 소설 세계 전체를 통틀어 저 지칠 줄 모르는 왕복운동은 계속된다. 가령 그의 두 걸작 「눈길」과 <당신들의 천국>만 예로 들어도, 장흥(어머니가 계시던)의 구심력과 서울(상징적 질서들로 촘촘한)의 원심력, '사랑'(대타자로의 소외)의 구심력과 '자유'(대타자로부터의 분리)의 원심력이 길항하는 어떤 지점에서가 아니고서는 탄생하기 힘들었을 것이다.

이청준이 프로이트나 라깡을 읽었다는 증거는 아직 제출된 바 없으니, 그저 작가의 인간 심리에 대한 경험적 관찰의 깊이가 놀라울 따름이다. 그리고 이런 표현이 가능하다면, 다시 한 번 이청준의 거대한 소설 세계를 형성한 저 왕복운동의 생산력이 놀라울 따름이다. 이청준 소설에 대해 포트-다 놀이가 수행한 역할은 마치 교통수단에 대해 증기기관이 수행한 역할과 같다. 게다가 공교롭게도 두 기관 모두 왕복 운동을 통해 동력을 산출한다.

작품집 <서편제>가 이청준의 전체 소설 세계를 일관되게 꿰뚫고 의미화하는 누빔점일 수밖에 없는 이유가 여기에 있다.

제2부

문학, 권력, 금기

추방된 자들의 이름, 프롤레타리아*

카프 초기의 프롤레타리아 개념의 변모

차 승 기

1. 계급, 초월불가능한 지평으로부터의 초월

문학에 대한 계급적 인식이 등장한 1920년대 전반기부터 카프(KAPF)라는 문학운동조직이 구성된 이후의 수년간까지는, 아마도 식민지 조선에서 근대문학이 출발한 이래 가장 과격한 문학상의 변혁이 발생한 시기였음에 틀림없을 것이다. 바야흐로 근대문학의 개념이 정립되기 시작하던 시기에 그와 더불어 근대문학의 개념 자체를 부정하는 강력한 목소리가 등장했기 때문이다. 이후에는, 예컨대 1930년을 전후해 기존의 예술 규범에 이의를 제기하는 모더니즘적 실험들이 출현하기도 했지만, 이 시기에 나타난 근대문학 자체에 대한 조직적이고도 파괴적인 부정의 시도와는 성격도 다를 뿐 아니라 그 적대성에 있어 비할 바가 못 될

* 이 글은 논문 「프롤레타리아란 무엇이었는가」(『한국문학연구』 47집, 2014)를 부분적으로 수정한 것임을 밝혀둔다.

것이다.

이 적대성은 서로 다른 문학관·예술관 이전에 서로 다른 **계급**으로부터 비롯되었다. 사회와 역사를 경제적이고 물질적인 관계에 따라 규정하는 마르크스주의적 사회과학에 입각함으로써, 문학과 예술은 사회적 존재에 의해 결정되는 사회적 의식의 한 형태로 간주되었다. 여기서 사회적 존재란 그 계급적 존재에 다름 아니다. 따라서 문학·예술은 더 이상 그 자체로 대상화할 수 있는 성질의 것이 아니라, 그것이 뿌리내리고 있는 계급적 귀속과 일체화될 때에만 유의미하게 포착될 수 있는 것이 되었다. 이렇듯 일체의 의식적 산물을 포함해 세계 전체를 경제적 토대 차원의 대립관계에 따라 분할하는 입장이 "한 개의 독립한 **윤리관**"[1]으로 자리잡아 갔다. '윤리화된 과학'에 의해 존재의 차원에 기입된 적대성은 바로 그 존재의 조건을 변혁하는 이외에 어떤 해결이나 타협도 불가능해 보인다.

부르주아와 프롤레타리아라는 자본주의 세계의 양대 계급은 삶과 의식, 물질과 정신의 모든 영역에서 이 세계의 분열을 지시하는 이름이었다.

> 여기서 다만 부르주아의 정의와 프롤레타리아 정의 간 투쟁만 아니라, 부르주아 교육에 대하여서는 프롤레타리아 교육, 부르주아 예술에 대하여서는 프롤레타리아 예술, 부르주아 도덕에 대하여서는 프롤레타리아 도덕, 부르주아 과학에 대하여서는 프롤레타리아 과학, 이 모든 대항이 종래 일체 문화에 속한 계급투쟁의 서열을 의미 있게 말한 무산계급 신문화운동이다. 계급투쟁은 사회에 내재한 모순의 의식적 표시이다. 그 모순은 다만 경제생활과 생산관계에만 止치 아니하고서 물질적, 정신적 모든 사회생활질서 내에 이 모순이 만연하여 확대되어 있다.[2]

1) 팔봉, 「시사소평」, 『개벽』 1925. 3, 71쪽. 강조는 인용자.

> …… 사회의 계급적 생활은 그 계급을 따라서 그 생활의식까지 변하여 놓았다는 것이다. 부르주아계급의 도덕관, 인생관, 미관(美觀)은 부르주아 계급자의 생활의식을 구성하였고 그 문학이 여기에서 출발되었으며, 프롤레타리아의 도덕관, 인생관, 미관은 프롤레타리아의 생활의식을 구성하고 그 문학은 이곳에서 출발하려 한다. 그리하여 생활상태의 분열은 생활의식의 분열이요, 생활의식의 분열은 문예의 분열을 일으킨다.[3)]

인용문에서 저자들은 계급의 구별에 따라 생활에서 문예에 이르기까지 명료한 분할선을 긋고 있다. 하지만 이 분할선은 단순히 부르주아와 프롤레타리아가 각각 분열・대립하며 공존하고 있는 사회적 존재의 두 차원이라는 사실을 나타내기 위한 것이 아니다. 왜냐하면 부르주아와 프롤레타리아에게는 양자의 단순 대칭을 불가능하게 하는 시간성이 깊이 각인되어 있기 때문이다. 단적으로 부르주아는 현재의, 프롤레타리아는 미래의 계급이기 때문이다. 프롤레타리아는 부르주아의 반대편에서 부르주아와 경쟁하는 계급이 아니라, 부르주아를 부정하고 자본주의 체제를 전복시키는 과정에서 계급으로서의 자기 자신까지 포함해 일체의 계급을 폐기함으로써 인간해방의 미래를 가져올 '보편적 계급'인 것이다. 그러므로 프롤레타리아의 해방운동은 곧 "인류해방운동"[4)]이다.

---

2) 장적파, 「문화운동과 무산자운동」, 『조선일보』 1923. 8. 9.

3) ST, 「조선 문예운동의 경향」, 『조선일보』 1925. 1. 1.

4) 김기진, 「금일의 문학・명일의 문학」, 『개벽』 1924. 2, 49쪽.
이같은 인식은 이미 정태신, 이준석, 염상섭 등 초기 노동운동에 관여하고 있던 아나키스트 경향의 지식인들에게 공유되고 있었다. 즉 노동운동이란 "노동자가 자기의 경제적 고통을 완화하며 자본가 계급에 대한 노동자 계급의 단순한 반항과 복수"를 꾀하는 것이 아니라 "기천년의 역사적 人類苦", 즉 "인류 공통의 대문제"를 해결하고자 하는 시도로 이해되고 있었다. 염상섭, 「노동운동의 경향과 노동의 진의」, 『동아일보』 1920. 4. 20～26 ; 又影生, 「근대 노동문제의 진의」, 『개벽』 창간호, 1920. 6 ; 이준석, 「현대 노동계급

이렇게 볼 때 프롤레타리아는 본질적으로 **초월불가능한 계급성**과 **계급초월적 보편성** 사이의 모순을 안고 있는 존재다. 마르크스주의적 사회과학이 "한편으로는 객관적인 세계에 대해 물리적으로 해명하고자 하는 자연과학처럼 사회의 보편적인 법칙과 역사의 발전 원리를 해명하고자 하는 것이면서 다른 한편으로는 계급의식과 가치의 개념을 도입하여 단일하고 보편적인 지식에 균열을 가져오는 양면적인 성격"[5]을 갖고 있다면, 그 양면성의 원천은 자본주의적 착취구조의 산물인 동시에 그 착취구조를 파괴할 주체로서의 프롤레타리아의 이중성, 즉 초월불가능한 계급성과 계급초월적 보편성에 대한 논리적 해명에서 찾을 수 있다. 생활과 도덕과 미의식까지 계급적으로 양분되어 있는데도 불구하고 대체로 소부르주아에 해당되는 지식인 작가·비평가들이 프롤레타리아 문학운동을 주도한 것도 저 계급초월적 보편성에 기대고 있었기 때문에 가능한 것이었다.

그런데 문제가 되는 것은 바로 프롤레타리아에게 부여된 시간성, 즉 '미래'이다. 마르크스주의적 사회과학이 사회를 운동 속에서 파악한다고 할 때, 그 운동의 동력이 되는 현재의 모순·갈등의 본질을 파악하는 시선은 바로 프롤레타리아의 미래로부터 온다. 이른바 '프롤레타리아 전위의 눈'이라는 선취된 미래로부터 오는 합리적 시선은 프롤레타리아를 내적으로 다시 분할한다. 한편에 미래의 공화국을 개시할 총체

의 운동 별견」, 『개벽』 1920. 7 등 참조.

아나키스트 경향의 지식인들이 노동문제를 '인간 공통의 문제'로 인식하고 있었음에 대해서는 손유경, 「아나키즘의 유산(遺産/流産)」, 『프로문학의 감성구조』, 소명출판, 2012, 106~108쪽에서 이미 주목된 바 있다.

5) 송민호, 「1920년대 맑스주의 문예학에서 '과학적 태도' 형성의 배경」, 『한국현대문학연구』 29호, 2009, 75쪽.

적이자 일체화된 정치적 주체로서의 프롤레타리아가 있고, 다른 한편에는 가난하고 억압받는 자들의 부분적이자 파편화된 다수로서의 프롤레타리아가 있다.[6] 자본주의의 근본 모순이 격화되는 현장에서 도래할 계급해방의 세계를 전미래적으로 선취하는 전투적인 프롤레타리아, 즉 계급의식과 역사발전의 객관적·보편적 경향을 일치시키는 전위가 한편에 있고, 식민지의 도시와 농촌에서 임시적인 고용과 영속적인 빈곤 상태를 반복하면서 떠돌아다니는 '몫 없는 자들'이 다른 한편에 있다.

카프의 프롤레타리아 문학운동이 프롤레타리아 전위의 이념적·미학적 지도성을 강화해가면서 그것을 식민지 현실에 적용시키고자 하는 지난한 과정에 다름 아니었다면, 그 과정에서 이와 같은 프롤레타리아의 이중성은 어떤 방식으로 해결되었던가? 그리고 그 해결의 시도 속에서 살아남은 프롤레타리아와 보이지 않게 된 프롤레타리아는 무엇이었는가? 맑스주의적 사회과학과 역사철학에 의해 포착된 프롤레타리아는 과연 프롤레타리아의 잠재력을 어떤 방식으로 담지하거나 고갈시켰는가?

카프와 프롤레타리아 문학에 대한 최근 수년간의 연구는 이러한 물음들을 던질 수 있도록 하는 중요한 발판을 제공해준다. 운동론, 조직론, 이데올로기론 등에 집중했던 과거의 연구들을 통해서는 드러날 수 없었던 프롤레타리아 문학의 무의식을 징후적으로 독해하는 작업들이 이루어지기도 했고, 광범한 의미의 문화론적 연구방법을 통해 미디어－지식－실천－미학의 차원을 통합적인 시야에 두고 접근하는 시도들이 전개되기도 했다.[7] 이 과정에서 개념적 사고나 제도적 틀이 완전히 장

---

6) 이 부분의 서술은 근대 주권국가에서 '인민(people)'이 갖는 이중성을 언급하는 아감벤의 표현에서 차용한 것이다. 조르조 아감벤, 김상운·양창렬 옮김, 『목적 없는 수단』, 난장, 2009, 40~41쪽 참조.

악할 수 없었던 감성적 영역의 잠재성이 재평가되기도 했고, 기존의 사상사적 연구들이 암묵적으로 전제하고 있던 이념적·엘리트주의적 준거를 비판하며 역사적 구체성의 저변으로부터 새로운 분할선들—예컨대 공간적으로는 서발턴, 시간적으로는 전근대와 연결되기도 하는—을 발견하기도 했다. 사회주의 및 마르크스주의 문화(문학)운동을 탈신화화하는 한편 그 운동의 이념들이 식민지 조선의 실재와 마주치는 현장을 실천적으로 재심하고자 하는 최근의 연구들은, 프롤레타리아 개념의 모호성을 탐구하고자 하는 이 글의 연구방향에 결정적인 영향을 미쳤다고 하겠다.

하지만 이 글은 프롤레타리아 문학운동 자체를 역사적으로 탐구하거나 그 운동의 역사적·문화사적 위상을 새롭게 자리매김하기보다는, 프롤레타리아 또는 무산자라는 술어의 쓰임새에 관심을 두고 있다. 요컨대 프롤레타리아 문학운동에 적극적으로 참여했던 문학자들에게 프롤레타리아 또는 무산자가 어떤 존재적 범주로 이해되고 있었는가, 그들이 프롤레타리아 또는 무산자를 호명할 때 그 아래로 어떤 사회적 존재들이 회집(會集)되고 있었는가를 살펴보고자 한다. 이로써 이 연구는 프롤레타리아 문학운동을 추동시키는 주체적인 존재적 기반에 주목하고자 한다. 이를 위해 특히 카프 조직 형성 전후의 텍스트들을 검토하면서, 과학적 마르크스주의의 변증법적 세계관과 '프롤레타리아 전위'의 관점이 정당성을 획득해가는 과정이 프롤레타리아의 개념에 어떤 변용

7) 특히 카프와 프롤레타리아 문학에 대한 최근의 새로운 연구 경향을 집약적으로 보여주는 사례로서, 손유경의 『프로문학의 감성구조』와 함께, 성균관대학교 동아시아학술원이 연속적으로 기획한 「근대 지식으로서의 사회주의와 그 문화·문학적 표상」(성균관대학교, 2007. 5. 19 ; 2008. 6. 27)과 민족문학사연구소가 주최한 「식민지 지식장의 변동과 사회주의 문화정치학」(성균관대학교, 2013. 10. 5)을 들 수 있다.

을 초래했는가를 추적할 것이다. 이는 자본주의 변혁과 계급해방을 지향하는 문학운동이 과학적 사회주의의 사회과학적 시선과 문학적 현실인식의 갈등적 상호작용 속에서 어떻게 세계의 새로운 차원을 열고 닫았는지를 묻는 작업이 될 것이다.

2. 인류에서 계급으로 : 프롤레타리아 문학의 성립조건

1920년대 초 식민지 조선에서 '프롤레타리아 문학'이 형성되는 데에는 크게 세 가지 조건이 작용하고 있었다고 할 수 있다. 1차 세계대전 발발 이후 전개된 세계적인 사회변혁의 운동 및 그에 이어 나타난 다양한 세계 '개조'의 움직임이 그 하나라고 한다면, 또 하나는 이 움직임들 속에서 나타난 다양한 사상적(종교, 철학, 문학 등을 총 망라한) 영향들, 마지막으로 3・1운동과 세계적인 '개조'의 흐름이 가져온 결과의 일부라고 할 총독부의 '문화통치'가 있었다고 하겠다.

이 중 앞의 두 가지 조건은 특히 분리불가능하게 결합되어 있었다. 1차 세계대전 전개과정에서 발생한 러시아혁명, 세계적인 전쟁과 혁명의 영향 속에서 일어난 3・1운동, 5・4운동 등의 반제국주의・반식민주의 해방운동, 그리고 그 뒤로 이어진 반근대문명적・반자본주의적 '개조'의 흐름 등은 그 흐름 속에서 생겨나기도 하고 그 흐름에 개입하기도 한 다양한 세계관적 입장들과 함께 1920년 전후 식민지 조선의 정치적・사상적・문화적 에토스를 형성하는 성좌(constellation)가 되었다. 특히 사상적 '개조'와 변혁의 에토스는, 다이쇼 데모크라시(大正デモクラシー), 문화주의 철학, 생철학 등의 역사적 '기원'으로 환원될 수도, 민족의 독립과 주권 획득이라는 정치적 '과제'로 수렴될 수도 없는, 근대적/

반근대적 사상들을 폭넓게 함축하고 있었다. 인간, 사회, 문화에 대한 새로운 이해를 포함한 이 '개조'의 사상은 경제적 토대에서 도덕의 차원까지 사회 전체의 근본적인 변화를 열망하는 다양한 방향의 에너지를 들끓게 했다.[8] 중요한 것은 이 에너지가 '민중' 또는 '대중'이라는 거대한 무정형적 존재의 사회적 등장에 의해 형성되었다는 것이다. 개조와 변화의 요구가 근본적인 것이었던 만큼 지식인들이 대중적인 힘을 획득할 필요성도 있었지만, 그보다 앞서 민중 자체가 사회적이고 정치적인 의미를 갖는 존재로서 떠오르고 있었다.

총독부의 '문화통치'는 이 에너지가 표출되고 재생산되는 일종의 통로를 구축했다. 직접적으로는 3·1운동의 파장이기도 하고 겉보기에는 총독부의 일정한 '양보'처럼 보이기도 하는 이 '문화통치'는, 사실 식민지/제국 체제의 관리된 언어·법·미디어가 복합적으로 작용하는 재현장치(representational apparatus)를 조선·조선인 전체에 덮어씌우는 전술에 다름 아니었다. 물론 일제가 이러한 전술을 채택할 수밖에 없었던 것은 기존의 정책적 개념으로는 대상화하거나 통제할 수 없는 대중적 힘들이 등장했기 때문이다. 하지만 흔히 총독부의 타협적 포즈 또는 유화정책 등의 '소극적' 의미가 부여되기도 하는 이 '문화통치'가 오히려 밑으로부터 들끓어 오르고 있는 무정형의 힘들을 식민지/제국 체제의 재현장치로 포획해 그 안에서 발화하고 그를 통해 관리될 수 있게 만들려는 통치자 쪽의 '적극적' 대응전술이었음이 간과되어서는 안 될 것이다.

8) 이 시기 사상적 '개조'의 흐름, 특히 새로운 인간론에 대해서는 허수, 「1920년대 초 『개벽』 주도층의 근대사상 소개양상」, 『역사와 현실』 67집, 2008 ; 허수, 「제1차 세계대전 종전 후 개조론의 확산과 한국 지식인」, 『한국근현대사연구』 50호, 2009 ; 이철호, 『영혼의 계보』, 창비, 2013 등 참조.

요컨대 '문화통치'는 완전히 제거하거나 장악할 수 없는 에너지의 흐름을 식별가능하고 분절가능한 재현적 필터에 통과시키는 기술이었다. 알 수 없는 경로로 움직이는 예측불가능한 움직임을 미디어로 집중시키고, 그 움직임이 지닌 힘과 에너지를 통치자의 언어로 번역시키고, 그렇게 번역된 언어·행위·활동을 법으로 판단할 수 있게 하는 재현장치를 작동시키는 것이 다름 아닌 '문화통치'였다고 할 수 있다.

하지만 문화통치의 기술은 말할 수 없는 자들이 말하고, 몫 없는 자들이 몫을 주장하는 정치적 장(場)의 보편적 조건을 공유하고 있기도 하다. 식민지/제국 체제의 재현장치는 말할 수 없는 자들이 말하자마자 그 목소리를 찬탈 당하는 곳, 보이지 않는 존재들이 얼굴을 드러내자마자 대표자의 가면이 씌워지는 곳, 말하자면 터져 나오는 삶의 에너지가 분출하자마자 박제화될 수 있는 죽음의 장소이기도 하다. 그러나 이 장치는 말할 수 없는 자들, 몫 없는 자들이 정치적 삶을 전개할 유일무이한 조건까지는 아니더라도, 결코 회피할 수 없는 통로임에는 틀림없었다. 덧붙이자면, 이같은 찬탈과 재현과 박제화는 다만 식민지/제국의 주권권력에 의해서만 이루어지는 것은 아니다. 대중적 힘을 특정한 방향으로 조율하면서 '운동'을 만들어내고자 하는 지식인들의 정치적·문화적 활동 역시 이 장치 아래 발을 들여놓을 수밖에 없고, 그 안에서 대중적 힘을 전유함으로써 언제든 새로운 분할선을 창안하는 동시에 대중적 힘 그 자체를 소외시킬 수도 있는 것이다. 따라서 식민지/제국 체제의 재현장치는 주권권력과 지식인과 민중이 상호불평등한 자산을 (무)소유한 채 경쟁하고 다투는 싸움터이기도 하다.

바로 이 싸움터에 민중, 노동자, 농민, 피억압자, 피지배자, 피착취자, 가난한 자의 형상들이 등장하기 시작한다. 그리고 이들에게 프롤레타리아라는 이름이 부여된다. 프롤레타리아는 무엇보다 먼저 모든 학대받는 자들이었다.

> 무산 계급자만 프롤레타리아가 아니니다. 온 세계의 모든 학대받는 인구들은 우리와 같이 프롤레타리아다. 그러므로 프롤레타리아에게는 국경이 없는 것이다.[9)]

프롤레타리아 국제주의의 이념을 추상적으로 반복하는 것으로 읽힐 수도 있지만, 중요한 것은 좁은 의미의 무산계급과 '학대받는 인구'라는 구별이 프롤레타리아 안에서 용해되고 있다는 점에 있다. 생산수단을 소유하지 않은 계급, 따라서 노동력을 판매함으로써만 자기 재생산이 가능한 계급만이 아니라 피지배, 피억압, 피학대의 상태에 처해 있는 자들이 모두 프롤레타리아라고 불리고 있다.

게다가 여기에는 그들이 '**우리**와 같은 프롤레타리아'라는 인식이 동반되고 있다. 이 '우리'란 무엇인가. 다름 아닌 피식민자를 뜻한다. 이 시기 프롤레타리아는 모든 영역에서 소외당하거나 배제당해 '가진 것이 없는 자들'에 붙여진 이름이었거니와, "조선민족이라 하는 전민족이 점차 무산계급화"[10)]하고 있다는 서술에서도 보이듯이 피식민자 역시 막연하게 프롤레타리아로 인식되고 있었고, 따라서 현재의 조선의 부르주아도 머지않아 프롤레타리아로 전락하고 말 것이라 예측되곤 했다.[11)]

9) 김기진, 「클라르테 운동의 세계화」, 『개벽』 1923. 9, 12쪽.

10) 「계해와 갑자」, 『개벽』 1924. 1, 10쪽.

11) 김기진은 위에 인용된 「클라르테 운동의 세계화」에서 "물론 조선의 부르주아나 프롤레타리아는 다 함께 피학대 계급인 것은 분명한 사실"이라고 서술하는 등, 식민지 백성과 프롤레타리아를 모호하게 겹쳐서 이해하고 있었다. 김기진, 위의 글, 12쪽. 또한 김기진, 「경성의 빈민—빈민의 경성」, 『개벽』 1924. 6, 105쪽도 참조.

물론 프롤레타리아에 대한 이러한 이해는 그 외연을 지나치게 확장해 개념의 지시적 기능이나 분석적 의의를 현저하게 떨어뜨리는 결과를 낳을 수도 있다. 하지만 정치적 자유도 권리도 박탈당한 식민지의 상태를 보편적 계급으로서의 프롤레타리아와 유비적 관계에서 상상함으로써, '민족독립'의 과제만으로 집중되지 않는 새로운 운동의 지향, 그리고 피식민자로부터 변혁의 잠재성을 발견하는 새로운 주체화 전략이 사고되기도 한다.

이러한 초기 프롤레타리아 개념에는 1차 세계대전 종전을 전후해 '인류', '세계', '생명'이 발견되면서 이루어졌던 인식론적 전환[12]의 흔적이 작용하고 있다.

1차 세계대전과 함께 문명론의 위계가 심각하게 의심받게 되고 서양=근대=문명의 단일한 신체가 해체되면서 세계의 '세계성'이 새로이 감각되기 시작한 바 있다.[13] 그리고 '세계성'에 대한 감각은 평등의식이 자라나는 토양이 되었다. '나'는 자신을 둘러싼 어떤 관계로도 환원될 수 없고 어떤 권위로부터도 자유롭다고 하는 '주아주의(主我主義)'의 선언들[14]은 모든 인간에게 적용되어야 할 정언명령이었고, 3・1운동을

한편 이와 관련하여 김기진이 조선의 피식민지 상태에 대해 특히 민감하게 의식하고 있었다는 사실은, 카프 출범 후 발표했으나 검열로 삭제된 「Trick」이라는 소설을 통해서도 확인할 수 있다. 「Trick」에 대한 소개와 해석은 최수일, 「식민지 제도와 지식인에 대한 새로운 통찰」, 『상허학보』 15집, 2005 참조.

12) 1차 세계대전을 전후해 문명론적 세계관이 붕괴되고 인류, 세계, 생명 등을 발견하며 인식론적 전환이 이루어진 맥락에 대해서는 권보드래, 「진화론의 갱생, 인류의 탄생」, 『대동문화연구』 66집, 2009 ; 권보드래, 「영혼, 생명, 우주 : 1910년대, 제1차 세계대전의 충격과 '죽음'의 극복」, 『개념과 소통』 7호, 2011 등 참조.

13) 1차 세계대전 종전 후 '세계성'에 대한 인식에 대해서는 차승기, 「폐허의 사상」, 『문학과 사회』 2014년 여름호 참조.

14) 외돗, 「「나」라는 것을 살리기 위하여」, 『개벽』 1920. 7 ; 변영로, 「주아적 생활」, 『학지

촉발했던 독립선언의 대전제는 모든 민족에게 주권을 소유할 평등한 권리가 있다는 이념이었다. 그러나 개인 차원에서도 민족 차원에서도 정언명령이나 이념은 현실과 너무도 먼 거리에서 외쳐지고 있었다. 현실에서 개인은 식민주의적 민족차별, 봉건적 신분차별, 그리고 자본주의적 계급차별이 제도적으로 중첩된 한 가운데 위태롭게 놓여 있었고, '민족자결'의 슬로건은 파리강화회의와 워싱턴회의를 통해 그 허구성이 완전히 폭로되고 말았다.

평등의 세계는 한낱 이념이거나 자연스럽게 보장되는 것이 아니라 투쟁을 통해서만 열릴 수 있다는 것을 고통 속에서 깨달을수록, 유물론적 세계관과 계급투쟁의 역사관이 점차 설득력을 얻게 되었다. 이런 상황에서 억압받고 착취당하고 핍박받는 모든 약자들, 즉 가난한 자, 노동자, 농민, 피식민자, 여성, 문맹자, 부랑자 등이 하나의 시야에서 보일 수 있게 되었다.

> 씨를 뿌리자. 밭을 갈자. 소수의 운동인 한 개의 계단 위에 서 있다. 미노리티-의 운동이다. 제일의적 활동사업의 첫 계단이다. Minority의 운동이다. 일천 사오백만의 농민을 가진 조선이다. 국문을 해득하지 못하는 사람이 일천 사오백만이 넘는 조선이다. 테러리스트의 연극 일장도 아무 권위가 없을 것이다. 착실히 거름을 걷자.[15]

김기진은 식민지 조선을 '마이너리티'로서 인식하고 있다. 세계사의 '마이너리티'로서의 조선은 이제 바야흐로 언어의 세계로 불려오는 단계에 서 있다. 이 단계에서 자본과 지식을 갖지 못한 채 사회적으로 배

광』 20호, 1920. 7 등 참조.

15) 김기진, 「환멸기의 조선을 넘어서」, 『개벽』 1924. 4, 17쪽.

제된 자들은 모두 프롤레타리아로 불리고 있었다.

3. '감각의 혁명', 또는 해방의 감각

1920년대 전반기 김기진은 식민지의 수도 경성을 산책하면서 목격한 장면으로부터 사색을 전개하는 에세이를 다수 발표한 바 있다. 주관적이고 감상적인 상념들을 많이 포함하고 있지만, 에세이들에서 그보다 더 두드러지는 것은 산책 중에 마주친 민중들의 고통에 대한 공감이다. 이 공감은 근본적으로 '슬픔'을 내포하고 있음에도 불구하고 그는 부단히 이 슬픔 속으로 산책을 떠난다. 근대 메트로폴리스의 산책자가 대체로 군중 속에서 군중과의 분리의 경험에 기초해 관찰과 사색을 전개한다면, 김기진은 어둡고 우울한 식민지 도시에서 프롤레타리아의 형상을 탐색한다. 이 탐색은 단지 발견에서 종결되는 것이 아니라 **공감**으로 확장된다는 점에서 새로운 형태의 신체를 구성하고자 하는 지향으로 이어진다. 그리고 이 새로운 신체는 식민지 프롤레타리아의 특이성과 관련되어 있다는 점에서 주목할 필요가 있다.[16]

> 그러나 눈물은 그칠 새가 없다. 사람의 마음은 다 각각이다. 이해(利害)만 가지고 다툼을 하는, 자기의 환경을 고집하고 있는, 기괴한 폭행을 임의로 하는, 진리를 등지고 권력을 부리는, 상하(上下)를 가리어 학

16) 김기진의 에세이들에서 반복적으로 등장하는 '비통', '감각', '미의식'의 관계를 분석함으로써 미적인 것과 이념적인 것의 상호교섭의 의의를 세밀하게 밝힌 것으로 손유경, 「프로문학과 '감각'의 문제」, 앞의 책 참조. 또한 프롤레타리아 문학에서 감성적인 것과 이념적인 것, 또는 욕망과 과학성 사이의 갈등에 대해서는 최병구, 「'신체의 유물론'과 프로문학」, 『민족문학사연구』 53집, 2013 ; 최병구, 「1920년대 프로문학의 형성과정과 '미적 공통성'에 관한 연구」, 성균관대학교 박사논문, 2013 참조.

대를 하는, 금력(金力)을 믿고 횡폭(橫暴)을 하는, 망령에 붙들려 완명(頑冥)을 부리는, 이 같은 사람이 수없이 많다. 너무도 많다, 너무도 많다. — **감각의 혁명**을 일으켜야 하겠다. 인간성을 변혁하여야 하겠다.

편리를 위해서 만든 돈이, 처처에, 가는 곳마다 인생을 결박하고, 편리를 위해서 지어낸 법률이, 처처에, 가는 곳마다 사람의 자식을 구박해 버린다! 편리를 위해서 지어낸 법률, 편리를 위해서 지어낸 화폐, 그것들이 도리어 우리를 화(禍)로 이끌고, 우리의 뺨을 제멋대로 때리는 횡포를 한다. 본능생활의 어수선한 것을 제(除)하기 위해서 지어낸 관념생활이 우리의 사지를 결박을 하고, 관념생활의 구속을 없애기 위해서 출발된 지적 생활이 우리의 모가지를 잡아 누르며, 유전은 유전을 만들어 내고, 전통은 전통을 새로이 지어낸다.[17]

김기진이 볼 때 조선에 넘쳐나는 고통과 슬픔은 경제적·정치적인 의미에서 가진 자와 가지지 못한 자 사이의 불평등에서 비롯될 뿐만 아니라, 가진 자도 가지지 못한 자도 그 불평등한 관계를 고착시키는 제도에 **붙들려 있다**는 데서 기인한다. 즉 불평등을 폭력적으로 재생산하는 제도 못지않게 그 제도에 사로잡혀 있는 의식들이 불평등을 재생산하고 있는 것이다. 이곳에서 김기진의 서술초점은 주체성과 의식의 차원에 맞춰져 있고, 사회적 관계의 역사적 형태가 인간 실천의 실정화된 형태로 인식되고 있다. '법'과 '화폐', 그리고 '관념생활'과 '지적 생활' 등은 사회적이고 의식적인 차원에서 문제를 해결해가는 인간 실천의 역사를 담지하고 있지만, 그 실천의 결과가 실정성(positivity)으로서 자립함으로써 인간이 오히려 실정성에 사로잡히는 전도가 발생했다고 파악하고 있다.

17) 김기진, 「눈물의 순례」, 『개벽』 1924. 1, 237쪽. 강조는 인용자.

바로 이 지점에서 그는 '감각의 혁명'을 요구하고 있다. 이 무렵 바르뷔스의 클라르테 운동을 소개하면서 현대의 사회조직과 데카당한 부르주아 문화의 파괴를 주장하던 김기진에게 '감각의 혁명'이란, '프롤레트 컬트'라는 용어로 표현된 프롤레타리아의 "계급의식의 각성"[18]이라는 과제와 관련되어 있다. 그런데 계급의식의 각성으로서의 감각의 혁명은 곧 '인간성의 변혁'과 같은 의의를 갖는다. "프롤레타리아 교화의 목적은 **이그러진, 쭈그러진, 꾸부정한**, 자본주의의 독아(毒牙)에서 전 인류를 해방시키는 것이다."[19] 계급의식의 각성이 부르주아에 대한 계급적 적대를 강화하거나 계급투쟁으로서의 역사에 대한 인식을 심화하거나 역사발전의 필연성과 법칙성을 내면화하는 것보다 '인간 해방'이라는 목적을 분명히 하고 있다는 점은 의미심장하다. 여기서 인간 또는 인류의 해방이란 단순히 자본주의 극복을 뜻하는 것이 아니라 인간이 모든 자신의 잠재력을 충분히 발전시킬 수 있는 상태를 의미하기 때문이다. 이 상태는 "본연의 인간성"의 "완성"[20]이라고 표현된다. 그렇기 때문에 계급의식의 각성과 같은 맥락에서 '감각의 혁명'이 외쳐질 수 있었다.

김기진에게 프롤레타리아는 억압받고 착취당하고 지배받는 모든 소수자와 약자를 총칭하는 이름이었고, 따라서 때에 따라서는 식민지 조선 전체를 프롤레타리아처럼 취급하는 경우도 있었지만, 궁극적으로 소수자와 약자들이 자본주의와 제국주의의 지배-착취 체제에서 해방된다는 것은 인간으로서의 모든 능력을 스스로 발전시킨다는 것을 뜻했

18) 김기진, 「지배계급교화 피지배계급교화」, 『개벽』 1924. 1, 24쪽.
19) 같은 글, 22쪽. 강조는 원문.
20) 김기진, 「눈물의 순례」, 237쪽.

다. 다시 말해, 프롤레타리아가 자본주의 사회의 하나의 계급이면서도 '보편적인 계급'이 될 수 있는 양면성은 인간해방이라는 목적 아래로 함께 수렴될 수 있었다. 인간해방은 곧 프롤레타리아 자신의 해방 없이는 불가능한 것이고, 프롤레타리아 자신의 해방은 '감각의 혁명'을 통해 인간의 다양한 잠재력을 발전시키는 것이어야 한다. 왜 '감각의 혁명'인가. 식민지의 지배–착취 체제를 유지시키는 모든 실정성들이 실은 역사적으로 전개되어 온 인간 실천의 산물이라는 것을 깨닫게 하는 것, 따라서 기존의 질서와 규칙들을 자연스러운 법으로 전환시키는 치안(police)의 원리를 의심하고 그 인위적인 분할선 너머를 감각할 수 있게 하는 것이 인간해방의 필수조건이기 때문이다.[21] '감각의 혁명'은 문명과 문화라는 "화려한 분장과 미명의 가식"을 넘어서, 말하자면 선악을 넘어서 "본능생활"을 발견하게 하고,[22] 조선인을 프롤레타리아와 동일시함으로써 해방의 도달점을 '민족'이 아니라 '인간'으로 삼으며, 법이나 화폐로 상징되는 기존의 제도를 탈자연화할 수 있게 한다. 또한 '감각의 혁명'은 프롤레타리아를 하나의 집단적 주체로 묶어주는 새로운 사회적 신체성의 가능성의 조건이기도 하다.

사실 프롤레타리아는 초기 마르크스에게도 엄밀한 계급 개념이라기보다는 기존의 사회적 관계로부터 배제된 자들의 총칭에 가까웠다. 프

---

21) '감각의 혁명'과 관련해, 러시아 '브 나로드' 운동에 참여했던 지식인들이 스스로 "味覺을 죽이고서" 인민 속으로 들어가고자 했다는 표현은 의미심장하다(팔봉, 「백수의 탄식」, 『개벽』 1924. 6, 137쪽). 김기진은 소부르주아적 지식인이 자기 계급의 한계를 넘어 농민(프롤레타리아)과 만나기 위해서는 감각의 전환이 필수적이라고 의식하고 있다.
한편, 감각적인 것의 분할=공유가 치안(police)의 분할을 가로질러 정치적인 것(the politic)의 문제를 야기하는 의의에 대해서는 자크 랑시에르, 오윤성 옮김, 『감성의 분할』, 도서출판b, 2008 참조.

22) 기진, 「불이야! 불이야!」, 『개벽』 1925. 1, 88쪽 참조.

롤레타리아는 "**뿌리 깊은 굴레**에 얽매여 있는 한 계급, 결코 시민 사회의 계급이 아닌 시민 사회의 한 계급, 모든 신분들의 해체인 한 신분"이며, "사회의 다른 모든 영역들로부터 자신을 해방시키고 그리하여 사회의 다른 모든 영역들을 해방시키지 않고는 해방될 수 없는 한 영역, 한 마디로 말하면 인간의 **완전한 상실**이고 따라서 **인간의 완전한 되찾음**에 의해서만 자기 자신을 찾을 수 있는 한 영역"이다.[23] 부르주아 사회의 제도적 장치들에 묶여 있는 계급이면서도 계급이 아닌 계급[24]인 프롤레타리아는 '인간'의 외부로 배제되는 방식에 의해 '인간'에 붙들려 있는 존재이기 때문에 '인간해방'을 통해서만 스스로도 해방될 수 있는 존재이다. 어원적으로 볼 때 프롤레타리우스(proletarius)가 고대 로마에서 정치적 권리도 병역의 의무도 없고 아이(proles)만을 낳아 국가위기에 바칠 것이 자기 자식밖에 없는 자를 지칭했다는 사실 역시 의미심장하다. 사회적 존재로서의 권리와 의무로부터 배제된 채 생명을 제공할 뿐인 자리는 피식민자가 처한 위치와 겹쳐지기 때문이다.

이와 동일한 맥락에서 "프롤레타리아는 사회학적으로 지정할 수 있는 한 사회 집단의 이름이 아니"라 "셈-바깥을 가리키는 이름, **내쫓긴 자**(outcast)의 이름", "번식하는 자들, 이름 없이 살고, 그 이름을 남기지도 않으며, 도시국가의 상징적 구성 속에서 하나의 부분으로 셈해지지 않는, 그저 살고 번식하는 자들", 따라서 "**프롤레타리아**는 아무나의 이름, **내쫓긴 자**들의 이름"이라고 할 수 있다면,[25] 프롤레타리아는 더 이

23) 칼 맑스, 「헤겔 법철학의 비판을 위하여」, 최인호 역, 『칼 맑스 프리드리히 엥겔스 저작선집 1』, 박종철출판사, 2013, 14쪽.

24) '비-계급의 계급'으로서의 프롤레타리아의 특성에 대해서는 이진경, 『대중과 흐름』, 그린비, 2012, 245~248쪽 참조.

25) 자크 랑시에르, 양창렬 옮김, 『정치적인 것의 가장자리에서』, 도서출판 길, 2008, 140~

상 부르주아의 반대편에서 부르주아와 대립·경쟁하는 계급이 아니다. 오히려 자본주의 사회를 자신의 모습으로 개조해 가는 지배계급 부르주아로부터 배제당한 다수 대중, 노동력을 상품으로 팔기 위해 시장에 등장할 때에만 사회적·경제적 관계 속에 진입할 수 있는 존재, 그러므로 자본주의적 질서와 제도로부터 축출되어 모호하고 유동적인 상태로 움직이고 있는 '타자'의 형상이 프롤레타리아에 다름 아닐 것이다. 부르주아와 프롤레타리아는 절대적으로 비대칭적인 관계에 있다.

김기진이 여러 에세이에서 목격한 가난한 자들, 노동자들, 부랑자들, 병든 여성들, 나아가 '흰 옷 입은' 조선인들은 현재의 지배적인 질서로부터 내쫓긴 자라는 의미에서 프롤레타리아로 인식되고 있다.[26] 프롤레타리아라는 술어에 대한 이같은 이해는 1920년대 중반까지만 해도 김기진에게만 국한된 것은 아니었지만,[27] 특히 김기진에게서 전형적으로 나타난다. 이는 단지 과학적이지 못한 개념 사용의 문제라기보다, 자본주의적 착취 체제에 대한 인식의 초기 단계에서 체제의 '타자'를 발견하는 보편적인 사례이기도 하며, 또한 1차 세계대전 종전을 전후해 출현한 새로운 인간 이해를 반영하고 있기도 하다.

141쪽.

26) 특히 가장 인상적인 것은 「불에 더운 살덩이」라는 에세이에 등장하는 그로테스크한 중년 노파의 형상이다. 그는 명동 입구에서 발견한 한 걸인 노파의 그로테스크한 모습을 세세하게 묘사하고는 그곳에서 "조선의 얼골"을 본다. 봉건적 잔재, 무지, 식민지 등 조선의 '패배당한 과거'를 상징하는 노파의 얼굴 위에 막일꾼, 중국인 석공, 우편배달부, 인력거꾼, 대장장이 등 "성스러운 노동자"의 모습을 오버랩시키면서 그곳에서 "한 개의 美感"을 찾는 김기진은, 식민지 조선과 노동계급을 '눈물'의 공감 속에 결합시킴으로써 프롤레타리아의 변증법적 이미지를 형상화하고 있다고 해도 좋을 것이다. 기진, 「불에 더운 살덩이」, 『개벽』 1924. 8 참조.

27) 이성태, 「가두의 예술」, 『동아일보』 1924. 12. 1 ; 「최근 조선에 유행하는 新術語」, 『개벽』 1925. 3 ; 박영희, 「신흥예술운동의 초기」, 『조선일보』 1926. 1. 26 등 참조.

그런데 자본주의와 식민주의에 의해 배제되고 추방되어 온 자로서의 프롤레타리아는 두 가지 상이한 방식으로 사회적 관계 속에 표상된다. 첫째, 부르주아에 의해 잉여가치를 산출하는 생산과정에 투입될 때 프롤레타리아는 **가변자본**으로 표상된다. 이때 프롤레타리아는 자본주의적 착취의 대상인 동시에 생산의 주체가 된다. 하지만 부르주아에게 있어 프롤레타리아는 자본의 유기적 구성이 어떻게 이루어지는가에 따라 가격과 비용이 유동적인 자본, 부르주아 자신이 소유한 자본의 한 형태이다. 그런가 하면 둘째, 자본주의적 착취체제를 변혁하고자 하는 혁명운동가에 의해 변혁의 주체로 호명될 때 프롤레타리아는 **노동계급**으로서 뚜렷하게 정체성을 갖게 된다. 이때 프롤레타리아는 가난한 자, 부랑자, 여성, 조선인 등과 연결되어 있던 하나의 신체로부터 분리되어 혁명의 주체로 단련된 노동자가 된다. '가변자본'과 '노동계급'이라는 이 두 표상은 모두 식민지/제국의 재현장치 아래에서 프롤레타리아를 전유하기 위해 갈등하고 경쟁한다.

4. 계급투쟁의 세계와 프롤레타리아 전위의 눈

식민지/제국의 재현장치에서는, 저 추방당한 자로서의 프롤레타리아는 특정한 형상 또는 정체성을 부여받을 때에만 등장할 수 있다. 그 형상 또는 정체성은 당연히 추방당한 자로서의 프롤레타리아를 덮어씌우는 가면이자 의상으로서, 프롤레타리아의 존재를 은폐하는 방식으로 드러내는 기능을 수행한다. '생산의 주체'로서, '혁명의 주체'로서, 또는 '문학예술의 주체'로서 프롤레타리아는 각각 언제나 그 신체의 일부를 제거하거나 가리면서 다른 일부를 드러내는 순간을 고정시켜 명명한 이름이라고 할 수 있다. 하지만 이 식민지/제국의 재현장치는 프롤레타리아가 '인간'이 되기 위해서, 나아가서는 그 '인간'을 넘어서 새로운 해방의 미래를 개시하기 위해서도 피해갈 수 없는 통로이기도 하다.

프롤레타리아 문학운동은 바로 이 장치 아래에서, 이 장치를 이용해 프롤레타리아의 계급의식을 일깨우고 프롤레타리아를 '혁명의 주체'이자 '문학의 주체'로서 구성하기 위한 작업을 수행했다. 그러나 문제는 삶 그 자체를 포획가능한 형태로 번역해 유통시키는 이 식민지/제국의 재현장치 아래에서 어떻게 삶 그 자체의 문제를 다룰 수 있는가 하는 것이었다. 프롤레타리아 문학은 기본적으로 생활상태의 분열에서 생활의식의 분열로, 다시 생활의식의 분열에서 미의식의 분열로 이어진다고 하는 계급문학의 유물론적 관점에 입각해 있지만, 생활상태에서 미의식으로의 이행은 결코 연속적인 과정일 수 없기 때문이다. 김기진은 에세이적 글쓰기에서 자신이 목격하고 관찰한 다양한 프롤레타리아의 형상과 그에 대한 슬픔의 공감을 통해 '비통의 미'를 발견할 수 있었지만, '혁명의 주체'이자 '문학의 주체'로서 프롤레타리아가 개시할 새로운 미적 세계가 무엇일지는 아직 알 수 없었다. 이런 맥락에서 그는 프롤레타리아문학을 정의하면서 "프로문학이란 프로의 의식 — 생활감정 속에서 지어진 문예일 것이요 일부 자각한 식자들의 프로를 위하여 계급의식을 고취하고 사회○○을 사사(使唆)하는 말하자면 무산계급을 위한 문학은 아닐 것"[28]이라고 진술한 바도 있다. 그에게 프롤레타리아문학이란 "프롤레타리아의 생활의식에서 출발한바 자아 — 개성에 충실한 전인격적 온전한 「마음」의 투영"[29]이어야 했다. 김기진은 추방된 자로

---

28) 팔봉, 「피투성이 된 푸로혼의 표백」, 『개벽』 1925. 2, 45쪽.

서의 프롤레타리아가 '인간'으로서 자기를 해방하는 실천과 문학을 같은 차원에서 이해하고 있었던 것이다. 그것은 "나는 나의 일기가 나의 예술이 되기를 기다린다"30)는 표현에서도 보듯이 삶과 예술을 일치시키는 방식으로 기존의 문학 개념을 해체하고, 삶과 언어가 만나는 현장에서 새로운 문학의 규칙을 찾으려는 시도였다고 할 수 있다.

그러나 프롤레타리아 문학운동은 단지 추방된 자로서의 프롤레타리아의 삶이 언어와 만나는 지점에 머물 수는 없었다. 그것이 운동으로서 전개되기 위해서는, 프롤레타리아가 '인간'임을, 그것도 '보편적 인간'임을 자각하는 경험과 일체화된 글쓰기로서의 문학 못지않게 '프롤레타리아 문학'의 정체성을 뚜렷이 하는 것이 중요해졌다. 요컨대 프롤레타리아 문학을 건설하는 것이 중요해졌다. 따라서 '부르주아 문학'과의 대립을 통해 프롤레타리아 문학의 독자성을 내세우려는 시도가 행해지곤 했다. 이러한 시도는 특히 편집자적인 감각을 가지고 당대 문단에서 프롤레타리아 문학의 정당성과 필연성을 주장하고 있던 박영희에게서 자주 발견된다.

> 지금까지의 문단은 부르주아의 문단이었다. 그러나 프롤레타리아의 생활이 해방되려는 이때에, 부르주아의 몰락이 불원(不遠)한 이때에, 위에 말한 신경향파는 더 심각한 각오를 가지고 무산계급에 유용한 문학을 **건설**하기에 힘써야 할 것이다.31)
>
> 프롤레타리아 문학은 개인 본위의 문학도 아니며 관념적 문학론 혹 관념적 예술론에 몰두하지 않은 것은 물론이요, 그들의 문학이 인생생

29) 같은 글, 같은 곳.
30) 팔봉, 「젊은 이상주의자의 死」, 『개벽』 1925. 6, 17쪽.
31) 박영희, 「신경향파의 문학과 그 문단적 지위」, 『개벽』 1925. 12, 5쪽. 강조는 인용자.

> 존의 적극적 과정에서 인생이 마땅히 갖지 않으면 안 될 생활의 연장적 표상이니, 그 표상뿐만 아니라 그 효과가 부르주아문학에 있어서는 내재적으로 정적으로 개인관능 향락 혹은 개인의 이기를 위한 것에 있으면 프롤레타리아 문학은 표출적으로 동적으로 집단적 생활행동의 진리의 표상에 있는 것이다.
>
> 부르주아 문학은 전통적 혹은 인습적 미를 창조하는 동시에 '프롤레타리아' 문학은 현재적 창조적의 새 생활의 미를 창조하는 것이니 전자는 정적(靜的) 미의 노예였고 후자는 생활××의 열적(熱的) 미를 사회적으로 전달하는 것이다.[32]

박영희는 프롤레타리아 문학을 '건설'해야 한다는 의지를 뚜렷하게 가지고 있었고, 그를 위해 문단 내에서 논쟁을 유발하며 프롤레타리아 문학의 정체성을 명확히 하고자 노력하고 있었다. 위 인용문에서도 알 수 있듯이, 그는 부르주아 문학과 프롤레타리아 문학을 철저하게 대립적인 관계로 설정하고 있다. 그러나 정적인 것과 동적인 것, 개인적인 것과 집단적인 것, 전통적인 것과 현재적인 것, 인습적인 것과 창조적인 것 등으로 양자의 대립관계를 확연히 드러냄으로써 오히려 양자는 **상대적인** 것이 되었다. 개념상 대립관계에 있는 가치들을 부르주아 문학과 프롤레타리아 문학에 균형 있게 배치함으로써, 결국 프롤레타리아 문학이 부르주아 문학과 세계를 절반씩 나눠 갖고 있는 듯한 가상이 만들어진다. 요컨대 프롤레타리아 문학과 부르주아 문학은 상호대립하는 동시에 상호보충하는 관계가 되어버리는 것이다.

계급인 동시에 계급이 아닌 존재, 추방된 자로서의 프롤레타리아가

32) 박영희, 「신흥예술의 이론적 근거를 논하여 염상섭 군의 무지를 박함」, 『조선일보』 1926. 2. 8.

오히려 보편적인 인간 해방의 열쇠를 가지고 있다는 인식이 무색하도록, 프롤레타리아를 '하나의 계급'으로 만들고자 하는 의지가 작용하고 있는 것으로 보인다. 또한 김기진의 '비통의 미'를 비판적으로 의식하기라도 한 듯이, "약한 자에게는 다만 울음만이" 있을 뿐이라며, 울음을 "소극적 반항이라는 것보다는 차라리 인생의 **불행**"에 다름 아니라고 부정하고 "현실을 행복하게 하려는 사람들은 울어서는 아니된다. 자기의 생활을 위해서 현실과 싸우는 사람이 울어서는 아니된다"[33]고 강조하는 박영희는, 배제당하고 추방된 자들의 빈곤과 슬픔의 연대보다는 계급투쟁에 나서는 전사로서 프롤레타리아를 표상한다.

이곳에서 프롤레타리아는 **계급의식**을 명확히 강력히 가질 것이 요구된다. 이 계급의식은 김기진 식의 '감각의 혁명', 즉 보편적 해방을 가져올 주체로서 기존 세계의 질서와 규칙을 가로질러 새로운 분할=공유를 시도하는 자의 새로운 신체성과 관련되기보다는, '하나의 계급으로서의 자기의식'으로 수렴된다.

부르주아와의 대립 속에서 프롤레타리아의 계급의식을 뚜렷이 드러냄으로써 프롤레타리아 문학을 건설하고자 하는 운동형태는 '해방'보다는 '쟁취'를 목적으로 구성된다. 식민지/제국의 재현장치에 등장한 프롤레타리아의 형상은 서둘러 노동계급의 계급의식에 입각해 계급적 정체성을 주장하는 정치로 환원되는 것처럼 보인다. (인간)해방을 위한 투쟁이 투쟁의 주체부터 즉각적으로 해방될 것을 요청하는 데 반해, 부르주아 문학과의 대립 속에서 프롤레타리아 문학을 건설하고자 하는 투쟁은 '쟁취'의 순간에 도달하기 위한 프로그램을 요구한다. 그리고 이렇

33) 회월, 「번뇌자의 감상어 : 눈물 많은 이에게」, 『개벽』 1926. 2, 2쪽. 강조는 원문.

듯 '해방'보다 '쟁취'에 몰두하는 싸움은 계급투쟁을 필연적으로 정체성 정치로 귀결시킨다.[34)]

이렇게 계급의식이 강조된 데에는 조선과 일본의 사회주의 운동에 결정적인 영향을 미친 후쿠모토 카즈오(福本和夫)의 '분리' 테제와 일본 프롤레타리아 문학에서의 '목적의식적 방향전환'의 여파가 크다고 하겠지만, 이는 넓게 봐서 사회주의 운동 영역 전반에서 과학적 마르크스주의의 원칙이 관철되어가는 필연적 과정의 귀결이라고 볼 수 있을 것이다. '결합 이전에 분리'라는 슬로건으로 요약되는 후쿠모토주의는 "엉성하고 질질 끄는"[35)] 식으로 이끌려 온 사회주의 운동의 정치적 자연주의를 과학적 마르크스주의의 이름으로 '절단'하고 의식적인 '전향'을 감행하는 것이었기 때문이다. 후쿠모토주의와 과학적 마르크스주의의 개입 그 자체는 정치적 자연주의의 한계를 비판하고 계급운동에 정치적 결단의 계기를 도입했다는 점에서 중요한 의의를 갖는다. 즉 기존 세계의 질서와 제도를 낯설게 만들고 타자를 발견하게 하는 '절단'의 시선은 '해방'을 위한 필수조건이기 때문이다. 하지만 이 '절단'의 실천은 타자의 존재를 어떻게 언어화할 것인가 하는 문제를 불러일으키기보다는 이미 역사적으로 검증된, 따라서 이미 변증법적 지양 운동을 통해 최고의 역사적 단계를 응축했다고 하는 '전위'의 눈을 소환하는 쪽으로 나아간다.

34) '해방'과 '쟁취' 사이의 차이와 관련해서는 해방(liberation)과 탈거(emancipation)를 구별하는 네그리와 하트의 논의를 참조. 안토니오 네그리 · 마이클 하트, 정남영 · 윤영광 옮김, 『공통체』, 사월의책, 2014 참조.

35) 후지타 쇼조, 최종길 옮김, 『전향의 사상사적 연구』, 논형, 2007, 19쪽 참조.

> …… 무산계급의 계급의식이란 전무산계급이 소지하고 있는 의식 또 가져야 할 의식을 뜻하는 것은 명확한 사실이나 반항의식 그것에 있어서는 이 계급적인 선계(線界)가 불분명할 뿐이 아니라 이론상 성립할 수가 없는 상태에 있다.
> 그러므로 사회주의자는 반드시 부르주아의 계급의식, 소시민성적 계급의식, 또는 아동의 계급의식 등을 과학적으로 명확히 한정하여 쓰는 것이다.
> 따라서 무산계급의 문학이란 프롤레타리아 계급의식을 내용으로 한 예술일 것이다.[36]

> …… 무엇이 사회적 성질의 것이냐?
> 즉 무엇이 '사실'이란 데의 내포된 현실이냐?
> 여기에는 유일한 철학적 근거 맑스 철학이 말하는 자본주의 사회의 현상되는 모든 사실이 있다.
> 그것은 같은 맑스 철학의 방법이 말하는 각 역사적 순간에 재(在)한 계급의 제관계와 그 구체적 특수성의 가장 정확하고 객관적인 분석을 프롤레타리아 전위의 눈으로 보는 것이다.[37]

타성적 자연주의로부터의 '절단'은 오히려 '반항의식'으로부터 '계급의식'을 명확히 구별해야 한다는 요구로 나아갔고, 프롤레타리아 계급의식에 참여하지 못하는 '불순한 요소' — 아나키스트를 비롯한 비마르크스주의자들 — 를 조직으로부터 제거하는 작업이 착수된다. 또한 "현실을 그 전체성에 있어서 그 발전 속에서 보는"[38] 프롤레타리아 전위의 눈을 관철시킴으로써 프롤레타리아 문학은 노동계급의 헤게모니와

---

36) 임화, 「분화와 전개 : 목적의식 문예론의 서론적 도입」, 『조선일보』 1927. 5. 18.
37) 임화, 「탁류에 항하여」, 『조선지광』 1929. 8.
38) 임화, 「탁류에 항하여」.

역사발전의 전망을 그 정체의 핵심으로 삼게 된다.

5. 주관성에서 객관성으로 : 맺음말을 대신하여

기존 사회의 지배적 질서에서 배제된 존재로서의 프롤레타리아에 대한 발견이 1차 세계대전 종전을 전후해 새롭게 인식된 인류, 세계, 생명 등의 개념과 연결되어 있음은 앞서 언급한 바와 같다. 세계의 '세계성'에 기초할 때 비로소 개별적인 것의 보편성이 실감으로 파악될 수 있었고, '자아'의 해방이 곧 인간이 지닌 무한한 잠재력을 폭발시키는 혁명적 의의를 가질 수 있었다. 이 보편적 지평에서 평등의 감각이 자라날 수 있었고, 배제된 존재로서의 프롤레타리아의 해방이 인간해방 또는 자아해방과 모순되지 않을 수 있었다. 따라서 1차 세계대전 종전을 전후해 눈에 띄게 등장한 '표현주의'와 '주아주의(主我主義)'의 선언들은 프롤레타리아 해방을 위한 투쟁의 신호탄이었다고 해도 과언이 아닐 것이다. 요컨대 염상섭의 '개성'도 김기진의 '감각의 혁명'도 몫 없는 자들이 몫을 주장하게 될 세계를 예고하고 있었다고 해도 좋을 것이다.

이 맥락의 연장선 위에서 프롤레타리아는 피식민지인, 가난한 자, 부랑자, 병자 등 사회-경제적 · 정치적으로 고통받는 모든 이들을 포함하는 술어로 떠올랐다. 그리고 카프 성립에 앞서 프롤레타리아 문학운동의 초창기에 빈번히 등장한 삶의 고통과 비애의 표출은 세계의 비참을 폭로하는 방식으로 식민지/제국의 재현장치 아래에 프롤레타리아가 얼굴을 드러내는 장면이었다. 그것은 결코 세계와 화해하는 낭만적 세계관은 아니었지만, '인간'으로부터 배제되었던 자들이 인간의 영역으로 비집고 들어올 때의 새로운 신체성과 관련된 것이라는 점에서 어떤 낭만적 정신에 의해 추동되고 있었다고 할 수 있다. 이렇게 볼 때, 이 시기 프롤레타리아 또는 무산자라는 술어는 배제된 자들, 추방된 자들, 고통받는 자들의 비명(悲鳴) 같은 이름이었다고 해도 좋을 것이다.

그러나 카프 결성과 함께 프롤레타리아 문학운동이 조직적으로 전개되는 과정에서, 프롤레타리아 문학을 부르주아 문학과 적대적으로 분리하는 한편 정치적 자연주의를 과학적으로 '단절'해야 한다는 요구가 대두되었고, 프롤레타리아 또는 무산자는 점차 프롤레타리아 문학의 독자적 미학을 구축하기 위한 주체적 근거가 되어 갔다. 이곳에서 프롤레타리아는 무엇보다 '노동계급', 나아가서는 '프롤레타리아 전위'의 의미로 수렴되어 갔다. 이른바 과학적 마르크스주의는, 프롤레타리아 전위의 초월적 시선을 통한 세계의 총체적 조망을 특권화시켰고, 프롤레타리아 문학은 사회적 관계의 전형적 재현 속에서 당파성과 객관성을 통일시킬 수 있다고 기대되었다. 이렇듯 총체성과 진보성을 담지하는 전형을 통해 역사발전의 '객관성'을 드러내는 것이 프롤레타리아 문학의 지배적 노선으로 설정되면서, 이제 프롤레타리아는 더 이상 추방된 자들의 이름이 아니라 역사의 주인의 깃발처럼 높이 휘날리게 된다.

물론 '프롤레타리아 전위의 눈'이라는 초월적 관점, 또는 노동계급의 헤게모니를 관철시키려는 경향이 이후 카프 문학과 비평의 절대적인 이념적·미학적 규범이 되었다고 단언할 수는 없다. 더욱이 개별 작가들이 생산한 문학 텍스트가 이 원칙을 준수하고 있다고는 전혀 말할 수 없다. 예컨대 과학적 마르크스주의의 원칙과 계급의식이 강조되던 시기에도 "인간 본성에 대한 프로문인들의 긍정적 입장"[39]은 존재했다. 또

39) 최병구, 「'신체의 유물론'과 프로문학」, 10쪽의 각주 5.

한 카프가 존속하는 내내 과학적 세계관에 대한 공식적 강조와 감정·감각·욕망 등에 대한 문학적 이해가 갈등 속에 공존하고 있었음은 분명하다. 그럼에도 불구하고 '프롤레타리아'가 '노동계급'의 동의어로 수렴되어가는 경향은 뚜렷해 보인다. 그리고 이 경향 속에서 프롤레타리아 문학이 근거하는 주체성의 선이 결정되고 있었다. 카프 해산기, 사회주의 리얼리즘의 도입을 둘러싼 논의에 기대어 등장한 '창작의 고정화'에 대한 비판들도 단지 '전향'을 위한 알리바이로서 제기되었던 것만은 아니었다.

제거하는 것도 완전히 장악하는 것도 불가능한 '대중적 흐름'이 등장하고 성장하기 시작할 때 식민지/제국의 재현장치는 그 흐름을 식별가능하고 분절가능한 것으로 번역하는 기능을 수행했다. 반자본주의적·반부르주아적 사회변혁과 인간해방을 꿈꾸며 문학운동을 전개한 카프는, 프롤레타리아 문학의 논리에 과학적 마르크스주의의 관점을 관철시키면서 어쩌면 그 운동이 통과해가고 있던 식민지/제국의 재현장치의 번역어를 공유하고 있었던 것은 아닐까. 즉 역사의 주인으로서 프롤레타리아=노동계급을 호명함으로써 오히려 배제된 자로서의 프롤레타리아를 다시금 역사 바깥으로 추방하고, 노동자에게 인간의 몫을 특권적으로 할당함으로써 오히려 몫 없는 자들의 자리를 삭제해버리는 결과를 낳은 것은 아닐까. 역사 발전의 변증법에 몫 없는 자, 지양되지 못하는 자는 참여할 수 없기 때문이다. 어쩌면 프롤레타리아란 명확한 객관적 지시대상을 가질수록 황량해지는 개념, 본질적 존재와 밀착할수록 공허해지는 이름인지도 모른다.

한국시와 샤머니즘

오 문 석

1. 머리말

근대를 가리켜 문학이 종교를 대체한 시대라는 지적이 있다.[1] 이러한 지적은 한편으로는 문학에 대한 광적인 숭배 현상을 가리키는 것이긴 하지만, 다른 한편으로는 과학적 합리성이 지배하는 시대에 비합리성이 허용되는 거의 유일한 영역이 문학에 한정된다는 뜻도 포함한다. 물론 문학에 대한 광적인 숭배에 종교적 성격이 포함된다 하더라도, 이를 통해서 문학이 종교적 기능을 완전히 대체한 것으로는 볼 수는 없다. 문학이 종교를 완전히 대체하기보다는 오히려 근대 문학의 성립 과정에서 문학이 종교를 적극적으로 이용한 측면이 더욱 강하다는 것이 진실에 가깝다.

1) 대표적으로 벤야민은 그의 '아우라' 개념을 통해 문학과 예술로 이전된 종교적 숭배의 흔적을 지적한 적이 있다. 벤야민에 앞서서 매슈 아널드는 그의 책 『교양과 무질서』(1869)에서 근대 이전에 종교가 했던 기능이 문학을 포함한 교양(Culture)으로 이전되었음을 선언한 바 있다.

다만 우리의 경우 근대문학의 초창기에 문학을 지원했던 지배적 종교가 기독교였다는 점에는 주의할 필요가 있다. 기독교가 포교를 목적으로 설립한 교육 시설, 그리고 그들에 의한 인쇄 및 출판 활동이 근대문학의 성립에서 지대한 영향을 끼쳤음은 주지의 사실이다. 여기에서부터 적어도 종교와의 관련성에서 보면, 서양의 근대문학과는 다른 출발점을 보이게 된다. 한국문학의 경우 기독교는 종교이기 이전에 '계몽'으로 기능하였기 때문이다. 계몽의 기능을 담당하는 종교였던 기독교는 그러므로 '합리성의 종교'라는 모순된 지위를 부여받게 된다. 따라서 기독교가 근대문학의 출범에 지대한 공헌을 했다면, 그것은 전근대적 비합리성을 청산할 사명을 문학에 부여했다는 데서 찾아진다. 근대문학의 서막을 열었던 신소설 작가들만 하더라도 하나같이 '미신타파'를 비롯하여 전근대적 비합리성의 잔재를 청산하고 서구적 합리성을 순탄하게 안착시키는 데 문학을 이용하였던 것이다. 그런 의미에서 근대문학의 성립은 서구적 합리성의 국내 진출을 지원하는 제도적 절차였던 것이고, 그 뒤에 계몽종교로서의 기독교가 있었던 것이다.

그러므로 문학이 종교를 대체하였다는 지배적 판단은 오로지 서양의 근대문학에만 제한적으로 적용된다고 볼 수 있다. 적어도 근대 전환기의 조선에서 기독교는 근대문학 성립의 적극적 후원자였기 때문이다. 다만 기독교는 종교이기 이전에 계몽의 다른 이름으로 기억될 필요가 있을 뿐이다. 문제는 기독교가 계몽의 자리를 차지하면서, 당시 조선에 존재하던 대부분의 종교 형식들이 '미신'으로 분류되었다는 데에 있다. 그 대표적인 종교 형식이 바로 '샤머니즘'[2)]이다. 따라서 근대 전환기에

---

2) 샤머니즘은 일반적으로 원시종교 중에서 주로 샤먼(Shaman)을 중심으로 하는 신앙체계를

샤머니즘이 문학으로 초대받는다고 한다면, 그것은 대개 추방을 선고받기 위함에 한정되었다. 말하자면 배제를 위한 포섭이었던 것이다. 추방을 위한 초대의 형식을 제외하고는 근대 전환기의 문학에 샤머니즘은 긍정적인 모습으로 등장할 수 없었다. 이것을 통해서 알 수 있는 것은, 근대문학의 성립을 적극적으로 후원했던 기독교가 '샤머니즘' 앞에서는 '종교'로서 작동하고 있었다는 사실이다.

사실상 샤머니즘으로 대표되는 모든 원시적 자연종교는 기독교 앞에서 더 이상 종교일 수가 없었던 것이다. 원시종교와 자연종교가 오로지 추방되기 위해서만 문학으로 초대받았던 것은 기독교가 유일한 고급종교로 인정받기 위한 절차의 시행이라 할 수 있다. 그런 의미에서 초창기의 근대문학에서 기독교가 전면에 등장하는 문학이 흔치 않았다고 해서 한국의 근대문학이 기독교의 영향력으로부터 벗어나 있었다고 볼 수는 없다. 적어도 근대 전환기의 조선에서는 문학이 종교를 대체했던 것이 아니라, 오히려 종교가 문학에 적극적으로 개입하고 있었다고 봄이 타당하다. 기독교가 유일한 종교가 되기 위해서 필요했던 '미신' 제거 작업을 근대문학이 대신하고 있었던 것이다. 그러므로 원시종교 혹은 자연종교를 대표하는 샤머니즘이 근대문학의 성립과 더불어 배제되었던 것은, 문학이 종교(=샤머니즘)를 밀어낸 사례가 아니라 오히려 문학과 종교(=기독교) 사이의 은밀한 결탁 관계를 알려주는 증거가 된다.

그런데 근대문학의 성공적인 출범 이후에 상황이 변하기 시작했다.

가리킨다. 이때 샤먼은 엑스타시의 상태에서 죽은 자와 접촉하고 이를 계기로 예언, 치병, 제의 등의 의식을 주관하게 된다. 엘리아데에 의하면 샤먼은 "접신상태의 경험자"이면서, 의사들처럼 병을 치료하고, 주술사들처럼 이적을 행하기도 하며, 영혼의 안내자, 사제, 신비가, 심지어 시인이기도 하다는 것이다. (미르치아 엘리아데, 『샤마니즘』, 이윤기 옮김, 까치, 1992, 23~4쪽.)

1920년대 중반부터 샤머니즘이 다시 문학으로 호출되었던 것이다. 이번에는 추방이나 배제를 위한 전략적 초대가 아니었다. 오히려 샤머니즘에 다시 종교로서의 지위를 부여하기 위한 절차가 진행되었다. 심지어 1930년대로 접어들면 샤머니즘에 민족종교 혹은 한국종교라는 표지가 첨가되는 것을 목격하게 된다. 이 글의 관심사는 여기에 있다. 우선 샤머니즘이 다시 문학, 특히 시문학에 등장하게 되는 배경을 살피고자 한다. 그 다음으로 그것이 시문학과 결합하는 방식을 이해하고자 한다. 넓게 보면 이것은 '샤머니즘 문학'이 일종의 종교문학으로 간주될 수 있는지를 따지는 일에 해당한다.[3] 그동안 종교문학의 대상이 사실상 기독교, 불교 등에만 한정되어 있었기 때문에, 종교문학의 범주를 샤머니즘까지 확장할 수 있는 가능성에 대한 탐색이 필요하다. 이 글은 그 가능성 탐색의 사전적 작업에 해당한다.

2. 샤먼의 귀환 – 최남선의 경우

앞서 말했듯이 샤머니즘이 다시 근대문학의 전면에 등장하게 되는

3) 샤머니즘 문학의 종교문학으로서의 가능성 탐색을 위해서 이 글에서는 그 대상을 식민지 시대, 그것도 가장 대표적인 사례에만 논의를 한정할 것이다. 이를 위해서는 먼저 1920년대와 1930대 샤머니즘 문학의 차이점을 부각할 것이다. 이는 샤머니즘이 불려오게 되는 정황의 차이를 통해 설명될 것이다. 둘째로는 샤머니즘 문학을 두 부류로 나누고자 했다. 하나는 샤머니즘을 객체화하는 문학이고, 다른 하나는 샤머니즘을 주체화하는 문학으로 분류해보았다. 전자에는 샤머니즘을 역사와 풍속의 대상으로 보면서 그것에 민족적 성격을 부여하려는 경우가 속하고, 후자에는 샤머니즘에서 문학적 상상력의 원류를 찾아내려는 경우가 속한다. 전자를 대표하는 사람으로 최남선과 백석을 들 수 있고, 후자를 대표하는 인물로 각각 김소월과 서정주를 거론하였다. 이를 통해서 샤머니즘을 객관적으로 기억하는 문학과 샤머니즘을 주관적으로 전유하는 문학의 유형화를 세울 수 있을 것인데, 구체적인 내용은 차후의 과제로 미룬다.

시점은 1920년대 중반이라 할 수 있다. 1920년대 초반의 동인지 시대만 하더라도 샤머니즘이 재조명될 가능성은 없어 보였다. 그만큼 기독교와 근대문학의 은밀한 결합이 완고했기 때문이다. 예컨대 그 제호부터가 기독교를 연상시키는 동인지 『창조』에 기독교와 관련된 인사들이 대거 참여하고 있었음은 잘 알려진 사실이다.[4] 물론 그 이전 시기와 마찬가지로 아직 기독교가 문학의 전면에 등장한 시점은 아니었다. 동인지를 통한 문학 제도의 합리성 구축 과정에서 모든 종교는 잠정적으로 배제되어야 했기 때문이다. 특히 동인지 문단 내부에서 통용되었던 문학의 자율성 이념이 기독교를 포함한 모든 종교의 개입을 허용하지 않았다.[5] 문학의 근대적 성격에 대한 인식이 충분히 정착되지 않은 상태에서 종교의 개입은 바람직한 일이 아니었던 것이다. 기독교를 포함한 모든 종교의 의식적 배제는 문학 제도의 합리화를 위한 불가피한 선택이었다.

이러한 분위기를 반전시킨 인물로 한용운과 최남선을 들 수 있다. 한용운은 불교의 대중화를 고민했던 학자이기도 했기 때문에, 『님의 침묵』(1926)은 불교적 세계관을 연애시 형식으로 풀어서 제시한 작품집으로도 손색이 없다. 이런 관점에서 보면 『님의 침묵』이야말로 종교적 세계관이 근대문학의 전면에 나타난 첫 작품이라 할 수 있다. 첫 번째 사례라는 점에서 한용운의 시집은 이후 근대문학이 종교를 수용하는 방법에

4) 주요한과 주요섭 형제처럼 그 이름에서부터 기독교적 집안임을 쉽게 짐작할 수 있는 경우도 있다. 동인지 작가들 중에는 기독교의 주요 선교지였던 평안도 출신의 문인들이 많았다는 사실도 기억할 만하다.

5) 순수문학의 대표 주자였던 김동리가 샤머니즘을 적극적으로 소설에 끌어들인 것을 보면, 1920년대 초반에는 종교를 끌어들이면서도 문학의 순수성을 훼손하지 않는 방식에 대한 충분한 이해가 없었다고도 볼 수 있다.

대한 암시를 주었을 것으로 추측된다. 물론 한용운 이전에도 이와 비슷한 시도가 전혀 없었다는 것은 아니다. 창작은 아니지만 이미 김억의 타고르 시집 번역에서도 문학이 종교를 수용하는 방식에 대한 고민이 발견된다. 타고르 번역 시집은 신앙시와 연애시를 결합한 대표적 사례로 간주될 뿐 아니라 그 언술방식이나 산문시적 발상에서도 한용운에게 지대한 영향을 주었음은 잘 알려져 있다.[6] 다만 창작 시집으로서는 『님의 침묵』이 처음이라는 데는 변함이 없다.

이처럼 근대문학, 특히 근대시문학이 종교에 대해서 개방적 태도를 취하게 된 결정적 계기를 찾는다면, 1920년대 중반 상당수의 시인들이 참여했던 '반(反)자유시운동'을 들 수 있다. 그것은 지나치게 서구중심적으로 개편되었던 동인지 시대의 문학 이념에 대한 근본적인 반성과 연결되어 있다. 그 한편에 '시조부흥운동'이 있었고, 최남선이 주도적으로 참여했음도 잘 알려진 사실이다. 얼핏 보기에 서구에서 도입된 '자유시'가 근대시의 지배적 형식으로 굳어진 시점에 돌연 '반(反)자유시'의 구호를 내세우면서 대표적인 '정형시' 형식이었던 시조를 복원하고자 했다는 점에서, 이것은 무턱대고 '과거로의 회귀'를 주장하는 반근대적 운동인 것처럼 보인다. 하지만 그것은 사실 서구적 근대의 자리에 민족과 전통을 대신 세워두겠다는 의도를 내포한다는 점에서 지극히 근대적인 발상을 전제한다. 말하자면 이것은 서구적 근대화를 향한 문단 내부에서의 최초의 반성적 시도인 것으로, 맹목적 근대화가 아니라 '의식적' 근대화의 가능성을 기획한 것으로 볼 수 있다.

이때 민족과 전통의 이름으로 시조 부흥의 필요성을 설득하는 과정

---

6) 특히 『기탄잘리』(1923)와 『원정』(1924)의 영향을 무시할 수 없다.

에서 논리적 근거로서 최남선이 끌어들인 것이 바로 샤머니즘이다.[7] 최남선을 통해서 시조와 샤머니즘 사이에 최초의 만남이 이루어진 것이다. 이처럼 그가 서로 관계가 없을 것처럼 보이는 양자를 서로 연결될 수 있었던 근거는 크게 두 가지이다. 첫째로 그는 '단군'에서 양자 연결의 근거를 발견하고 있다. 단군이 최초의 '샤먼(=무당)'이었다는 사실의 확인이 이를 뒷받침한다. 그 사실의 발견에 대해서는 최남선의 옥중 체험에 대한 기록이 남아 있다.

> 옥중에서 단군 문제의 기사적 연구를 행하여 대체의 견해를 세우고 단군이 이론상으로 '단굴'이란 말의 對音일 것을 추정하고서, 과연 實證이 있는지 없는지, 문자 전설에는 물론 없거니와, 혹시 遐方僻語에라도 그 片影을 찾을 수 있을지 없을지를 조 비비듯 궁금해 하다가, 출옥한 뒤에 사방 탐문한 결과로 錦江 좌우 지방—<삼국지>의 이른바 天君의 임자인 馬韓 古土에서 무당을 '단굴'이라고 일컬음을 발견하였을 적에 꼭 한번 소원 성취의 쾌미란 것을 맛보고[8]

그는 '단군'과 '단굴'(단골=무당) 사이의 언어적 유사성을 토대로 '단군'에서부터 이어지는 샤머니즘의 전통을 복원하고 있다. 이 대목이 바로 근대 전환기에 밀려났던 샤머니즘이 다시 전통의 이름으로 호명되는 장면인 것이다. 왜냐하면 '단군=샤먼'이 민족과 전통의 기원으로 자리잡았기 때문이다. 그 다음으로 최남선은 샤머니즘의 본질을 '음악'에서 찾고, 그 '노래와 춤'의 속성이 시조의 기원이기도 하다는 설명을 덧

7) 이에 대해서는 졸고, 「민족문학과 친일문학 사이의 내재적 연속성 문제 연구—최남선을 중심으로」(『현대문학의 연구』, 2006.)를 참조.

8) 최남선, 「백두산근참기」, 『육당최남선전집』 6권, 현암사, 1976, 51쪽.

붙이고 있다.

> 원체 종교란 것이 神이란 力에 대한 제사란 표현을 하는 것이어니와, 신에 대하여 사람의 嘆仰希願하는 바 至情을 표현하는 본위적 방법은 다른 것 아닌 음악이니, 공포하여 그 怒氣를 끄기도 노래와 춤으로며, 경모하여 그 환심을 사기도 노래와 춤으로며, 신력을 加被하고 神事를 시행하는 표적도 또한 노래와 춤으로이었다.[9]

다시 말해서 시조의 음악적 성질에 이미 '종교적 전통'이 내재한다는 것이 그의 판단이다. 그것을 확인할 수 있는 근거로 우선 시조도 노래의 형식을 띤다는 점을 들고 있다. 이로써 샤머니즘과 시조를 연결할 수 있는 두 번째 근거가 '노래'를 공유한다는 데에 있음을 알 수 있다. 잘 알다시피 당시에는 노래로 불리던 청각 중심의 정형시의 전통에서 벗어나 활자에 의존하는 시각 중심의 시, 즉 눈으로 읽는 자유로운 형식의 시가 대세를 이루고 있었다. 따라서 시조를 통해서 다시 '노래'를 회복하자는 발상은 이미 시대착오적 퇴행으로 간주되기에 충분했다. 그럼에도 불구하고 자유시의 보급에 주력하던 상당수의 시인들이 시조부흥운동에 편승하게 된 것은 근대문학의 발전에 '민족문학'의 성격이 요구된다는 판단에 따른 것이다. 근대문학이 민족문학이기도 해야 한다고 생각했기 때문에 수많은 근대적 시인들이 단군이라는 샤먼에서부터 시작되는 '노래'의 전통이 시조를 통해서 면면히 이어져 왔다는 최남선의 주장에 동조할 수 있었다. 시조에서 민족문학의 역사적 근거를 발견할 수 있었기 때문이다.

---

9) 최남선, 「시조태반으로의 조선민성과 민속」, 『조선문단』, 1926. 6, 5쪽.

이렇게 되면 시조를 지탱하고 있는 단군, 그 샤먼(=무당)이 민족문학의 근원으로 자리잡게 된다. 그 결과 샤머니즘이 문학에 있어서 민족주의를 지탱하는 근거로 인정받게 된 것이다. 이 모든 과정은 '최초의 샤먼'으로 지목되었던 단군의 부활이 아니었다면 불가능했을 일이다. 다른 한편으로 만약 단군이 민족주의의 시원의 자격으로 부활하지 않았다면 샤머니즘 또한 민족주의자들의 지지를 얻어낼 수 없었을 것이 분명하다. 왜냐하면 민족주의자들은 대개 근대 초기의 계몽주의자들이었고, 그렇기 때문에 여전히 '미신'에 대해서는 단호한 태도를 취했을 것이기 때문이다. 하지만 '단군'에서 기원하는 민족의 노래 형식이 '시조'를 통해 계승되고 있다는 민족주의적 논리가 받아들여지면서, 샤머니즘은 드디어 '민족적 전통'의 자격으로, 그것도 '종교적 전통'의 자격으로 근대사회의 한복판으로 초대받은 것이다. 한때 미신의 이름으로 추방되었던 샤머니즘이 근대적 민족주의의 발화와 성장을 위한 불쏘시개로서, 그리고 전통적 종교 형식의 이름으로 '호명'되면서 '창조'된 것이다.

샤머니즘에 추가되는 '전통적', '민족적', '토속적', '민속적'이라는 수식어가 대개 이 무렵에 만들어졌음은 물론이다. 그러므로 1920년대 중반에 '단군'과 더불어 동시에 부활한 '시조', 그리고 '민요'를 향해서 '전통적', '민족적', '토속적', '민속적'이라는 수식어를 붙일 수 있다면, 거기에는 반드시 '단군이라는 샤먼'의 흔적이 남게 된다. 시조와 민요의 부활이라는 표면적 현상 뒤에는 사실상 단군을 통해서 민족주의의 '기원'의 자격으로 근대문학의 무대로 진출하였던 샤머니즘의 부활이 있었던 것이다.[10] 따지고 보면 시조부흥의 필요성을 주장하기 이전부터

---

10) 이에 대해서는 소래섭, 「1920년대 국민문학론과 무속적 전통」(『한국현대문학연구』, 2007.

이미 최남선은 '단군=샤먼'에 대한 연구에 착수하고 있었는데, 그것이 바로 그 유명한 「불함문화론」인 것이고, 그와 동시에 그는 시베리아 샤머니즘(=살만교)에 대한 연구도 진행하여 「살만교차기」를 작성해두었다. 이처럼 최남선이 「불함문화론」의 발표를 1928년까지 늦추면서 다른 방식으로 단군에 관련된 일련의 글들을 쏟아낼 무렵, 이능화도 「조선무속고」(1927)라는 글을 잡지(『계명』)에 게재하면서 샤머니즘이 본격적인 학문의 대상으로 자리를 잡게 되었다. 기독교라는 계몽종교에 의해서 미신으로 추방당했던 샤머니즘이 1920년대의 민족주의자들에 의해서 다시 부활하여 때로는 학문적 대상으로, 때로는 종교적 전통으로 귀환하는 장면이 연출된 것이다.

3. 샤먼의 상상력 – 김소월의 경우

하지만 앞서 말했듯이, 최남선과 이능화 등에 의해서 샤머니즘이 학문적 대상으로 부각하던 무렵에도 근대시의 대세는 여전히 '자유시'였다. 따라서 아무리 '단군=샤먼'에서 시작된 '노래'의 종교적 전통이 중요하다 해도 '정형시'를 무작정 강요할 수는 없는 일이었다. 더욱이 그때까지는 샤머니즘 자체가 시문학을 통해서 주목받을 만한 분위기도 형성되지 않았다. 이런 상황이었음에도 불구하고 유독 샤머니즘에 관심을 두고 있었던 시인이 바로 김소월이다. 다만 김소월은 샤머니즘과 관계하는 데 있어서 최남선의 경우와는 달랐다. 단군과 시조를 연결하여 샤머니즘에 대한 역사적 관심을 불러일으켰던 최남선과는 달리 김소월

8.) 참조.

은 '단군'에는 아무런 비중도 두지 않았던 것이다. 최남선은 현재의 상황을 민족의 기원(단군=샤먼)에 연결하고자 하는 역사적 의지가 강렬했지만, 김소월의 관심사는 오로지 샤머니즘에 잠재하는 시적 상상력의 가능성에 모아졌다.

잘 알려져 있듯이 김소월 시의 절창은 이별이라는 서정적 상황을 전제하는 경우가 많다. 이별의 정황은 사랑의 성립을 방해하는 장애와 거리를 동반하여 비극적 정서를 유발한다. 그런 의미에서 김소월의 시에서 '거리'에 대한 의식은 유별난 데가 있다. 그 거리는 종종 삼수갑산과 같은 물리적 장애로 인해서 발생하는 경우도 있지만, 죽음이라는 불가피한 운명으로 인해서 발생하는 경우도 있다. 그런 의미에서 '거리'는 인간의 유한성에 대한 의식을 동반하게 된다. 그의 시문학은 이러한 '거리'를 통해서 인간의 유한성을 자각하고, 그 유한성의 상태를 극복하기 위한 문학적 시도로도 읽힌다. 특히 삶과 죽음의 경계처럼 인간의 운명적 한계에 닿아 있을 때, 그의 작품은 종종 그 경계를 넘어서고자 하는 시적 상상력을 발동시킨다. 그것은 특히 다음의 작품에서 두드러진다.

> 퍼르스럿한 달은, 성황당의
> 데군데군 헐어진 담 모도리에
> 우둑히 걸리었고, 바위 위의
> 까마귀 한 쌍, 바람에 나래를 펴라.
>
> 엉기한 무덤들은 들먹거리며,
> 눈 녹아 황토 드러난 멧기슭의,
> 여기라, 거리 불빛도 떨어져 나와,
> 집짓고 들었노라, 오오 가슴이여

세상은 무덤보다도 다시 멀고
눈물은 물보다 더 더움이 없어라.
오오 가슴이여, 모닥불 피어오르는
내 한세상 마당가의 가을도 갔어라.

그러나 나는, 오히려 나는
소리를 들어라, 눈석이물이 씨거리는
땅 위에 누워서, 밤마다 누워,
담 모도리에 걸린 달을 내가 또 봄으로.

—김소월, 「찬 저녁」 전문

가을에서 겨울로 이행하는 계절을 배경으로, 작품 전체의 분위기는 "찬 저녁"에 직면한 시적 화자의 심리에 집중되어 있다. 이때 시적 화자가 처해 있는 물리적 공간에 대한 묘사가 특징적이다. "성황당", "헐어진 담", "까마귀 한 쌍", "엉기한 무덤들"을 통해서 짐작할 수 있지만, 시적 화자가 처한 공간은 "거리 불빛도 떨어져 나와" 있는 "멧기슭"을 터전으로 삼고 있다. 이것은 직접적으로 언급되진 않았지만 '무당'의 거주지를 연상시킨다. 무당을 연상시키는 시적 화자는 세상 사람들로부터 떨어져 있는 산기슭에 "집짓고 들었노라"고 고백하고 있다. 속세와 거리를 두고 사는 시적 화자에게 "세상은 무덤보다도 다시 멀"게만 느껴진다. 이처럼 세상으로부터 거리를 두고 살고 있지만, 그는 "담 모도리에 걸린 달"을 쳐다보며 그의 인생에서 "모닥불" 같은 시절을 그리워하고 있다. 그것도 "땅 위에 누워서", "밤마다 누워" 그 달을 보고 있는 것이다. 더구나 그렇게 누운 상태에서 시적 화자는 가을에 미리 찾아온 눈이 녹는 소리, 즉 "눈석이물이 씨거리는" "소리를" 듣고 있다.

그런데 밤마다 "땅 위에 누워" 있는 화자는 눈이 녹으면서 들려오는 미세한 소리까지 식별할 수 있을 정도로 고독이 절정에 달해 있다. "까마귀 한 쌍"을 통해서 짐작컨대 시적 화자는 지금 "담 모도리에 걸린 달"을 보면서, 누군가를 그리워하고 있다. 그리움의 대상은 구체적으로 명시되어 있지 않지만, "달"은 세상과 거리를 두고 있는 시적 화자가 유일하게 세상과 통하는 매개체의 기능을 하고 있다. "달"을 보고 있는 시적 화자의 심리적 고독감은 이렇듯 유폐된 상황에서 절정에 달해 있다. "달이 암만 밝아도 쳐다볼 줄을 / 예전엔 미처 몰랐어요"(「예전엔 미처 몰랐어요」)에서처럼 "달"을 쳐다보는 화자의 심리적 상태는 항상 극한의 고독을 전제한다.

그러므로 그의 사랑은 극한의 고독에서 발생하는 그리움의 최대치라고 할 수 있다. 그의 사랑이 세속적인 사랑과 구별되는 부분이 여기에 있다. 그의 사랑은 인간이 처해 있는 가장 고독한 지점에서부터 발원하기 때문에 오히려 '탈속적 성격'이 강하다는 것이다. 이처럼 그의 사랑의 열망은 극한의 고독, 극한의 장애를 통해서 더욱 강렬해진다는 특징이 있다. 따라서 그 가장 극단적인 사례가 산 자와 죽은 자 사이에서 발생하는 것은 당연하다. 그것은 그의 작품 「묵념」에 잘 나타나 있다.

이슥한 밤, 밤기운 서늘할 제
홀로 창턱에 걸어앉아, 두 다리 드리우고,
첫머구리 소래를 들어라.
애처롭게도, 그대는 먼첨 혼자서 잠드누나.

내 몸은 생각에 잠잠할 때. 희미한 수풀로서
촌가의 액막이제 지내는 불빛은 새어오며.

이윽고, 비난수도 머구소리와 함께 잦아져라.
가득히 차오는 내 심령은 … 하늘과 땅 사이에.

나는 무심히 일어 걸어 그대의 잠든 몸 위에 기대어라
움직임 다시 없이. 만뢰(萬籟)는 구적(俱寂)한데.
희요(熙耀)히 내려비추는 별빛들이
내 몸을 이끌어라. 무한히 더 가깝게.

—김소월, 「묵념」 전문

시의 화자는 "홀로 창턱에 걸터앉아" 개구리 소리를 듣고 있고, 그 사이에 "그대는 먼첨 혼자서 잠"들어 있다.[11] "그대의 잠든 몸 위에 기대어" 보는 화자의 행동은 "하늘과 땅 사이에" "가득히 차오는 내 심령"에 의해서 상상을 통해 가능한 일이다. 삶과 죽음의 경계가 두 사람 사이를 갈라놓고 있기 때문이다. 주변 촌가에서는 그 경계를 넘나들기 위한 제사 행위가 진행중이다. 어느 집은 "액막이"를 위한 제사를 지내는가 하면, 다른 집에서는 "비난수"하는 소리가 개구리 소리와 함께 들려온다. 밤이 더욱 깊어가면서 제사도 비난수 하는 사람도 잦아들고, 밤늦도록 깨어 있는 화자는 멀리서 "희요히 내려비추는 별빛들이" "내 몸을 이끌"고 있음을 경험한다. 화자의 영혼은 "무한"을 향해 "더 가깝게" 날아오르는 상태를 경험하게 된다. 현실적으로는 불가능한 일일지라도 그의 "심령"은 "별빛"의 인도를 받으며 무한히 이동할 수 있다는

11) 오태환은 이 작품의 화자에 대해 이승을 떠도는 죽은 자의 혼령으로 해석하고 있다. (오태환, 「혼과의 소통, 또는 무속적 요소의 문학적 층위—김소월 · 이상 · 백석 시의 무속적 상상력」, 『국제어문』, 2008. 4, 213쪽.) 이 글에서는 「묵념」 자체가 죽은 자를 상대로 한다는 점에서 화자를 살아 있는 사람으로, 그 대상을 죽어 있는 사람으로 이해하고자 한다.

것이다. 육체로부터 분리된 영혼의 자유로운 이동, 육체의 한계를 넘어서는 영혼의 무한한 가능성을 압축적으로 보여주고 있는 것이다. 상상을 통해서 연인이 비록 곁에 있다고 생각하더라도 결국 "홀로" 남아 있다는 의식의 끝에 서게 되면 삶과 죽음의 경계를 넘어서는 현상이 발생한다.

이처럼 물리적인 거리로 인해서 발생하는 현실적 장벽은 물론이고 삶과 죽음 사이에 있는 초현실적 경계까지 모두 극복할 수 있는 것은 "별빛"과 같은 자연 사물을 이용해서만 가능하다. 인간의 영혼과 그의 상상력을 자극하여 무한을 향해 나아가게 만드는 것이 자연이라고 할 수 있다. 소월의 경우 인간적인 한계와 장벽을 극복하고 서로 소통하기 위한 상상력의 정신적 근거가 샤머니즘에 있음은 분명하다. 따라서 그러한 장벽과 한계들의 극복은 서양의 기독교처럼 순수하게 인간의 내면세계를 통해서 이루어지는 것이 아니다. 그것은 반드시 자연적 사물이라는 우회로를 통해서만 성취될 수 있다. 자연을 매개로 하는 유한성의 초월은 소월이 보여준 샤머니즘적 상상력의 본질에 속한다. 그런 의미에서 자연을 매개로 하지 않는 추상적 영혼은 김소월의 샤머니즘에서는 낯선 것이라 할 수 있다.

이처럼 1920년대의 샤머니즘은 시조라든가 서정시와 결합되어 서구 편향의 '자유시'에 대한 반성의 가능성을 열어준 것을 특징으로 한다. 이것은 샤머니즘이 민족주의적 상상력을 촉발하는 매개체로 활용되었음을 의미한다.

4. 샤먼의 기억－백석의 경우

1930년대로 접어들면 오히려 일본의 민속학자들이 앞 다퉈 샤머니즘에 대한 관심을 주도한다는 점이 특징이다. 그것은 일선동조론(日鮮同祖論)의 근거를 '샤머니즘'에서 찾음으로써 그것을 제국주의의 '동화주의' 논리로 활용하기 위한 전략에서 발원한 것이다. 예컨대 조선의 종교적 심성과 일본의 종교적 심성 사이에 일치점이 찾아지면, 그것을 통해서 일본의 '신사'를 보급할 수 있다는 발상의 적용이다. 따라서 조상신을 섬기는 조선의 샤머니즘을 적극 지원하는 '심전(心田)개발운동'이 추진된다. 이 운동은 1935년부터 1937년까지 일본의 민속학자 겸 경성제국대학 교수인 아키바 다카시(秋葉隆)를 중심으로 전개된 사업으로서,[12] 정치적 통치술의 목적으로 샤머니즘이 연구된 대표적 사례를 보여준다.[13] 이 과정에서 무속이 '한국의 고유 신앙'으로 확고한 지위를 차지하게 되고, 광범위한 무속조사사업이 진행될 수 있었다. 특히 아키바는 중일전쟁 이후 내선일체를 선전하기 위한 교재용 책자에 「민속 및 신앙 상으로 본 내선 관계」를 게재하고 있는데, 출산 이후 금줄을 치는 조선의 풍습을 비롯하여 여러 민속학적 사실을 들어 조선과 일본의 유사성을 찾아내는 동시에 조선의 원시성을 강조하고 있어서 민속적 사실의 일부로서 샤머니즘 연구가 궁극적으로 도달하는 최종적 지점을 확인하게 된다.[14]

---

12) 아키바 다카시가 1935년 조선총독부 중추원에서 심전개발과 관련해서 행한 강연의 제목이 바로 「조선의 고유 신앙에 대하여」이다.

13) 여기에는 조선의 샤머니즘 연구자였던 최남선과 이능화도 참여한 것으로 알려져 있다.

14) 아키바 다카시의 민속학 연구에 대해서는 김화경, 「일제 강점기 조선 민속조사 사업에 관한 연구」(『동아인문학』, 2010. 6.) ; 최길성, 「아키바 다카시(秋葉隆)의 식민지주의 조

백석의 작품에 등장하는 샤머니즘의 흔적은 이러한 민속학적 관심의 연장선상에서 이해할 수 있다. 그는 샤머니즘을 살아 있는 종교로서 보기보다는 사라져가는 과거의 민속으로 이해하고, 그에 대한 유년의 향수를 표현하고 있는 것이다.

> 가즈랑집 할머니
> 내가 날 때 죽은 누이도 날 때
> 무명필에 이름을 써서 백지 달어서 구신간시렁의 당즈깨에 넣어 대감님께 수영을 들였다는 가즈랑집 할머니
> 언제나 병을 앓을 때면
> 신장님 달련이라고 하는 가즈랑집 할머니
> 구신의 딸이라고 생각하면 슬퍼졌다
>
> ─ 백석, 「가즈랑집」 부분

백석의 작품에서는 이처럼 인물이 초점화되어 있는 경우가 많지만, 이 작품은 평북지방의 무당이 전면에 등장한다는 점이 특징이다. 다만 그의 「여승」과 마찬가지로 종교계의 인물이 등장하더라도 그 인물이 성스러운 존재로서 일반인과 구별되는 지점에 있는 것이 아니다. 무당은 일상의 한 가운데서 함께 생활하는 존재로 그려지고 있어서, 성과 속의 구별이 무의미하다. 다만 "가즈랑집 할머니"가 "구신의 딸"이라는 것은 화자에게 독특한 슬픔을 안겨준다. 그러므로 "구신" 또한 더 이상 공포의 대상이 아닌 것이다. 여기에서는 마을의 병을 치료하는 의료 행위를 포함해서 인간의 탄생과 죽음을 두루 관장했던 늙은 무당의 고달

선관」(『한국민속학』, 2004. 12.) ; 최길성, 「무라야마 지준(村山智順)과 아키바 다카시(秋葉隆)의 무속 연구」(『한국무속학』, 2011. 8.) 등을 참조 바람.

픈 삶이 전면화되어 있을 뿐이다. 할머니 샤먼은 이미 친밀한 이웃이고, 민속의 일부로 일상 속에 깊숙이 침투해 있다. 따라서 백석은 할머니 샤먼 외에도 "아랫마을에서는 애기무당이 작두를 타며 굿을 하는 때가 많다"(「삼방」)는 구절을 남기고 있는데, 그것조차도 아이들의 놀이 풍습을 열거한 끝에 포함하고 있어서 마치 그것도 '놀이'의 연장인 것처럼 생각하게 만든다. 이처럼 백석의 시에 등장하는 샤머니즘은 대개 과거의 사라져가는 풍습인 것이고, 조선적 민속의 원형을 보존하고 있는 향수의 대상이다.

그의 작품에서 샤머니즘은 이처럼 친숙한 풍습으로 자리잡고 있을 뿐 아니라 어린 화자에게 공포와 환상을 제공하는 문화적 생태환경으로 드러난다. 특히 '귀신'에 대한 그의 독특한 진술은 샤머니즘이 일상을 구성하는 방식을 잘 보여준다.

> 나는 이 마을에 태어나기가 잘못이다.
> 마을은 맨천 구신이 돼서
> 나는 무서워 오력을 펼 수 없다
> 자 방안에는 성주님
> 나는 성주님이 무서워 토방으로 나오면 토방에는 디운구신
> 나는 무서워 부엌으로 들어가면 부엌에는 부뜨막에 조앙님
> (중략)
> 아아 말 마라 내 발뒤축에는 오나가나 묻어 다니는 달걀구신
> 마을은 온데간데 구신이 돼서 나는 아무 데도 갈 수 없다
>
> —백석, 「마을은 맨천 구신이 돼서」 부분

이 시에는 방안에서 부엌, 심지어 발뒤축에도 귀신들이 상존하여 어린 화자를 공포로 몰아넣고 있다. 하지만 그 어린 화자의 공포스런 표

정은 성인이 된 백석의 눈에 웃음을 유발할 뿐이다. 그것은 다시 말해서 성인이 된 백석의 눈에는 더 이상 그러한 귀신이 존재하지 않게 되었다는 뜻이기도 하다. 근대적 사고로 무장한 백석은 더 이상 세상을 샤머니즘의 눈으로 바라보지 않는다. 다만 유년 시절의 샤머니즘적 사고방식에 대해서 향수를 느낄 뿐이다. 이때 모든 장소, 모든 사물들에 부착되어 있다고 하는 귀신은, 만물이 살아 있다고 느끼는 애니미즘의 관점이 투영되어 있는 것이다. 귀신들은 모든 장소와 사물에 의미를 부여하고, 이를 공유하는 사람들 사이에서 공동체적 유대를 형성한다. 그런 의미에서 여기에서 샤머니즘은 사라져야 할 저급한 미신의 일종으로 평가되는 것이 아니다. 오히려 모든 장소와 사물들에 대해서 애니미즘의 친밀한 관계를 맺지 못하고 살아가는 현대인들에게 반성의 계기를 마련해주는 사유의 기점이 되고 있다. 전근대적 민속은 비록 사라지고 없어졌다 할지라도, 그것이 오히려 근대적인 삶을 비판적으로 바라보게 만드는 계기를 제공한다는 의미에서 그 유효성을 잃지 않고 있다는 것이다.

따라서 마을 성황당에 음식을 차려놓고 귀신에게 "잘 먹고 가라"고 빌고 있는 젊은 색시들이 등장하는 「오금덩이라는 곳」은 자연을 포함한 모든 사물들에서 의미를 박탈하고 있는 근대적 인간이 근접할 수 없는 곳, 다만 향수의 대상[15]으로 남아 있는 곳을 대표한다. 샤머니즘의 풍습은 이미 지나간 과거의 것임에 틀림이 없는 사실이지만, 그것이 오히려 근대적 관점에 대해서 비판적 거리를 유지하게 만든다는 점이 백

15) 백석의 샤머니즘을 식민지 무속론과 향수의 관점에서 분석한 사례로는 김은석, 「백석 시의 '무속성'과 식민지 무속론－백석 시의 '무속적 상상력' 재고」(『국어문학』, 2010. 2.)를 참조.

석의 시에 등장하는 샤머니즘의 특징이다. 그러므로 백석의 샤머니즘은 조상신의 숭배와 전혀 관련성이 없다. 말하자면 민속학이라는 학문의 이름으로 취재된 샤머니즘이 식민통치라는 거대서사의 시야에서 조망될 수밖에 없는 것이라면, 백석의 기억 속에 살아 있는 유년의 풍습으로서의 샤머니즘은 체험된 일상의 이름으로 미시적 문화사의 모범적인 모습을 보여주고 있다. 거대서사를 거부하고 작은 사물들에서 의미를 발견하고자 하는 샤머니즘의 관점은 제국의 눈을 거절하는 피식민자의 시점을 확보해주고 있는 것이다.

5. 샤먼의 신화－서정주의 경우

한편 샤머니즘과 관련하여 이 무렵에 등장한 새로운 경향이 있는데, 김동리의 작품과 그의 형 김범부의 풍류사상이 그것이다. 김동리는 심전개발이 한창이던 1935년 「화랑의 후예」로 등단하여, 이듬해 「무녀도」를 선보임으로써 신라의 화랑과 무당 모화의 존재를 통해 샤머니즘의 소설적 형상화에서 두각을 나타냈다. 이때 그의 작품의 배경으로 김동리의 형 김범부의 풍류사상을 지적하는 경우가 많다.[16] 당대의 사상가 김범부는 신라의 화랑을 '샤먼'의 관점에서 바라보면서 화랑도의 기본 이념을 풍류도로 해명하고, 거기에서 한민족의 고유 신앙을 발견하고 있는데, 그러한 사상이 김동리의 소설에서 재현되고 있다는 관점이 그

16) 김범부와 김동리 소설의 관련성에 대해서는 전상기, 「소설의 현실 구성력, 그 불일치의 의미－김범부의 『화랑외사』와 김동리의 『무녀도』를 대비하여」(『겨레어문학』, 2008. 4.) ; 박진숙, 「한국 근대문학에서의 샤머니즘과 '민족지'(ethnography)의 형성」(『한국현대문학연구』, 2006. 6.) 참조.

것이다. 『삼국사기』와 『삼국유사』를 중심으로 재구성한 김범부의 풍류 정신은 해방 이후(1948) 책(『화랑외사』)으로도 출간되어 우파 민족주의의 이론적 자산으로 활용되었는데, 근본적으로 인간과 자연, 인간과 인간, 육체와 정신의 유기적 조화를 강조한다는 점이 특징이다. 이러한 발상은 근본적으로 서구의 근대적 자연관, 인간관, 육체관을 정면으로 부정하는 전근대적 사상으로서 일제 말기 '반(反)서구', '반(反)근대'의 제국주의 이데올로기와 유사성을 보이고 있다. 「무녀도」와 같은 김동리의 소설에서도 나타나는 외래종교와 토속종교의 대립 또한 크게 보면 서양과 동양의 대립이라는 일제 말기 전쟁 이데올로기의 기본 구도를 깔고 있다고 할 수 있다. 그 점에서 보면 '샤머니즘'이 일제 말기 총력전 체제를 지원하는 이데올로기로 제공되는 동시에 해방 이후 우파들의 민족주의 이데올로기를 생산하는 데 동원되고 있는 모습을 확인하게 된다.

해방 이후 김범부에 의해서 발견된 신라의 풍류 사상이 시문학으로 전이된 대표적 사례가 서정주의 작품인데, 잘 알다시피 서정주야말로 정치적으로 민족주의 우파의 성향을 강하게 띠고 있다. 서정주의 '신라정신'이 결정적으로 발현된 것은 전쟁 직후인데, 그는 『삼국유사』를 통해서 발굴된 신라의 신화와 전설에서 '영통'과 '혼교', '영원성' 등의 핵심적 주제를 발굴하고 그것을 작품으로 표현하여 세인들의 주목을 받은 바 있다.[17] 서정주의 신라정신 또한 김범부의 경우와 마찬가지로 외래 종교가 들어오기 이전의 고유한 민족 종교를 가리키는 것으로 근본적으로 샤머니즘적 성격을 띠고 있다.

---

17) 서정주의 신라정신이 성립되는 과정에 대해서는 박현수, 「서정주와 미학적 기획으로서의 신라정신－'사소 모티프'를 중심으로」(『한국근대문학연구』, 2006. 10.)를 참조.

천오백년 내지 일천년 전에는
금강산에 오르는 젊은이들을 위해
별은, 그 발밑에 내려와서 길을 쓸고 있었다.
그러나 송학 이후, 그것은 다시 올라가서
추켜든 손보다 더 높은 데 자리하더니,
개화 일본인들이 와서 이 손과 별 사이를 허무로 도벽해 놓았다.
—서정주, 「韓國星史略」 부분

천오백년에서 천 년 전에 "금강산에 오르는 젊은이들"이 '화랑'을 가리킨다는 것은 분명해 보인다. 그들이 산을 오르는 사이에 별들이 내려와 그들의 발밑을 쓸어주는 환상적인 장면을 연출하는 나라가 신라인 것이다. 하지만 그 사이에 중국의 학문(=유학)이 들어오면서 다시는 그러한 일이 불가능해졌으며, 일본의 식민지 지배로 더욱더 그 관계가 멀어졌다는 것을 내세워 외래 종교나 서구 학문의 도입으로 천 년 전 신라의 고유 종교가 사라졌음을 한탄하고 있다. 이 독특한 자연주의 혹은 자연중심주의는 자연과 인간의 조화라는 논리를 통해 전쟁 중에도 자연에서 위안을 찾아내는 (예컨대, 「무등을 보며」에서처럼) 초현실적 시 세계를 형성하는 데서 힘을 발휘하게 된다. 서정주에게 있어서 신라의 샤머니즘은 인간과 자연 사이의 마술적이고 환상적인 관계를 가능하게 했던 신화적 세계를 형성하고 있다. 그는 그 영원성의 세계를 통해서 인간 세계가 비로소 안정감을 얻을 수 있다고 믿는데, 그 최종적 귀결점이 『질마재 신화』를 통해 나타난다. 거기에서는 유년 시절 질마재 언덕에서 수집된 전설적 이야기들을 중심으로 신라에 버금가는 샤머니즘적 세계가 환상적으로 연출되고 있다.

> 그때에는 왜 그러시는지 나는 아직 미처 몰랐읍니다만, 그분이 돌아가신 인제는 그 이유를 간신히 알긴 알 것 같습니다. 우리 외할아버지는 배를 타고 먼 바다로 고기잡이 다니시던 어부로, 내가 생겨나기 전 어느 해 겨울의 모진 바람에 어느 바다에선지 휘말려 빠져 버리곤 영영 돌아오지 못한 채로 있는 것이라 하니, 아마 외할머니는 그 남편의 바닷물이 자기집 마당에 몰려 들어오는 것을 보고 그렇게 말도 못 하고 얼굴만 붉어져 있었던 것이겠지요.
>
> —서정주, 「해일」 부분

바다에서 죽음을 맞이한 외할아버지가 마치 "바닷물"이라도 된 것인 양 집안으로 들어오는 장면, 그리고 그 바닷물이 마당으로 들어오는 것을 보고 얼굴을 붉히는 외할머니의 표정만으로도 죽은 자와 산 자가 중개물을 통해서 서로 만난다는 샤머니즘의 정신이 환상적인 장면으로 재현되고 있음을 보게 된다. 이때도 양자 사이를 매개해주는 것은 자연이다. 자연은 한편으로는 인간의 목숨을 앗아가기도 하지만, 다른 한편으로 산 자과 죽은 자를 연결해주기도 한다. 죽어도 죽지 않는 인간의 삶에 대한 이해, 그리고 자연과 인간이 분리되지 않았다는 믿음, 그리고 죽은 자와 산 자가 서로 통할 수 있다는 신념 등은 이 시의 기본 정신을 형성하고 있으며, 멀리는 '신라 정신'에서 기원하는 신화적 인식이라 할 수 있다.

현실에서는 이루어질 수 없는 신화적 소통의 현장이 기억 속의 신화적 공간을 통해서 재현되고 있는 것이다. 이처럼 신화적 기억이라고 할 수 있는 시적 상상력의 추진력은 바로 샤머니즘에서 기원한다. 신화와 전설을 통해 유전되는 샤머니즘의 전통이 근대적 서정시의 정신적 기반으로 다시 소생하고, 그것이 이념적 차원으로 승화되는 것은 서정주가 기여한 바이다. 서정주에 이르러 샤머니즘은 드디어 독립된 종교적 교리를 구비하게 되었으며, 삶의 원리이면서 시창작의 원리로까지 발전할 수 있게 된 것이다. 이것은 서양의 종교인 기독교와 서양의 근간이 되는 신화의식에 대한 열등감과 부채의식에서 벗어나기 위한 서정주 개인의 노력의 산물이기도 하다.

6. 맺음말

이상으로 근대시의 형성 과정에서 샤머니즘이 출현하는 과정과 문학적 흔적들을 추적해보았다. 특히 1920년대와 1930년대를 중심으로 샤머니즘의 시적 구현 양상을 살피는 데 주력하였다. 앞서 보았듯이 1920년대 이전까지만 하더라도 샤머니즘은 '미신'으로 치부되어 부정적으로 평가받았다. 여기에는 서양에서 도입된 기독교의 관점이 투영된 것이다. 기독교는 처음에 사실상 종교로서가 아니라 합리적 계몽사상처럼 군림하면서 샤머니즘을 비합리성으로 규정하고 추방하는 데 기여했던 것이다. 이러한 상황은 1920년대 초반의 동인지 시대까지 이어진다.

하지만 1920년대 중반 일군의 시인들이 지나치게 서구추종적인 자유시 지향의 태도를 반성하고 시조를 중심으로 하는 새로운 시운동의 필요성을 제기하면서 샤머니즘의 운명이 바뀌게 된다. 이때 시조의 기원을 단군으로까지 소급하여 노래의 민족적 전통을 확립하고자 했던 사람은 최남선이었다. 최남선은 최초의 샤먼(=단골)으로서 단군을 지목함으로써 샤머니즘이 민족문학의 기원에 있다는 사고를 전파하였다. 최남선의 언급 이후 샤머니즘은 전통적 종교, 민족 종교의 명예를 회복하게 되었다. 하지만 최남선의 경우 샤머니즘은 객관적 서술의 대상에 지나지 않았다. 반면에 샤머니즘의 세계관을 시적 상상력의 원리 차원에서 검토한 사람은 김소월이었다. 그의 작품 중에서는 이별의 아픔을 노래한 것들이 절창으로 꼽히는데, 산 자와 죽은 자 사이 이별의 순간을 영혼의 교류를 통해 극복할 수 있다는 사고를 시에 도입하고 있어 주목된다. 한편으로 그것은 영혼을 통해서 물리적 거리를 극복할 수 있다는 상상력의 확장을 낳았다. 이는 샤머니즘의 정신을 시적 상상력의 확장을 위한 발판으로 삼고 있다는 것을 의미한다. 말하자면, 1920년대에 이르러 샤머니즘은 이론적 차원에서 민족적 종교로서 복원되는 한편, 시적 상상력의 차원에서 서정시의 정신을 형성하는 데 기여한 것으로 평가된다.

반면 1930년대에 이르러 샤머니즘에 대한 접근법에 변화가 온다. 샤머니즘이 우선 일본의 제국주의적 학문이라 할 수 있는 민속학적 접근의 대상이 되었던 것이다. 한편으로 일본의 신사와 조선의 샤머니즘의 유사성을 해명하기 위한 민속학적 접근법에는 최남선과 이능화도 참여하여 친일 활동의 계기가 되기도 한다. 이러한 민속으로서의 샤머니즘 연구는 시에도 반영되어 백석의 경우 샤머니즘 풍속에 대한 기억의 시 쓰기로 이어진다. 다른 한편으로 그것은 김범부, 김동리, 서정주로 이어지는 풍류로서의 샤머니즘론으로 발전하게 된다. 풍속의 대상으로서 샤머니즘을 바라보는 백석은 유년의 기억에 남아 있는, 과거화된 대상으로 샤머니즘을 객체로 간주하는 측면이 강하다. 반면, 풍류로서의 샤머니즘은 신라에서부터 현재까지 살아 있는 현재적 사상으로 간주한다는 점에서 백석과 차이를 보인다. 백석의 샤머니즘은 무당과 귀신에 대한 유년의 기억을 성년의 화자가 회상하는 방식으로 전개하여, 샤머니즘을 친숙한 공동체적 생활의 일부분으로 그려낸다는 특징이 있다. 이때 샤머니즘의 과거적 성격이 강조되긴 하지만, 그것은 오히려 사물과 장소에서 의미를 박탈하고 있는 근대적 세계관을 반성하는 계기를 마련하고 있다. 이것은 민속학 연구의 제국주의적 취지를 위반하는 일이기도 하다. 서정주의 샤머니즘은 더 나아가서 신라에서 이어지는 신화적 사고를 재현하고자 한다는 점에서 샤머니즘의 세계관적 측면을 강조하고 있다. 신화적 세계관은 시인이 그 자체로 복원하고 싶어 하는 세계로서, 자연과 인간, 삶과 죽음이 서로 소통하는 영원성의 세계라고 할 수 있다. 이때 샤머니즘은 다른 여타의 종교적 자질들을 흡수하면서 한국에만 독자적인 시적 세계관을 형성하는 근본적 이념으로 자리잡고 있다. 따라서 서정주에 이르러 샤머니즘은 비로소 종교문학이라 할 수 있는 경지에 이르렀다고 할 수 있다.

요컨대, 1930년대의 샤머니즘은 전통적 종교로만 복원되는 것이 아니라 그것의 현실적 기능을 회복한다는 데 의미가 있다. 백석의 경우처럼 근대 사회의 무의미성을 비판적으로 반성하는 계기를 만드는 경우, 서정주의 경우처럼 서구적 종교관을 대체할 만한 민족 종교로서의 지위를 다시 차지하려고 하는 것 등이 그것이다. 이러한 과정을 통해서 샤머니즘은 비로소 종교문학으로서 내용을 확보하게 하는 데 필요한 단계를 거쳐왔다고 할 수 있다. 이로써 식민지 시대에 이미 기독교와 불교 등에 치우친 종교문학의 범주에 샤머니즘이 그 일부로 기입될 수 있는 최소한의 여건이 마련된 것이라 할 수 있다.

한국 전후시의 가족서사와 가족로망스

이 성 민

1. 현대시와 가족로망스

근대 이후 '가족의 발견'은 내면의 발견만큼이나 중요한 의미를 지닌다. 정신분석학이 보여주듯이 개인의 내면의 무의식은 가족관계 속에서 복합적으로 형성되기 때문이다. 하지만 가족의 중요성은 여기에서 그치지 않는다. 일찍이 프로이트는 「가족 로맨스」에서 아버지와의 동일시가 제대로 이루어지지 않은 아이들에게 나타나는 신경증의 한 양상으로서 자신의 아버지를 이상적인 의사(擬似, pseudo) 아버지로 대체하고자 하는 심리적 환상에 대해 설명한 바 있다.[1] 이러한 가족로망스는 나아가 근대 기획 일반에서 작동되는 집단무의식을 이해하는 데 많은 시사점을 제공해준다. 린 헌트의 작업이 보여주듯이, 근대적 국가체제와 이데올로기에 대한 부정과 비판을 현실의 아버지를 부정하고 새로운 상상의

1) 지그문트 프로이트, 김정일 역, 「가족 로맨스」, 『성욕에 관한 세 편의 에세이』, 열린책들, 2003, 199~200쪽 참조.

아버지를 호명하고 구성하는 것으로 이해할 수 있다는 것이다.[2] 이러한 견해는 근대 자체가 해방이 아닌 또 하나의 억압으로 귀결되고 있다는 점에서 설득력 있는 견해라고 할 수 있으며, 그런 이유로 최근에는 근대 문학을 해석하고 분석하기 위한 방법론으로도 적극 활용되고 있다.

그런데 이러한 이론이 현대시 분석에 적용된 경우는 많지 않다. 하지만 동일한 시각이 특정 시기나 특정 양식에만 집중되는 것은 문제적일 수 있다. 이런 경우 몇몇 유명 작가나 그의 작품이 반복적으로 논의될 수 있으며, 작품이 바뀌더라도 여전히 공식적인 해석이 되풀이 될 수 있기 때문이다.[3] 이 같은 문제는 이제까지 다루어지지 않은 작품 몇 개를 더 부각시키고 거기에 설명을 덧붙인다고 해서 해결될 수 있는 것은 아니다. 그보다는 공식적인 틀에서 벗어나 좀 더 유연한 시각에서 적용해보려는 시도가 필요하다. 더욱이 "가족로망스로 여겨지는 과정이라면 어떤 종류의 욕구도 충족시킬 수 있다"[4]는 프로이트의 말을 상기해볼 때, 가족로망스의 적용 범위는 확대될 필요가 있다. 이 글은 이러한 목적에서 한국 전후시에 나타난 가족서사에 주목하고자 한다.

그런데 한국 전후시의 가족서사가 가족로망스로 이해되기 위해서는 먼저 두 가지 조건을 충족해야 한다. 하나는 아버지와의 갈등 구도이고,

2) 린 헌트, 조한욱 역, 『프랑스 혁명의 가족로망스』, 문학과지성사, 1999, 270쪽.

3) 지금까지 '가족로망스'가 적용된 예를 보면, 현대소설 연구가 주를 이루며, 이 연구들 또한 식민지시기에 창작된 몇몇 성장소설에만 그 시각이 맞추어져 있다. 시 분야에서는 단 2편만이 제출되었는데(김홍중, 「한국 모더니티의 기원적 풍경 : 李箱의 <烏瞰圖> 시 제1호」, 『사회와 이론』No.7, 한국이론사회학회, 2005와 이재복, 「한국 현대시의 가족로망스 연구」(『한국문예비평연구』제21집, 한국현대문예비평학회, 2006), 이러한 데는 여러 원인이 있을 수 있겠지만, 우리 현대문학사에 있어서 시기적으로나 주제적인 측면에서나 이 시기의 성장소설이 아버지 부정과 새 아버지 긍정이라는 가족로망스 시나리오를 가장 잘 구현해내고 있기 때문일 것이다.

4) 지그문트 프로이트, 앞의 책, 201쪽.

다른 하나는 갈등 해소의 방법이 아버지를 부정하고 새로운 가족(아버지)을 모색하는 방향으로 그려져야 한다는 점이다. 그러나 전후시의 시적 주체들은 주로 '아버지'로 설정되어 있을 뿐만 아니라, 그마저도 시적 주체의 아버지가 아닌 시적 주체 스스로 한 가족을 이끄는 아버지로 등장한다. 또한 이 아버지들은 자신에게 주어진 아버지라는 위치를 수용하지 못하거나 오히려 과거의 전통적 가부장의 아버지의 모습을 하고 있으며, 경우에 따라서는 어머니나 누이와 같은 여성들이 아버지를 대신하기도 한다. 전후시의 시적 주체들에게서 나타나는 이 같은 모습과 태도는 사실 아버지 부정과 새 아버지 긍정이라는 가족로망스 시나리오로와는 어울리지 않는다. 그동안 전후시가 가족로망스의 대상에서 제외되었던 것도 아마 이런 이유 때문일 것이다.

그러나 이들이 보여주는 내밀한 욕망은 비단 겉으로 드러난 태도로만 판단하기에는 무리가 따른다. 이 아버지들에게선 어떤 식으로든 가족공동체를 새롭게 재구성함으로써 분열된 자아를 회복하려는 내밀한 욕망이 포착되기 때문이다. 이러한 욕망은 필연적으로 나와 가족의 평화로운 질서를 깨트리는, 절대로 통합될 수도 통합되어서도 안 되는 것에 대한 분리와 배제를 필요로 한다. 그것을 부정할 수 있어야만 시적 주체는 그 가족을 통해 존재론적 안전감을 획득할 수 있다. 전후시에서 그것은 근대적 국가 체제와 그 체제가 요구하는 이데올로기로 나타난다. 이렇게 볼 때 전후시의 가족서사는 국가 체제로 상징되는 오이디푸스적 억압의 주체인 아버지와 그가 지배하고 요구하는 세계와 방식을 거부하면서, 새로운 아버지를 중심으로 구성되는 새로운 가족공동체를 꿈꾸는, 이를 통해 자기 자신이 하나의 아버지가 되어 가는 과정이라고 할 수 있다. 이렇게 볼 때 전후시의 가족서사는 아버지(국가체제)와 아들

(아버지) 간의 역학 관계를 중심으로 구성되는 가족로망스로 규정할 수 있다. 그리고 시적 주체의 태도 또한 현실의 아버지를 부정하고 새로운 상상의 아버지를 호명하고 구성하는 것으로 읽을 수 있다.

이 글은 이러한 시각에서 한국 전후시의 가족서사를 살펴보고자 한다. 이를 위해 먼저 전후시인들이 꿈꾸었던 이상적 공동체가 무엇인지 살펴보고, 그것이 근대적 국가체계와 이데올로기에 대한 미학적 반응으로서 어떤 의미가 있는지를 규명해 볼 것이다. 그리고 그것이 사회 국가 체제에 대한 비판의 관점에서 어떤 의미망을 획득하는지를 규명할 것이다.

2. 아버지를 부정하는 세 가지 태도와 그 의미

1) '아버지 되기' 거부를 통한 아버지 부정

먼저 전후시인들 가운데 아버지에 대한 부정을 가장 극적으로 보여준 시인으로는 김수영을 꼽을 수 있다. 다른 시인들이 아버지의 존재를 단순히 의식적인 차원에서 오이디푸스적 억압의 상징으로만 제시할 때, 김수영은 이러한 억압이 어떤 방식으로 이루어지는가를 구체적으로 보여준다. 하지만 그런 김수영도 처음부터 이런 태도를 보여주었던 것은 아니다. 초기시에서의 그는 "한번도 아버지의 수염을 바로는 보지 못하였"거나(이[虱]) 이미 "돌아가신" 아버지의 사진조차 다른 사람들의 눈을 "벽하여" 몰래 숨어보았어야 할 만큼(「아버지의 사진」) 아버지의 권위에 압도되어 있었다. '아버지'는 "내가 떳떳이 내다볼 수 없는 현실"로서 절대로 거부할 수 없는 가부장적 권력을 행사하는 그런 존재였던 것이다.

하지만 전후시에 오면 아버지에 대한 김수영의 태도에 변화가 나타나기 시작한다. 이는 가족 내에서의 자신의 위치 변화, 즉 더 이상 아버지의 권위에 굴복하던 나약한 아들이 아닌, 자기 스스로 아버지가 되어야 하는 위치에 서 있기 때문이다. 즉 새로운 아버지를 중심으로 구성된 새로운 가족공동체를 의미하는 것으로, 김수영은 이러한 변화를 "신선한 기운"이라고 부르고 있다.

고색이 창연한 우리집에도
어느덧 물결과 바람이
신선한 기운을 가지고 쏟아져 들어왔다

이렇게 많은 식구들이
아침이면 눈을 부비고 나가서
저녁에 들어올 때마다
먼지처럼 인색하게 묻혀가지고 들어오는 것

얼마나 장구한 세월이 흘러갔던가
파도처럼 옆으로
혹은 세대를 가리키는 지층의 단면처럼 억세고도 아름다운 색깔—

누구 한 사람의 입김이 아니라
모든 가족의 입김이 합치어진 것
그것은 저 넓은 문창호의 수많은
틈 사이로 흘러들어오는 겨울바람보다도 나의 눈을 밝게 한다.

조용하고 늠름한 불빛 아래
가족들이 저마다 떠드는 소리도
귀에 거슬리지 않는 것은

내가 그들에게 전령(全靈)을 맡긴 탓에
내가 지금 순한 고개를 숙이고
온 마음을 다하여 즐기고 있는 서책은
위대한 고대 조각의 사진

그렇지만
구차한 나의 머리에
성스러운 향수(鄕愁)와 우주의 위대감을 담아주는 삽시간의 자극을
나의 가족들의 기미 많은 얼굴에 비하여 보아서는 아니 될 것이다

제각각 자기 생각에 빠져 있으면서
그래도 조금이나 부자연한 곳이 없는
이 가족의 조화와 통일을
나는 무엇이라고 불러야 할 것이냐

차라리 위대한 것을 바라지 말았으면
유순한 가족들이 모여서
죄 없는 말을 주고받는
좁아도 좋고 넓어도 좋은 방안에서
나의 위대한 소재(所在)를 생각하고 더듬어보고 짚어보지 않았으면

거칠기 짝이 없는 우리 집안의
한없이 순하고 아득한 바람과 물결 —
이것이 사랑이냐
낡아도 좋은 것은 사랑뿐이냐

—김수영, 「나의 가족」 전문

"고색이 창연한 우리집"에 부는 "신선한 기운"의 "물결과 바람", 이것은 분명 김수영이 이 새로운 변화를 긍정적으로 의식하고 있음을 말

해준다. 그것은 가족들이 "겨울바람보다도" 그의 "눈을 밝게" 해주기도 한다. 가족들에게 "전령을 맡"긴 아버지, 그런 탓에 "떠드는 소리"마저도 "귀에 거슬리지 않"는 아버지, '나'는 더 이상 '사진 속 아버지'처럼 가족 위에 군림하는 입법자로서의 아버지가 아니다. 이제 '나'는 서로 입김을 합치며 웃고 떠들고 "조화와 통일"을 이루며 살아가는 "유순한 가족"의 모습을 "사랑"의 시선으로 바라다본다.

그렇다면 무엇이 문제인가? "차라리"와 같은 부사나 "말았으면" 혹은 "않았으면"과 같은 연결어미에서 묻어나는 아쉬움과 안타까움은 무엇을 말하는가? '나'는 왜 "이 가족의 조화와 통일을" 감히 "사랑"이라고 부르지 못하는가? 그 이유는 내면 깊숙이 담아두고 있는, "차라리" "바라지 말았으면" "생각하고 더듬고 짚어보지 않았으면" 좋을 "위대한 소재(所在)"에 대한 갈망 때문이다. 위의 시에서 그것은 구체적으로 드러나진 않지만, "온 마음을 다해 즐기고 있는" 그것이 "서책"임을 감안할 때 그가 지향하는 정신적 가치와 관련되어 있음을 짐작하기란 어렵지 않다. 더욱이 "위대한 고대 조각 사진"과 같은 그것은 하루를 살아가기 위해 "아침이면 눈을 부비고 나가서 / 저녁에 들어올 때마다 / 먼지처럼 인색하게 묻혀가지고 들어오는 것", 한없이 순해 보이지만 "거칠기 짝이 없는 우리 집안"의 모습과는 전면적으로 다른 차원에 있다. 이렇게 볼 때, 위의 시에서 '나'는 겉으로 보기엔 가족들을 사랑의 시선으로 포용하는 것처럼 보이지만, 자신이 지향하는 정신적 가치와의 괴리로 인해 아버지의 자리를 흔쾌히 수용하지 못하고 있다. 가족이라는 현실을 수용해야만 하는 아버지라는 위치와 내면으로 지향하는 정신적 가치 사이에서 '나'는 심각한 내적 갈등을 겪고 있는 것이다.

그렇다면 김수영에게 아버지의 역할이란 어떤 의미인가? 그는 왜 자신에게 주어진 아버지의 위치를 흔쾌히 수용하지 못하는가? 그것은 그가 지향하는 "위대한" 정신적 가치와 어떻게 다른가? 이에 대해서는 다음의 글을 통해 확인이 가능하다.

> 그런데 이런 집에도 양계를 하니까 돈이 있는 줄 알고 또 얼마 전에는 도둑까지 들었습니다. (중략) 「당신 뭐요?」하고 나는 위세를 보이느라고 소리를 버럭 질렀지만 나는 도무지 실감이 나지 않았습니다. 도둑의 얼굴이 너무 온순하고 너무 맥이 풀려 있었기 때문입니다. 그는 아무 말이 없습니다. 「여보, 당신 어디 사는 사람이오? 이 밤중에 남의 집엔 무엇하러 들어왔소?」 말이 없습니다. 「닭 훔치러 들어왔소?」 말이 없습니다. 여편네가 고반소에 신고해야겠다고 소리를 지릅니다. 그래도 말이 없습니다. 나는 버럭 무서운 생각이 들어서 흉기라도 가지고 있는 것이 아닌가 하고 아래위를 훑어보았으나 그런 기색도 없습니다. 나는 나도 모르게 「이거 보세요, 이런 야밤에……」하고 존댓말을 썼습니다. (중략)
>
> <어디로 나가는 겁니까?> 나는 도둑의 이 말이 무슨 상징적인 의미같이 생각되어서 아직까지도 귀에 선하고, 기가 막히고도 우스운 생각이 듭니다. 도둑은 철조망을 넘어왔던 것입니다. <어디로 나가는 겁니까?> 이 말은 사람이 보지 않을 제는 거리낌없이 넘어왔지만 사람이 보는 앞에서 다시 넘어나가기는 겸연쩍다는 말이었을 것입니다. 구태여 갖다 붙이자면 내가 양계를 집어치우지 못하는 이유도 마찬가지라고 생각합니다. 장면을 바꾸어, 도둑은 나고 나는 만용이입니다. 철조망을 넘어온 나는 만용이에게 <백번 죽여주십쇼, 백번 죽여주십쇼>하고 노상 손이 발이 되도록 빌면서 <어디로 나가는 겁니까? 어디로 나가는 겁니까?>하고 떼를 쓰고 있는지도 모릅니다.[5]

위의 글에 따르면, 김수영에게 아버지의 역할이란 '생활'과 밀접하게

5) 김수영, 「양계 변명」, 『김수영 전집2_산문』, 민음사, 2003, 62~64쪽.

연관된 것으로 보인다. 그가 생활의 문제에 얼마나 민감하였는지, 그것을 수용해야 한다는 문제에 대해 얼마나 갈등해왔는지는 그의 여러 에세이를 통해 얼마든지 확인할 수 있다. 위의 글에 따르면, "생활"이란 아버지에게 새롭게 요구되는 의무이다. 하지만 그것은 가족의 생계를 위해서라면 "거리낌없이" 남의 집 "철조망"을 넘어야 하는 것이기도 하다. 만약 그런 도둑이 되고 싶지 않다면 어떻게 해야 할까? 무엇을 꿈꾸고 있든 관계없이 잠자코 "양계"(생활)에 집중할 것, "양계를 집어치우"는 순간 '나' 역시도 "온순"한 얼굴의 "도둑"이 될 수 있음을 잊지 말 것. 그리고 누군가가 내 집 철조망을 넘었다면, 가족을 위해 그의 사정 따위엔 귀 기울일 필요 없이 즉각 "고반소"에 신고할 것, 이것이 바로 "생활"이라는 이름으로 가장에게 새롭게 요구되는 의무이자 "사랑"인 것이다. 그토록 아버지의 시선을 두려워했던, 따라서 그 누구보다 새로운 변화를 바랐던 김수영이 결국 "이것이 사랑이냐 / 낡아도 좋은 것은 사랑뿐이냐"라고 진술한 것은 이런 맥락에서 이해할 수 있다.

> 먼 산정에 서 있는 마음으로 나의 자식과 나의 아내와
> 그 주위에 놓인 잡스러운 물건을 본다
>
> 그리고
> 나는 이미 정하여진 물체만을 보기로 결심하고 있는데
> 만약에 또 어느 나의 친구가 와서 나의 꿈을 깨워주고
> 나의 그릇됨을 꾸짖어주어도 좋다.
>
> (중략)
>
> 방 두 칸과 마루 한 칸과 말숙한 부엌과 애처로운 처를 거느리고

외양간만이라도 남과 같이 살아간다는 것이 이다지도 쑥스러울 수가 있을까

시를 배반하고 사는 마음이여
자기의 나체를 더듬어보고 살펴볼 수 없는 시인처럼 비참한 사람이 또 어디 있을까
거리에 나와서 집을 보고 집에 앉아서 거리를 그리던 어리석음도 이제는 모두 사라졌나 보다
날아간 제비와 같이

날아간 제비와 같이 자국도 꿈도 없이
어디로인지 알 수 없으나
어디로이든 가야 할 반역의 정신

나는 지금 산정에 있다—
시를 반역한 죄로
이 메마른 산정에서 오랫동안 꿈도 없이 바라보아야 할 구름
그리고 그 구름의 파수병인 나

—김수영, 「구름의 파수병」 부분

그런가 하면, 「구름의 파수병」은 김수영이 왜 그토록 자신에게 주어진 아버지의 역할을 수용하면서도 경계하고 또 비판해왔는지는 보다 분명하게 보여준다. 이 시에서도 역시 자신이 지향하는 정신적 가치를 포기하고 가족이라는 현실을 수용하면서 살아가야 하는 한 아버지의 쓸쓸한 내면 풍경이 잘 나타나 있는데, 여기에서 그는 그러한 생활인으로서의 소시민적 삶을 "시와는 반역된 생활"이라고 자조한다. 그 이유는 시인이란 일상의 "낡아빠진 생활"을 버리고 "자기의 나체를 더듬어 살펴볼 수" 있어야 하기 때문이다. 비록 조금 "어리석"어 보일지라도,

"거리에 나와서"는 "집을 보고" "집에 앉아서"는 "거리를 그리"듯, 지금의 나로부터 멀리 떨어져 자기 존재의 본 모습을 반성할 수 있는 삶, 그것이 올바른 시인의 삶이라고 생각하기 때문이다. 따라서 "애처로운 처를 거느리고 / 외양만이라도 남과같이 살아"가야 한다고 다짐해 보지만, "이미 정하여진 물체만을 보기로 결심"한 이상 그럴 듯하게 가장의 역할을 수행해 보려 하지만, 시를 버렸다는 죄의식까지는 떨쳐버리지 못한다. 이런 욕망은 항상 내면 깊숙한 곳에 자리하고 있는 '시'라는 정신적 가치와 배리를 이룬다. 위 시의 제목 역시 그런 의미를 압축적으로 보여주고 있는데, "먼 산정에 서 있는 마음을 나의 자식과 나의 아내와 / 그 주위에 놓인 잡스러운 물건을" 보고 있는 자신의 모습을, "시를 반역한 죄"로 "먼 산정"에 유배되어 하릴없이 구름이나 지키는 파수병에 비유하고 있는 것이다.

이렇듯 전후 김수영 시의 가족서사에서는 아버지로서 가족이라는 현실과 자신이 지향하는 정신적 가치 사이에서 갈등하는 시인의 정신적 번뇌를 엿볼 수 있다. 그는 오이디푸스적 억압을 상징하는 아버지, 즉 가족 위에 군림하는 입법자로서의 아버지가 되기를 거부한다. 하지만 그렇다고 가족을 사랑으로 감싸 안는 울타리로서의 아버지, 가장으로서의 윤리적 책임을 전면적으로 수행하는 아버지의 모습을 보여주지도 못한다. 그런 '사랑'이야말로 그가 가장 경계했던 소시민적 삶이자 "시를 반역한 생활"이기 때문이다. 그런 까닭에 김수영에게 있어서 가족이란 어쩔 수 없이 받아들여야 하는 것이었으며, 그들에 대한 인정과 수용이 자발적으로 이루어질 수 없었던 것이다.

하지만 살펴보았듯이, 이에 대한 근본적인 원인은 김수영이 '생활'이라는 말로 표현하고 있는 것, 다시 말해 한 가족의 가장인 '아버지'에게 국가라는 아버지가 요구하는 새로운 삶의 방식에 있다. 그것은 가족주의 이데올로기를 통해 교묘하게 가족을 통제하고 관리하는 근대 파시즘 체제에서 드러난다. 주지하다시피 가족주의 이데올로기란 가족을 근대적 국가체계의 한 구성요소로 간주하고, 근대적 국가체계 내부에서 발생하는 억압의 기제를 가족공동체 내부로 이식한다. 그리고 그 정점에 한 가족의 가장인 '아버지'를 위치시킨다. 가장은 '국가'라는 아버지(國父)를 대신해 가족을 지배·관리할 수 있는 권력을 부여받는 대신, 국가가 책임져야 할 가족 구성원 개인들에 대한 책임 또한 부여받게 된다. 이때 근대적 국가체제의 폭력성은 비로소 억압적인 실체를 숨길 수 있게 된다. 즉 근대사회에서의 가족주의란 가족을 사회와 국가보다 우선적인 지위에 놓는 것이 아니라 국가 체제의 효율적인 작동을 위해 '아버지'라는 이름 내세운 새로운 이데올로기인 것이다.

이렇게 볼 때, 비록 적극적인 비판이나 저항을 보여주지는 못하였지만, 김수영의 전후시에 나타난 가족서사는 끝내 '아버지가 된다는 것'을 전면적으로 수용하지 못하는 무기력하고 불완전한 가장의 이중적 태도를 통해 근대사회의 가족주의 이데올로기를 우회적으로 비판하려는 성찰적 기획과 관련된 것으로 보인다.[6] 이러한 태도는 4·19 이후보다 적극적으로 변모하는데, 이처럼 마지막까지 그가 국가가 요구하는

6) 김수영의 시에서 가족서사는 전후시뿐만 아니라 그 이후의 시에서도 자주 등장한다. 이후의 시들에서는 주로 '아내'라는 존재가 전면적으로 부각 되는데, 이때 아내는 생활력이 강하고 이기적인 인물로서 일상의 일에 무능한 가장과 끊임없이 갈등을 일으키는 인물로 그려진다. 하지만 이 갈등은 아내와의 싸움을 통해 일상적인 현실에 대한 저항을 표현하는 의도라고 할 수 있다. 즉 아내는 일상의 삶, 이를 강요하는 사회적 억압에 대한 비유인 것. 이에 대해서는 「아내와 가족, 내 안의 적과의 싸움」(문혜원, 『작가연구』5, 1998)과 「타자 긍정을 통해 '사랑'에 이르는 도정」(유성호, 『작가연구』5, 1998)을 참조할 것.

삶의 방식에 대해 비판적인 거리를 유지하면서 나아가 보다 직접적인 현실비판의 목소리를 낼 수 있었던 것은[7] 이러한 자기반성의 시간이 있었기에 가능했을 것이다.

2) 전통적 가부장의 부활과 아버지 부정

전후시에서 아버지에 대한 부정이 늘 아버지 되기를 거부하는 방식으로만 그려지는 것은 아니다. 아버지에 대한 부정은 오히려 '아버지 되기'를 통해 표출되기도 한다. 서정주과 김관식을 비롯한 전통주의 계열의 시인들이 이런 경우에 속하는데, 그들은 근대적 국가체제의 폭력에 맞서는 방법으로, 오히려 스스로 가족공동체의 재건을 도모하고 그 가족공동체의 '아버지 되기'를 열망했다. 문제는 그곳이 현실로부터 한 걸음 벗어난 '자연', 그것도 '동양적' 이상향으로서의 '자연'이라는 점이다.

> 하여간 이 한나도 서러울 것이 없는 것들옆에서, 또 이것들을 서러워하는 微物 하나도 없는곳에서, 우리는 서뿔리 우리 어린것들에게 서름같은 걸 가르치지 말 일이다. 저것들을 축복하는 때까지의 어느것, 비비새의 어느 것, 벌 나비의 어느 것, 또는 저것들의 꽃봉오리와 꽃숭어리의 어느 것에 대체 우리가 행용 나즉히 서로 주고받는 슬픔이란 것이 깃들이어 있단 말인가.

7) 4·19 직후에 발표된 「우선 그놈의 사진을 떼어서 밑씻개로 하자」는 그 대표적인 경우이다. 이 작품의 소재는 4·19 이전까지 국부(國父)로 군림하던 절대 권력자의 사진이다. 가부장적 억압의 상징인 "그놈의 미소하는 사진을 그것이 붙어 있는" 방방곡곡에서 "이제야말로 아무 두려움 없이" 떼어내서 "조용히 개울창에 넣"거나 밑씻개로 쓰자는 표현은 김수영이 '가족'을 어떻게 국가에 대한 비판 담론으로 활용하는지를 잘 보여준다.

> 이것들의 초밤에의 完全歸巢가 끝난 뒤, 어둠이 우리와 우리 어린 것들과 山과 냇물을 까마득히 덮을때가 되거든, 우리는 차라리 우리 어린 것들에게 제일 가까운 곳의 별을 가르쳐 뵈일 일이요, 제일 오래인 鐘소리를 들릴 일이다.
>
> ─서정주, 「上里果園」 부분

자연을 서양과 동양으로 구분하게 된 것은 근대 이후의 일이다. 근대 이후 자연을 대상화하고 '유기체'가 아니라 '기계'로 취급[8)]하게 되면서, 자연과의 합일이나 근원적인 동일성을 잃어버린 근대적 내면은 그 낯선 자연 앞에서 분열과 상실을 경험하게 된다. 이러한 자연관의 변화는 한국시에 있어서 자연에 대한 양면적인 태도를 가져왔는데, 자연을 객체로 바라보고 그 즉물성을 강화시키려는 근대적 태도와, 자연과의 단절을 극복하기 위해 서정적 동일성을 추구하는 반근대적 태도가 공존하게 된 것이다. 자연을 객관적인 대상으로 바라보는 전자가 서양의 자연관이라면, 동양의 자연관은 자연을 원리나 운동으로 이해하는 것, 즉 근대 이후 '동양적 자연'은 '인공', '세속', '현실' 등 인간적 가치의 상대적 개념으로 사용된다.

그런 점에서 서정주의 시 「上里果園」은 동양적 자연에로의 귀의를 통해 전쟁과 같이 근대적 국가체제의 강요하는 죽음과 폭력에 맞서 영원한 삶의 비전을 확보하고자 했던 전후 전통주의 시인들의 정신적 경향을 잘 보여준다. 특히 이제 더 이상 "우리 어린 것들에게 서름같은" 것을 가르치지 말아야 한다는 시인의 진술은 전후 전통주의 시의 가족서사가 지향하는 바를 핵심적으로 보여준다. 자연이라는 거대한 생명에

---

8) R.G.콜링우드, 『자연이라는 개념』, 유원기 옮김, 이제이북스, 2004, 142~144쪽 참조.

는, 그리고 그 자연의 유기체적 질서를 닮은 가족공동체의 내부에는 더 이상 전쟁과 같은 근대적 국가체제의 폭력과 상흔이 개입할 수 없다. 설령 들어왔다 하더라도, 자연은 놀라운 생명력과 치유력으로 그 폭력과 상흔마저 감싸 안을 수 있다. 따라서 “우리의 어린 것들”은 “서름”을 모른 채 자랄 수 있다. “서름” 대신 “제일 가까운 곳의 별”과 “제일 오래된 鍾소리를” 보고 듣게 해주어야 한다는 것, 자연 속에 어떤 “슬픔이란 것”도 깃들 수 없는 것처럼 “우리의 어린 것들”에게 어떤 슬픔도 깃들 수 없는 가족공동체를 도모하는 것, 이것이야말로 전후 전통주의 시인들이 지향하는 바였다. 즉 시인은 동양적 자연과 그 질서 속에 가족을 위치시킴으로써 폭력적인 아버지인 근대적 국가체제로부터 가족공동체를 지켜내려는 ‘아버지 되기’ 욕망을 보여주고 있는 것이다.

> 가난이야 한낱 襤褸에 지나지 않는다
> 저 눈부신 햇빛 속에 갈매빛의 등성이를 드러내고 서 있는 여름산 같은
> 우리들의 타고난 살결 타고난 마음까지야 다 가릴 수 있으랴.
>
> 靑山이 그 무릎 아래 芝蘭을 기르듯
> 우리는 우리 새끼들을 기를 수밖에 없다.
>
> 목숨이 가다가다 농울쳐 휘여드는
> 오후의 때가 오거든
> 내외들이여 그대들도
> 더러는 앉고
> 더러는 차라리 그 곁에 누워라.
>
> 지어미는 지애비를 물끄러미 우러러 보고
> 지애비는 지어미의 이마라도 짚어라.

> 어느 가시덤불 쑥구렁에 뇌일지라도
> 우리는 늘 옥돌같이 호젓이 묻혔다고 생각할 일이요
> 靑苔라도 자욱이 끼일 일인 것이다.
>
> —서정주, 「無等을 보며」 전문

이러한 욕망은 다른 시 「無等을 보며」에서도 찾을 수 있다. 여기에서도 그는 "가난"으로 대변되는 전후의 참혹한 현실을 "靑山"으로 상징되는 '동양적' 자연에 기대어 극복하고자 한다. 그곳은 마치 "우리의 타고난 살결 타고난 마음씨"를 닮은, 즉 아직 경험적 시간이 머문 적 없이 "타고난" 그대로를 간직하고 있는 공간으로, 즉 시인은 그런 "무등"을 바라보며 우리의 가족도 "靑山이 그 무릎 아래 芝蘭을 기르듯" "지애비"와 "지어미", "내외"와 "새끼"들이 서로가 서로를 아끼고 보듬으며 "우러러 보"는 그런 사랑의 공동체이기를 꿈꾸고 있는 것이다.

그러나 김수영과는 달리, 전후 전통주의 시인들이 보여준 '아버지 되기' 열망은 그들이 보여준 아버지 되기의 열망은 국가가 요구하는 가족주의와 완전한 배리관계를 이루지는 못한다. 그보다는 국가체제와는 구분되는 사적인 영역으로서 '집'(가족)이라는 공간을 그들은 확보하고자 했다. 이와 관련해서는 전후 전통주의 시의 가족서사가 전후의 나라만들기 서사와 구조적 동일성을 가지고 있음에 주목할 필요가 있다. 전후의 잿더미 위에 나라를 다시 세우려면 그 첫출발로서 나라의 기초가 될 수 있는 가족들을 다시 불러 모아 가족공동체를 재구축해야 한다. 그러니까 가족공동체에 대한 욕망과 그들이 거주할 수 있는 '집'을 짓는 것에 대한 욕망은 나라를 재건하는 일에 대한 상징으로 해석될 수 있다. 전후 전통주의 시에 등장하는 '집짓기' 그리고 '아버지 되기'의 욕망이 근대적 국가체제에 대한 부정을 의미하면서도 비판으로까지 이어지지 못한 것은 바로 이 때문이다. 즉 김수영이 가족적 질서로부터 끊임없이 일탈을 꿈꾸었다면, 전후 전통주의 시인들은 오히려 아버지로서의 위치를 끊임없이 재확인하면서 온전한 가족공동체를 유지하는 것에만 관심을 기울인다. 그런 까닭에 전후 전통주의 시의 '아버지'들은 전통적 질서를 추구하며 가족구성원들을 수직적으로 위계화하는 전통적 가부장의 모습으로 등장하는데, 이는 전후의 정치체제가 가부장적 독재체제였다는 사실과도 무관하지 않다.

> 저녁 연기 피어오르는 저기 저 수풀 아래 그윽히 가라앉은 항아리 속 같은 곳에 그림처럼 펼쳐진 아조 옛스러운 마을이었다. 해는 늦게 떴다 일찌감치 떨어지고 하늘만 동그랗게 빤히 내다 보이는.
>
> 아들놈에겐 老子의 道德經과 莊子의 南華經, 그리고 염생이 뜯기기를 가르칠 일이요 어린 손주놈들은 시냇가에 나가 오리새끼들이나 데리고 놀게 하면 그만인 것이다.
>
> 뽕나무 밭이 있어, 아내의 누에 치기엔 걱정이 없고 祭祀축날이 돌아오면 며누리 손으로 지어 곱게 발다드미질한 명주 두루매기에 눈부신 동정을 달아 새로 갈아 입을란다.
>
> —「夢遊桃園圖」 부분

전후 전통주의 시인들 가운데 이와 같은 전통적인 가족주의에 가장 근접한 가족 모델을 보여준 시인은 김관식이다. 그의 시에서 '아버지'는 수직적으로 위계화된 가족 모델의 정점에 위치해 있다. 그러나 이 아버지는 가족 위에 군림하는 아버지가 아니다. 이 아버지가 꿈꾸는 삶이란, 동양적 이상향인 "무릉도원"을 닮은 "그윽히 가라앉은 항아리 속

같은 곳에 그림처럼 펼쳐진 아조 옛스러운 마을"에서 가축이나 기르고 조그마한 "뽕나무 밭"이나 가꾸면서, "祭祀날이면" "며누리"가 지어준 새 옷을 입는 재미에 만족할 줄 아는, 소위 "老子의 道德經"과 "莊子의 南華經"으로 대변되는 '무욕의 삶'이다. "隱僻한 산골짝에 없는 듯이 파묻혀" "가난한 食率들을 거느리고" 사는 볼품없는 "시골 살림살이"지만, "연연히 짙어오는 新綠과 같이 타고난 목숨을 티없이 조촐히 기른다는 것"이 또한 "즐겁고 또 빛나는" 그런 무위자연의 삶이다.(「養生銘」) 즉 '타자의 타자성'[9]을 인정하는 아버지, 가족구성원들이 서로 조화를 이루는 이상적 공동체의 대표자, 이런 아버지가 바로 전후 전통주의 시인들이 꿈꾸는 아버지인 것이다. 그런 의미에서 전후 전통주의 시의 아버지는 가족의 희생 위에서 자신의 욕망만을 추구하는 억압적인 가부장이 아니다. 그리고 이 아버지를 중심으로 구성된 가족공동체 역시, 비록 그 모습이 시대착오적이라고 할지라도, 기존의 전통적 가족 모델과는 구분된다.

살펴본 바와 같이, 전후 전통주의 시인들은 근대적 사회 체계의 외부, 즉 근대적 시간성에서 벗어난 탈시간적 지평위에 거주 공간을 마련하고 그곳에서 전통적인 형태의 가족을 재구축하려 했다. 그런 이유로 이들은 현실의 사회성을 망각하고 심미적 세계로 도피했다는 비판으로부터 자유롭지 못했다. 그러나 "서정시는 모든 개개인이 그 스스로에

---

9) 레비나스에게서 타자의 타자성은 타자의 다름, 타자성, 이질성에 관한 물음으로 간주된다. 즉 나와는 비교할 수 없는 절대 외재성으로 규정되는데, 타자와 진정한 윤리적 관계를 형성하기 위해서는 타자를 주체 내부에 있는 또 다른 자아로서 인정할 수 있어야 한다. 이러한 윤리적 관계는 근대적 주체와 타자 사이에 존재하는 비대칭성과 불평등에서 벗어나 인간의 보편적 결속을 가능하게 한다. 이에 대해서는 E. 레비나스, 강영안 역, 『시간과 타자』, 문예출판사, 1996, 134~148쪽 참조.

대해 절대적이며, 낯설고, 매몰차고, 압제적인 것으로 느끼는 사회적 상황에 대한 항의를 포함하고"[10] 있다고 한 아도르노의 말을 상기해보면, 전후 전통주의 시를 단순히 탈현실이나 이념의 공백으로만 파악하는 것은 일면적인 판단일 수 있다. 오히려 현실로부터 멀어질수록 불화의 순간을 그 안에 더 많이 내포하고 있는지도 모른다. 특히 그들이 꿈꾸었던 자연이 반근대적 의미로서의 '동양적' 자연이라는 점은 그들이 보여준 아버지 되기 열망이 단순한 전통적인 가족주의로의 퇴행이 아닌 근대 국가체제에 대한 부정과 저항의 의미를 지니고 있음을 말해준다. 또한 그들은 현실 세계의 질서에서 벗어나 상대적 독립성을 유지하면서도 전통적 질서에 따라 수직적으로 위계화된 가족 모델을 꿈꾸었다. 그러나 기존의 가부장과는 달리 타자의 타자성을 인정하는, 가족구성원들이 서로 원만한 질서를 유지하고 조화를 이룰 수 있는 그런 가족의 대표자이기를 욕망했다. 그런 점에서 전후 전통주의 시의 가족은 기존의 전통적 가족 모델과도 구분된다. 그것은 오히려 근대를 반영하면서도 극복하려는 이중적 의지가 반영된 것으로 판단된다.

3) 새로운 아버지에 대한 열망과 '모성성'

가족서사는 필연적으로 아버지를 정점으로 형성되는 가족공동체 내부의 권력과 갈등 관계를 드러내기 마련이다. 김수영이나 전후 전통주의 시인들이 '아버지가 된다는 것'의 문제를 중점적으로 드러낸 이유도 바로 이 때문이다. 그러나 전후 시인들 가운데는 그것과는 전혀 다른

10) T.W.아도르노, 김주연 옮김, 『아도르노의 문학이론』, 민음사, 1985, 14쪽.

방향에서 새로운 아버지와 가족공동체를 모색한 시인들도 있다. 이들은 가족서사의 중심에 아버지가 아닌 여성, 즉 어머니나 누이와 같은 '모성적'인 존재로 표상되는 여성을 위치시킨다. 만약 이처럼 가족공동체로부터 아버지의 존재를 지워버릴 수 있다면 어떨까? 사정은 급격하게 달라질 것이다. 이는 소위 아버지로 대리 표상되는 국가체제의 권력과 이데올로기의 지평이 더 이상 가족공동체 내에서 작동할 수 없음을 뜻한다. 그런 까닭에 이 새로운 가족공동체에서 가족구성원들은 서로가 서로에게 평등한 존재가 되고, 더욱 더 친밀한 가족적 유대감을 형성할 수 있다. 무엇보다 이 여성들은 아버지의 위치에 서 있음에도 자신이 이 세계의 중심이라고 주장하지 않는다. 오히려 이들은 체제의 폭력 때문에 신음하는 '아이'[11]들을 감싸 안아준다는 점에서 오이디푸스적 억압의 주체인 아버지와 절대적으로 구별되는 존재들이다.

> 전쟁과 희생과 희망으로 하여 열리어진
> 좁은 구호의 여의치 못한 직분으로서 집없는 아기들의 보모로서 어두워지는 어린 마음들을 보살펴 메꾸어 주기 위해
> 역겨움을 모르는 생활인이었읍니다.
>
> 그 여인이 쉬일 때이면
> 자비와 현명으로써 가슴 속에 물들이는
> 뜨개질이었읍니다.
>
> 그 여인의 속눈썹 그늘은

11) '아이들'은 김종삼 시의 또 다른 주요 소재로서, 시에서는 주로 '병'들거나(「개똥이」), '죽'거나 곧 '죽을'(「민간인」, 「그리운 안니・로・리」) 아이들로 그려진다. 이것은 아이들의 순수함, 즉 아이들의 '죄없음'을 통해 아버지의 폭력성을 드러내고 그에 대한 죄의식을 느끼도록 하기 위함이다.

포근히 내리는 눈송이의 색채이고
이 우주의 모든 신비의 빛이었읍니다.

그 여인의 손은 이그러져 가기 쉬운
세태를 어루만져 주는
친엄마의 마음이고 때로는 어린 양떼들의 무심한 언저리의 흐름이었읍니다.

그 여인의 눈 속에 가라 앉은 지혜는
이 세기 넓은 뜰에 연약하게나마 부감된 자리에 비치는 어진 광명이었습니다.

그 여인의 시야는 그 어느 때이고
선량한 생애에 얽히어졌다가 죽어간 사람들 사이에 세워진 아취의 고요이고 아름다운 꿈을 지녔던 그림자입니다.

—김종삼, 「여인」 전문

특히 김종삼은 시작 활동 내내 여성성 혹은 모성성에 강한 집착을 보여준 전후 시인으로, 그의 시에서는 이런 '모성적 존재'들과 자주 마주치게 된다. 위 시의 "여인" 또한 "집없는 아이들이 보모"의 임무를 성실하게 수행하는 인물이다. 이 "여인"은 아버지라는 중심이 사라진 그 권력의 빈 지대에서 "집없는 아이들"이 뛰놀 수 있는 "넓은 뜰"이 되어 준다. 하지만 이 "여인"이 친엄마는 아니다. 그럼에도 불구하고 "친엄마의 마음"으로 보살핀다는 것은 이것이 단순한 의무감이나 생활을 위한 것이 아님을 말해준다. 오히려 진심에 우러나온 '희생'이자 '사랑'에 가깝다. 이 "여인"이 "이 세기의 넓은 뜰", 참혹한 전화 속에 "비치는 어진 광명"으로 그려지는 것은 바로 이 때문이다. 즉 시인은 이런 희생적인 여인을 통해 전쟁이 넓은 의미의 가족이기주의의 비극적 사례임을 비판함과 동시에 이를 넘어서는 보다 넓은 의미의 인류애적 '참사랑'의 실천을 역설하고 있는 것이다.

나는
밋숀 병원의 圓柱처럼
주님이 꽃 피우신 울타리

지금 너희들 가난하게
생긴 아기들의 많은
어머니들에게도 그랬거니와
柔弱하고도 아름다웁기 그지 없음은 짓밟혀 갔다고 하지만

지혜처럼 사랑의
먼지로서 말끔하게 가꾸어진
자그마하고도 거룩한
생애를 가진 이도 있다고 하잔다.

오늘에도 가엾은
많은 赤十字의 아들이며 딸들에게도 그지없는 恩寵이 내리면
서운하고도 따시로움의 사랑을 나는 무엇인가를 미처 모른다고 하여 두잔다

제 각기 色彩를 기대리고 있는 새 싹이 마무는 봄이 오고 너희들의 부스럼도 아물게
되면
나는
미숀 병원의 늙은 간호부라고 하여 두잔다

—김종삼, 「마음의 울타리」 전문

이 외에도 김종삼 시에서 여인들은 다양하게 변주되어 등장한다. 그러나 다양한 모습과는 달리, 그들은 하나 같이 타자의 고통을 나의 고통으로 간주하고, 그들을 치유하여 영원한 안식과 생명을 주는 존재로 그려진다. 위의 시에서도 여인은 전쟁의 비극 속에서 "가난하게 / 생긴 아기들"을, "柔弱"하여 "아름다"움을 "짓밟혀"야만 했던 "가엾은" 아이들을, 마치 자신의 "아들이며 딸"인 것처럼 보살피는 "늙은 간호원"이다. "밋숀 병원", "주님", "거룩", "赤十字" 등 진한 종교적 색채를 띠고 있는 말들에서 짐작할 수 있듯이, 이러한 사랑의 실천, 타자의 고통을 치유함으로써 폭력적인 전쟁의 질서를 넘어서려는 의지는 그의 기독교적 윤리 의식에 바탕을 두고 있다.12) 하지만 굳이 종교적인 의미를 부여하지 않더라도, 이제 그만 '혈연'이라는 좁은 의미의 가족에서 벗어나, "밋숀 병원" 그 "주님이 꽃 피우신 울타리"처럼 보다 인류의 보편적인 가족애로까지 확산되기를, 이런 인류애적 참사랑의 지평으로 확대된 이 새로운 가족공동체에게 "그지없는 恩寵이 내리"기를 간구하고 있는 것이다.

이처럼 전후 김종삼 시의 가족서사는 '아버지의 문제'만을 강조하는 전후시의 일반적인 가족서사와는 전혀 다른 층위에서 작동된다는 점에서 주목할 필요가 있다. 김종삼은 가족서사의 중심에서 '아버지'를 삭제하는 반면, 그 삭제된 자리에 오히려 전쟁으로 인해 상처 입은 '아이'들을 사랑으로 감싸고 보살피는 '모성적 존재'들을 위치시킨다. 그런

12) 김종삼이 기독교적인 환경에서 성장했고, 한동안 신앙에서 멀어진 듯이 보였지만 말년에 회심하는 등 기독교와 전기적으로 밀접한 인연을 맺고 있었음은 주지의 사실이다. 그는 작품에서도 기독교적 심상을 매우 빈번하게 활용하고 있다. 이에 대해서는 졸고「김종삼 시의 기독교적 상상력」, 조선대학교 대학원 석사논문, 2006을 참조할 것.

까닭에 이 새로운 가족공동체에서 가족구성원들은 가장의 의지 아래 굴복할 필요 없이 서로가 서로에게 평등하고 친밀한 가족적 유대감을 형성한다. 무엇보다 모성적 존재로 표상되는 이 '여인'들은 "친엄마의 마음"으로 "집없는 아이들"을 자신의 자식으로 받아들임으로써 인류의 보편적인 사랑을 실천함과 동시에 '혈연'이라는 좁은 의미의 울타리를 벗어나 인류애적 사랑의 지평으로 확대된 보다 넓은 의미의 새로운 가족공동체를 열망했다. 이는 편협한 가족이기주의가 세계를 비극에 빠트렸다는 인식, 전쟁이야말로 이런 가족이기주의가 낳은 가장 비극적인 결말이라는 인식에서 비롯된 것으로, 그런 점에서 이는 가족주의 이데올로기를 통해 가족을 통제하고 관리하는 근대적 국가체계의 폭력에 대한 비판적 담론으로 이해할 수 있다.

3. 전후시의 가족서사와 가족로망스적 의미

이 글은 가족로망스에 대한 그간의 연구들이 특정 장르에 집중되어 온 점에 주목하고, 한국 전후시의 가족서사를 가족로망스의 시각에서 살펴보고자 하였다. 이를 위해 이 글은 가족로망스의 조건, 즉 '아버지와 아들의 갈등 구조'와 갈등 극복을 위한 방법으로서 '새 아버지 찾기'가 전후시에서 어떻게 성립될 수 있는지를 집중적으로 검토해 보았다. 전후시에서 그것은 억압적인 아버지로 대리 표상되는 근대적 국가체제에 대한 비판과 새로운 이상적 가족공동체에 대한 열망으로 드러나는데, 이렇게 볼 때 한국 전후시의 가족서사는 아버지(국가체제)와 아들(아버지) 간의 역학 관계를 중심으로 구성되는 가족로망스로 규정할 수 있으며, 시적 주체의 태도 또한 현실의 아버지를 부정하고 새로운 상상의 아버지를 호명하고 구성하는 것으로 이해할 수 있다.

먼저 전후 김수영 시에는 새로운 아버지가 등장한다. 자신을 응시하는 아버지의 시선을 오이디푸스적 억압으로 간주하면서 그 시선으로부터 벗어나기 위해 몸부림치던 김수영의 시적 주체는 전후의 현실 앞에서 자신이 아버지가 되어야 한다는 현실, 혹은 '아버지'(가장)의 책무를 다해야 한다는 현실 속에서 괴로워한다. 그는 자신에게 강요되는 책무를 성실하게 수행하려 하지만, 생활의 이름으로 강요되는 아버지의 지위에 대해 끊임없이 회의한다. 그것은 근대사회가 강요하는 생활의 질서와 가족주의 이데올로기의 허구성에 대한 비판과 성찰의 의미를 지닌다.

한편 서정주나 김관식과 같은 전후 전통주의 시인들이 그려내는 아버지는 전통적인 가부장의 모습을 하고 있다. 그들은 한결같이 현실과 분리되어 있는 이상적인 자연세계, 특히 '동양적'인 자연 속에 가족공동체를 구축하고자 한다. '동양적 자연'은 서양의 자연과는 달리 '인공', '세속', '현실' 등 인간적 가치의 상대적 개념으로서, 이들이 동양적 자연 속에 가족공동체를 구축하고자 하였다는 것은 곧 폭력적인 아버지인 근대적 국가체제에 맞서 가족공동체를 지켜내려는 '아버지 되기' 욕망으로 이해할 수 있다. 뿐만 아니라 전후 전통주의 시인들의 반근대적 태도는 그들이 그려내는 가부장의 모습에서도 읽어낼 수 있는데, 그들은 자신이 직접 온전한 가족공동체의 질서를 주관하는 가부장으로 등장하지만 그들은 기존의 가부장과는 달리 타자의 타자성을 인정하는, 가족구성원들이 서로 원만한 질서를 유지하고 조화를 이룰 수 있는 그런 가족의 대표자이다. 그런 점에서 전후 전통주의 시의 가족은 기존의 전통적 가족 모델과도 구분된다. 그것은 오히려 근대를 반영하면서도 극복하려는 이중적 의지가 반영된 것으로 판단된다.

반면 김종삼과 같이 아버지의 소거를 통해서 가족구성원간의 보편적 결속을 그려내는 경우도 있다. 김종삼이 그려내는 어머니 아닌 어머니, 아버지 아닌 아버지는 혈연중심적인 가족관에서 벗어나 있다. 그는 집요하게, 분단과 전쟁이 빚어낸 상처를 고발하고 있는데, 이 과정에서 버림받은 아이나 죽어 가는 아이를 등장시키고 있다. 이 아이에 대한 보호자의 역할을 자임하는 것, 타자의 고통을 나의 고통으로 간주하고 새로운 가족으로 수용함으로써 인류적 사랑을 실천하는 것, 이것이 김종삼의 가족서사가 보여주는 새로운 양상이다. 인간의 보편적 유대와 결속이란 근대적 체계가 개인의 실존에 강요한 폭력성에 대한 가장 적극적인 대응 방식이라 할 수 있다.

유동하는 경계에서 '주체 되기'

김남천의 소설 〈길우에서〉, 〈제퇴선〉과 김영하의 〈전태일과 쇼걸〉, 〈도드리〉를 중심으로

김 보 광

1. 서론

특정한 문학사적 위기마다 우리는 기존 체제의 질서가 붕괴되는 상황에 직면하는 것을 보게 되는데, 이러한 질서의 붕괴는 개인이 속한 체제의 모든 도덕적 기반을 낯설게 만든다. 말하자면, 기존 체제에서 새로운 체제로의 이행 과정 중 어떤 틈이 생겨난다. 이 틈은 과도기 혹은 전환기라 부를 수 있는 공간으로서의 틈이다. 이 틈 사이에서 개인들은 심각한 주체적 위기를 맞는다. 그도 그럴 것이 체제 내에서 여태껏 개인들을 뒷받침 해오던 특권적인 이데올로기들이 사실상 아무런 효력이 없는 상태로 전락해 버리기 때문이다. 이 틈 사이에서 개인들은 새로운 체제로의 편입에 별 다른 고민 없이 탑승하는 반면 이 위기를 위기로서 인식하고 새로운 주체를 재정립하기 위하여 고군분투하는 개인들도 생겨난다.

전환기가 개인들에게 혼란만을 야기하는 공간은 아니다. 전환기는 개인들로 하여금 기존 체제가 지닌 모순을 파악하게 하고, 윤리적 성찰을 가능케 하며 개인 스스로 새로운 주체를 정립할 수 있도록 이끄는 공간이 되기도 한다. 여기에서는 도덕이 아닌 개인의 윤리가 문제시 된다. 이 글은 먼저 이 윤리가 문제시 되는 주체적 위기의 순간을 주목한다. 그러한 맥락에서 30년대 카프 해산 후 전시체제기로 접어드는 상황과 1987년 소비에트 동구권 몰락 후 소비 자본주의 사회로 편입 과정 중 그 사이에 위치한 개인들은 주체적 위기의 유사한 정신적 상황을 경험하게 된다. 그것은 그들을 둘러싼 거대서사의 붕괴로부터 기인된 것이라 할 수 있다.

먼저 1930년대 후반 내·외부적인 요인들에 의해 카프가 해산하고 전시체제기에 들어서면서 상황은 급격하게 돌변하기 시작한다. 당시 '카프' 에 몸을 담고 있던 지식인들은 자신들이 굳게 믿고 있던 사회주의 이념 체계가 송두리째 흔들리는 것을 경험하게 된다. 이들의 향 후 태도는 여러 모양으로 나타나는 데 기존의 이념 체계를 고수하며, 세계와의 총체성을 끝까지 지향하는 집단이 있는 가하면, 이 기회를 틈 타 '전향'으로 그 노선을 달리하는 지식인 집단, 그리고 새로운 조선의 현실을 인식하며 특수한 조선의 현실적 정황 속에서 문제 해결을 모색하려고 시도하는 지식인 집단 등이 있는 것으로 보인다.

한편 1987년 소비에트 동구권의 몰락과 함께 87년 체제를 이끈 변혁운동 집단역시 마찬가지로 심각한 혼란을 맞는다. 그들을 묶어주던 '우리'라는 연대의식은 사회적 공동체의 해산 이후 산산조각이 났고 운동권은 소비자본주의의 체제 아래로 빠르게 포섭되어갔다. 그 이후 문학에서는 후일담류의 소설이 대거 등장하기 시작하였는데, 대체로 사회를 환멸 하는 방식과 승인하는 형태로 나타났다.

물론 1930년대 후반 카프 해산 후 전시 체제가 구축되어가고 있는 상황과 1987년 소비에트 동구권의 몰락과 함께 90년대의 소비문화권으로 체제가 전환 되어가고 있는 상황이 단순히 비교 될 수는 없을 것이다. 하지만 이처럼 각 개인의 윤리가 문제시 되는 순간은 '전환기'라는 공간이 열릴 때 비로소 내부의 모순을 바로 보는 것이 가능해지고 기존의 체제가 변화하면서 새로운 주체를 재구성할 가능성 또한 생겨난다고 하겠다. 이 글은 이를 토대로 서로 다른 시대적 상황 하에 놓여 있었지만 주체적 위기를 위기로서 인식하고 새로운 주체를 정립하기 위해 고군분투 하였던 두 작가 김남천과 김영하를 다루기로 한다. 물론 두 작가가 서 있는 시대적 입지가 다르기 때문에 주체를 정립해 나가는 과정 중, 그들의 작품 안에서 미묘하게 두 서술자의 톤이 달라지는데 이는 4장에서 더 자세히 살펴보기로 한다.

김남천에 관한 선행연구로는 이 글에서 다 언급 할 수 없을 만큼 양적/질적으로 다양한 연구가 이루어져 왔고, 특히 이 글에서 다룰 주체화와 관련된 연구로는 최근까지 활발하게 이루어지고 있는 실정이다.[1] 하지만 이와는 달리 김영하의 경우 이 글에서 다룰 주체화와 관련된 연

1) 이와 관련된 논문으로는 함태영, 「'유다적인 것'의 박탈과 새로운 주체의 정립 : 김남천의 모랄론을 중심으로」, 『한국근대문학연구』, 4호, 2003, 차승기, 「임화와 김남천, 또는 '세태'와 '풍속'의 거리」, 『한국문학연구학회』, 25집, 2005, 류동일, 「전형기 구(舊)카프 문인의 현실대응의 두 양상 : 한설야와 김남천 소설을 중심으로」, 『한국어문학회』, 112집, 2011, 이도연, 「창작 과정에 있어 '주체화'의 문제 : 김남천의 '일신상(一身上)의 진리' 개념을 중심으로」, 『한국학연구』, 36집, 2011이 등이 있고 학위논문으로 최근 영본강, 「김남천 소설에서의 전향 양상 연구 : 주체화 과정을 중심으로」, 연세대 석사논문, 2014, 가토 다다시, 「김남천 소설에서의 전향 양상 연구 : 주체화 과정을 중심으로」, 연세대 석사논문, 2014, 황지영, 「식민지 말기 소설의 권력담론 연구 : 이기영 · 한설야 · 김남천 소설을 중심으로」, 이화여대 박사논문, 2014 등이 있다.

구는 아직까지 활발히 이루어지지 않았다.[2] 기존의 체제가 흔들리면서 그 체제를 둘러싼 질서들이 변화하는 가운데 주체는 재구성될 수 있다. 무엇보다 주체를 재구성할 수 있는 열린 공간으로서의 전환기는 각 개인들을 "자신의 운명을 선택하고 반성하는 시험장"[3]으로 초대한다. 즉, 각기 다른 시대적 상황에도 불구하고 각 개인은 주어진 이 공간 하에서 "자신의 운명을 선택하고 반성"해 볼 수 있는 것이다. 이것은 '거대사'에서 '미시사'로의 움직임을 수반한다. 이 글은 이러한 움직임을 포착하고 각 개인들이 새로운 주체를 정립하기 위하여 어떻게 윤리를 다루고 있는지를 김남천과 김영하의 작품을 통해 비교·분석하고자 한다.

2. 신이 귀신이 된 세상

로버트 단턴은 그의 저서 『고양이 대학살』에서 18세기 프랑스의 사고방식을 연구한다. 이 책은 그 당시 평범한 사람들의 사고방식, 즉 그들이 무엇을 사고하고 어떻게 사고하였는지를, 또한 세계를 어떻게 생각하고 바라보는지를 연구하는 것이다. 문화가 어떻게 사고의 방식을 형성하는 가를 살펴보는 것이 망탈리테의 연구방법이다.

박수현은 이 망탈리테의 개념을 "이데올로기, 집단적 태도, 사유 구조, 감정 구조, 심층적 토대 모두를 포함하는 개념"으로서 설명하고 있다.[4] 이와 비슷한 맥락으로 김홍중은 그의 저서 『마음의 사회학』에서

2) 김영하의 경우 최근작을 중심으로 정신분석학적 개념을 사용하여 반성장의 주체를 다룬 연구와 들뢰즈와 가타리의 이론을 토대로 한 '배치의 주체'로서 작품을 분석한 연구 등이 있을 뿐이다.

3) 차승기, 「임화와 김남천, 또는 '세태'와 '풍속'의 거리」, 『한국문학연구학회』, 25집, 2005, 88쪽 인용.

"마음의 레짐"이라는 개념을 제안하는데 간단히 말하자면 마음이란 시대가 가지고 있는 혹은 공유하고 있는 보편적 마음을 가리키는 것이고 레짐은 장치나 구조, 일종의 체제를 뜻하는 것으로 주체를 형성하는 기지라고 할 수 있다.5) 이 글이 망탈리테의 개념에 초점을 두는 이유는 바로 작가 김남천이 제시한 '풍속'의 개념과 유사한 측면이 있기 때문이다. 그는 그의 논문 「일신상 진리와 모랄」에서 '풍속'의 개념을 제시하면서 작가에게 무엇보다도 중요한 것은, 사람들이 제도 속에 살아가면서 습득한 것들이 다 체화된 세계를 있는 그대로 보여주는 것이라고 주장하고 있다. 이를 테면 사람들이 어떻게 주체화 되어가고 있는지를 살펴보는 것이 중요하다는 것이다.6) 물론 억지스러운 부분이 있으나

4) "정신적 모태를 구성하는 요인은 이데올로기 이외에도 다양하다. 가령 문학인이 스스로에게 설정한 자아상, 문학인이 타자를 바라보는 방식 등은 어떤 특유한 것으로 파악할 수 있으며 따라서 그 시대의 특질을 밝혀주는 주요한 인자라 할 수 있다. 또한 시대의 다양한 담론 근저에서 작동하는 사유구조 역시 한 시대의 정신적 모태를 추적하는 과정에서 주목을 요한다. 한편 그 시대 사람들이 막연하게 느꼈던 공통적인 기분이나 심정 역시 종종 거대한 공통분모를 형성하며, 이것은 문학의 기술을 추동하는 근본 동력이 되기도 한다. 마지막으로 모든 정신 활동의 근저에 잠복한 비교적 동일한 흐름 모든 사유와 감정의 토대가 되는 심층적 저류가 또한 존재한다고 상정할 수 있다. 이렇게 이 글은 이데올로기와 더불어 시대에 특유한 집단적인 태도, 사유구조, 감정구조, 심층적 토대까지 논하고자 한다. 이를 위해 이데올로기보다 더 폭 넓은 개념으로서 '망탈리테'를 제안한다." 박수현, 『망탈리테의 구속 혹은 1970년대 문학의 모태』, 소명출판, 2004, 20쪽.

5) 김홍중, 「진정성의 기원과 구조」, 『마음의 사회학』, 문학동네, 2010 참고

6) 김남천은 『사상과 풍속』의 저자 토사카 준의 영향을 많이 받은 것으로 보인다. 그의 글에서 토사카 준의 풍속의 개념을 인용하고 있으며 그의 견해를 근거로 자신의 논지를 확장시키고 있다. 다음은 그가 인용한 구절이다. "풍속이란 사회적 습관과 밀접한 관계를 갖고 있다. 그리고 사회적 습관, 습속은 사회적 생산기구에 기한 인간생활의 각종의 양식에 의하여 종국적으로 결정을 본다. 이리하여 이것은 일방으로 '제도'를 말하는 동시에 타방으론 '제도적 습득감'을 의미한다. 풍속, 습속은 생산 관계의 양식에까지 현현되는 일종의 제도(예컨대 가족제도)를 말하는 동시에 다시 그 제도 내에서 배양된 의식인 제도의 습득감(예컨대 가족적 감정, 가족적 윤리의식)까지를 지칭한다." 김남천, 「일신상 진리와 모랄」, 642쪽.

김남천이 주체의 형성과정을 살피고자 '풍속'의 개념을 진지하게 모색하고 당대 조선 사회의 풍속을 포착하려고 시도한 것은 상당히 흥미롭다.

카프 해산 후 카프라는 공동체를 둘러싸고 있던 망탈리테는 흔들린다. 카프의 지식인들을 뒷받침 해주던 사회주의 이념이나 정신은 사실 '자기'와의 동일시 없이는 불가능한 것이었다. 그 '자기'와 사회주의 이념이 일체가 아니었다는 사실을 자각한 순간 그들을 지탱해 주던 지렛대는 형편없이 무너지고 만다. 수많은 지식인이 이를 기회로 전향의 전선을 취하며, 산산 조각이 나 흩어진 주체들을 다시 재정립하기 위하여 고군분투하는 지식인들도 등장한다. 이를테면 이 혼돈의 시간은 '신'이 '귀신'이 된 세상을 지식인들로 하여금 직시하도록 유인한다. 그들이 '카프'라는 집단 내부에 속해 있을 땐 미처 몰랐던, 혹은 알고도 모른 척 덮어두려고 했던 문제들을 이제는 '카프'라는 집단 내부가 아닌 바깥에서 일정한 거리를 두고 바라보는 것이 가능해 진 것이다. '신'이 존재한다고 믿었던 그 이전의 세계, 즉 개인과 사회의 결합이 일치 된 총체적인 세계에서 질서의 상태는 사라지고 사회와 개인이 분리된 사회로 이전한 것이다. 이제 '신'은 사람들에게 절대적인 믿음을 부여하는 권위로서의 존재가 아니라, 그 절대적 권위를 상실한 '귀신'으로 전락해버리고 만다. 그들이 맹목적으로 주장하던 이념 또한 여전히 살아남아 있지만 이제 그 이념이라고 하는 것은 그들에게 효력을 잃은 채로 빈껍데기로서만 남아 있을 뿐이다. 김남천은 당시 이런 사회적 정황을 비판적 거리두기를 통해 바라봄으로써 당시 조선 사회의 현실을 비교적 예리하게 파악하고 있다. 그는 개념의 틀로 세계를 이해한다는 것은 개념이 내포한 스스로의 한계로 인하여 불가능하다는 것을 이미 인식하고 있었다. 이후에 그는 '과학'과 '문학'이 만나는 지점에 모럴이 있음을 언급한다. 김남천에게 있어 모럴은 모든 개별적인 것을 다루지 못하는 '과학'이 유일무이한 '자기'로의 일신상의 진리가 될 때 발생한다. 그리고 그는 조선 사회의 '모럴'을 포착하는 것이 바로 풍속이라고 주장한다.[7)]

카프 해산 이후 김남천은 당시 마르크스 이데올로기에 의해서 형성된 주체들이 이데올로기의 붕괴 이후에 소부르주아 계급으로 돌아가는 것을 신랄하게 비판하면서 작가라면 먼저 자기 고발의 정신을 소지해야 할 것을 주장하였다. 그러므로 이제 소설의 역할은 아무리 부정적이고 추악한 사회의 현실이라 할지라도 그것을 있는 그대로 그리는 것이다.

김남천의 후기 작품 「길우에서」는 기술자인 'K기사'와 '나'가 우연히 길 위에서 만나 '나'가 'K기사'의 방에 하룻밤 묶게 되면서 펼쳐지는 이야기인데, 이 둘은 '나'의 친구이자 자살한 K기사의 형을 매개로 아는 사이이다. 작품 속에 등장하는 주체의 양상은 3장에서 더 심도 있게 다루도록 하겠다.

상황은 1987년 소비에트 동구권의 몰락과 함께 87년 체제를 이끈 변혁 운동의 주체들이 90년대 소비문화권의 체제로 포섭되어가는 과정에서 겪는 혼란과 크게 다를 바가 없다. 박은태의 논문 「1990년대 후일담 소설의 문학사적 연구」에서는 87년 체제를 이끌었던 변혁 운동의 이념적 기반이 해체되고, 소비사회로의 진입, 정보 매체의 발달이 주체들에게 지대한 영향을 끼쳤으며 이러한 외적인 원인과 함께 내적인 원인으로 87년 운동 집단이 가진 내적 모순에 대해 서술하고 있다. 그에 의하면 87년 변혁 운동 집단은 사회의 모순에 대적하여 '이념'으로 똘똘 뭉

7) 김남천, 「도덕의 문학적 파악」 참조.

치기보다는 '우리'라는 이름하에 윤리성과 도덕성을 그 기저로 한 집단적 성격을 띤다. 하지만 이들이 지닌 한계는 바로 그로부터 발생한다. 이들을 묶어주던 사회적 모순이 일정 정도 해소되고 나자, 이들의 연대의식 또한 그대로 흩어지고 만 것이다.[8] 한편 김홍중은 도덕과 윤리를 구분하고 있다.[9] 87년 운동집단의 진정성은 '도덕적' 성격이 강했고, 개인의 성찰이 배제된 "역사적 책무나 책임의식을 강요하며 개인들을 도덕적으로 동원하는 양상"[10]을 보이고 있다고 서술하고 있다. 이 글은 도덕과 윤리를 구분하는 김홍중의 견해에 의견을 동조한다. 사회의 '도덕'이 아닌 개인의 '윤리적 위기'를 다루는 것은 이 글의 중요한 논지이다.

김영하의 작품에서 보이는 후일담의 구조는 새로운 90년대 사회의 수용이다. 앞서 언급했듯이 87년 체제 이후 90년대로 넘어가는 과도기적 상황에서 후일담 소설들은 다음과 같은 양상을 띤다. 지나간 과거를

---

8) 박은태, 고현철, 「공지영과 김영하의 소설 연구」 44집, 『韓國文學論叢』, 2006

9) 한편 김홍중은 도덕과 윤리를 구분하고 있다 87년 운동집단의 진정성은 '도덕적' 성격이 강했고, 개인의 성찰이 배제된 "역사적 책무나 책임의식을 강요하며 개인들을 도덕적으로 동원하는 양상"을 보이고 있다고 서술하고 있다. 김홍중에 따르면 진정성은 윤리적 성찰과 도덕적 압력의 이중동력을 동원하는데 여기서 진정성의 폭력이 발생한다. 진정성은 이제 '나의 진정성'이라고 하는 것과 '타인의 비진정성'이라고 하는 것으로 나뉠 수 있다. 윤리적 진정성은 "결국 자신의 내부에서 은밀하게 들려오는 '내면의 참된 목소리'를 듣기 전에는 어떤 행위도 하지 않는다는 원칙에 기초" 한 것이고 그렇기에 망설임·주저·실천적 무능·지연과 관계하는 것이며 "도덕적 진정성은 주체가 자신과 성찰적으로 관계 맺는 대면적 숙고를 통해 도달되는 것이 아니라 공동체가 외적으로 부과하는 삶의 형식들에 의해 구현된다. 그것은 '진정한 삶'으로 이미 사회가 한정하고 규정한 바로 그런 행위의 패턴, 정열의 표현, 감정의 방식, 희생의 위업이 주체에게 발휘하는 도덕적 효과의 추종으로 구성된다. 도덕적 진정성은 내면적 성찰보다는 모델의 수용과 모방을 더 중시한다. 이렇게 보면, 도덕적 진정성과 윤리적 진정성의 절묘한 결합으로 구축된 '진정성 레짐'은 사실 언제든지 양자의 분리로 인해서 와해될 가능성을 내포하고 있는 불안한 체계이다." 김홍중, 『마음의 사회학』, 문학동네, 2010, 36~37쪽.

10) 김홍중, 『마음의 사회학』, 문학동네, 2010, 38쪽 인용.

그리워하며 주어진 현실을 거부하는 방식과 또 다른 하나는 지나간 과거를 벗어나 주어진 현실을 수용하는 방식이다. 물론 이 두 개의 방향만으로 후일담 소설의 성격을 제한할 수는 없다. 하지만 현 시점에서는 후일담 소설에 관한 연구가 활발히 이루어지지 않았고 이에 대한 연구는 앞으로 더 필요할 것으로 보인다. 이 글이 김영하를 주목하는 이유는 그가 87년 운동 체제가 지닌 내적 모순을 인식하고 있었다는 데에서부터 시작한다. 여기에서 다룰 작품 「전태일과 쇼걸」에서는 그의 그러한 시선이 폭로적으로 드러나는데, 이는 제3장에서 더 자세히 살펴보도록 한다.

김남천은 카프 집단 내에 지닌 모순을 일정한 거리를 두고 바라봄으로서 그 모순을 해결하기 위하여 '자기'로의 일신상의 진리인 '모럴'을 강조하고 그 '모럴'을 포착하는 것이야말로 사회의 풍습을 있는 그대로 그리는 것이라 주장한다. 흥미로운 점은 김남천이 말하는 '모럴'이 김홍중이 말하는 '도덕'개념보다 '윤리'개념과 더 일맥상통하다는 점이다. 외부의 목소리가 아닌 먼저 자기 자신으로부터 비롯되는 '내면의 참된 목소리'를 듣는 것이 윤리의 진정성이라 한다면 김남천과 김영하가 주목하는 것 역시 이 '윤리'이다. 하지만 이에 앞서 그들에게는 먼저 혼란과 동시에 자신들이 속했던 기존의 체제가 지닌 모순을 날카롭게 직시할 수 있는 시선이 주어진다. 그 시선은 작품 안에 부동하는 주체들의 양상을 통해 드러나는데 다음 장을 살펴보도록 하자.

3. 부동하는 주체 양상

김남천의 소설 「길 우에서」, 「제퇴선」과 김영하의 소설 「전태일과 쇼걸」에서는 부동하는 주체들의 양상이 두드러지게 나타난다. 먼저 「제퇴선」에 등장하는 박경호는 학생 때 독서회 사건에 걸려 옥살이를 하는 도중 집안 사정으로 의사시험을 준비하지만, 그마저도 실패하여 자신의 학교동창이자, 현직 의사인 최형준의 밑에 조수로 들어간다. 박경호는 기생 향란과 치정관계에 있다. 하지만 그는 자신과 향란의 관계를 혹시라도 누가 알아챌까봐 시종일관 노심초사 하는 모습을 보인다. 아편 중독자인 향란이 자신이 일하는 병원에 입원하겠다는 것을 반대하고, 향란과 함께 산보를 나갔다가도 여전히 기생 티가 나는 그녀의 모습에 함께 나온 것을 곧바로 후회 한다. 산보 중에 친구 학선을 마주쳤을 때는 가슴이 따끔하여 고개를 돌려 버리기까지 한다. 그러면서도 그는 결코 향란을 외면하지 못하는 아이러니한 모습을 보인다.

> 경호자신도 어떤 친구가 카페 여급과 지저분한 동거 생활을 하였을 때 그 친구를 찾아가서 충고한 일까지 있었다. 그러든 자기는 「아편쟁이」와 관계를 맺고 있다. 그 친구가 자기의 이런 생활을 알면 얼마나 비웃을 것이냐. 그러나 모든 것은 알고 한 일이다. 각오하고 한 일이다. 마약에 중독된 불쌍한 여자이기에 자기는 더 끌려들어갔다. 지금 그를 내가 뿌리쳐 버리면 그는 그때야말로 다시금 어떻게 할 수 없는 진짜 「아편쟁이」가 되고 말 것이다. 결코 인도주의가 되려는 것은 아니다. 그러나 절벽 위에선 여자가 뛰어드는 것을 누가 감히 뿌리쳐서 떨쳐 버릴 수 있을 것이냐… 사랑 속에서 완전한 인간으로 돌려 보내준 뒤에서는 자기의 사명은 끝난다. 이때까지는 아무런 조소도 경멸로 자기는 참고 나가야 한다.[11]

---

11) 김남천, 「제퇴선」, 祖先日報社出版部, 1937, 국립중앙도서관이용, 280쪽.

위의 인용문에서 보듯 박경오는 자신과 향란의 치정관계를 부인하고 자기 자신을 합리화시키고 있다. 그는 향란에게 느끼는 감정이 단순한 치정이 아니라, 향란을 "완전한 인간으로 (만들어) 돌려보내" 주는 것 즉, 그의 사명으로부터 비롯된다고 말하고 있는 것이다. 하지만 박경호는 향란이 인간답게 살도록 만들어 주는 것에 실패하고 만다. 김남천은 박경호에게서 보이는 이러한 소시민의 주관적인 양심을 고발하고자 한다. 소시민의 양심이란 자기 자신 안에서만 참된 것이다. 그것이 과연 진실인지 자기 합리화인지 더 이상 식별불가능하다. 김남천은 소설을 마친 뒤 "하하하 소시민의 주관적 양심이란 이런게다"라며 그들을 비웃기까지 한다.

그의 직접적인 비판이 드러나는 「제퇴선」에 비하면 「길우에서」는 소시민을 향한 비판은 다소 간접적으로 드러나고 있는데, 먼저 「길우에서」의 인물 관계를 보자면, 1930년대 과도기적 상황에 처한 다양한 인물 군상이 그려지고 있어 흥미롭다. K기사와 K기사의 죽은 형, 그리고 '나'를 중심으로 이야기는 펼쳐진다. K기사의 죽은 형은 소설에 등장하지는 않지만 K기사와 '나'를 통해 언급 되고 있다. K기사는 "전시체제기에 등장하는 새로운 기술자 주체"[12]이며, K기사의 죽은 형은 사회주의 운동에 가담하였으나 훗날 실패로 돌아가자 권태와 무기력에 빠져 자살한 인물이다. 그 사이에 위치한 박영찬은 어느 하나 확실한 노선을 취하지 못한 채 그 가운데서 부동하는 인물이다. 그는 신세대인 K기사가 주는 충격과 공포를 실감한다. '자라'는 '자라'를 대하는 K기사와 박영찬의 태도를 분명하게 대조시키는 매개물이다. 먼저 다음 인용문을

12) 차승기, 「'비상시'의 문법」, 『국제한국문학문화학회』 12집, 2002, 13쪽 주석 인용.

보자.

> 우리가 이놈을 보고 즐겁듯이, 이 자라들도 유쾌하고 즐거울리야 없겠지오. 이런 때에 **자라의 입장에서 인도주의를 따진다면 그건 확실히 웃우운 일이 아닐까요.** 그러나 무엇이던 따져보면 이야기는 비슷비슷합니다. 그렇다고 자라새끼와 사람을 한자리에 세우는건 아니지만…… 나는 이러한 말에도 아무 말을 하지 않았다.[13)]

K기사는 평소에 '자라'들을 뒤집는 장난을 즐겨한다. 이와 달리 박영찬은 그가 선물한 자라가 든 병을 품안에 안고, 흔들리는 차 안에서 '자라'들을 지키려 애를 쓴다. K기사가 자라를 대하는 태도에 박영찬은 적잖이 당황한다. 박영찬이 느끼는 이러한 당황스러운 감정은 마지막 장면에서 고조되는데 바로 그가 그토록 지키려던 자라들이 차가 급커브를 돌자마자, 두 마리는 차창 밖으로 나머지 한 마리는 그의 발밑으로 굴러 떨어지는 장면이다.

이 장면이 흥미로운 것은 박영찬이 자라를 떨어뜨리기 전에 인부들이 K기사를 칭찬하는 것을 엿듣고 "K기사가 길에서 하던 말을 되새겨보며 그가 선물한 자라를 물끄러미 바라보는" 데에 있다. 박영찬이 보기에 K기사는 인부의 부상보다 인부의 죽음이 더 낫다고 생각하는 매정한 사람이다. 하지만 곧 이내 K기사가 인부의 어린 딸에게 과자를 사주는 모습이라던 지 오히려 인부들로부터 덕망 받고 있는 존재임을 확인 할 때 그는 다시 생각에 잠긴다. K기사가 '자라'를 대하는 모습은 그가 '인부'를 대하는 모습과도 같다. K기사는 박영찬의 생각보다 더

13) 김남천, 「길우에서」, 文狀社, 1939, 국립중앙도서관이용, 237쪽. 편의상 현대어로 표기함. 이후 인용시 본문에 쪽수만 표기.

인부들을 '잘' 다루는 사람인 것이다. 오히려 정작 본인은 자라를 조심스럽게 다루려고 애쓰지만, 결국 자라가 든 병은 산산조각으로 깨지고 만다. 이전의 박영찬의 세계에서 자본가와 프롤레타리아 계급간의 상관관계는 단순한 이원 대립적 구도의 양상을 띠었을 것이다. 즉 자본가가 악한 존재라면, 프롤레타리아는 자연히 선한 존재라는 식이다. 하지만 이제부터 그 경계는 모호해 진다. 누가 선한 사람이고 누가 악한 사람인지 알 길이 없다. 이로써 박영찬의 주관적인 세계에는 균열이 일어난다. 그 균열이라 함은 타자(인부)와 자신이 관계 맺는 방식에 대한 변화로부터 기인한다. 김남천은 이렇듯 작품 속에서 인물들을 통해 '인도주의'라는 세계관에 입각한 소시민의 주관적인 양심을 폭로하며 그 가운데 그들에게서 일어난 미묘한 균열을 그려내고 있다.

김영하의 소설 「전태일과 쇼걸」에서도 역시 부동하는 주체 양상이 드러난다. 하지만 김 영하의 소설 속 인물들은 김남천의 소설 속 인물들 보다는 다소 더 무기력하고 체념적인 양상을 띠는 미묘한 차이를 보인다. 그들은 새로운 세계 속에 편입되어 있으면서도 K기사처럼 마냥 명랑하지만은 않고, 박경호나 박영찬처럼 새로운 세계가 던져 주는 충격에 그리 민감하게 반응하지도 않는다. 구태여 말하자면 소설 속 인물 '나'는 자기기만적이라는 점에서 박경호와 박영찬과 닮아 있다. 그는 현재 그의 눈앞에 펼쳐진 소비문화에 이미 익숙해져 있다. 하지만 그러면서도 가슴 속에는 여전히 옛 향수에 젖어 있는 것을 볼 수 있는데, 이를테면 '광주'에 비엔날레 전시를 보러 가면서도 "'광주 비엔날레'라는 언표가 주는 불쾌감"에 당혹하기도 하고, 영화관 앞에서 우연히 만난 '그녀'에게서 운동 시절의 '그녀'의 모습을 쫓는 것 등이 그렇다. 하지만 '그녀'는 '그'와는 좀 더 다르다. 소설 속 인물 '그녀'는 자기 자신을 두 번에 걸쳐 이중부정 한다. 대학 시절 그녀는 전혜린을 버려야 했고 현재의 그녀는 운동하던 시절의 자신을 버림으로서 존재하는 것이다. 먼저 다음 인용문을 보자.

> 그 남자는 그녀를 만난 지 일년 만에야 그녀가 자신의 삶을 통해 연기하는 배역이 무엇인지 알아냈다. 그건 전혜린이었다. … 전혜린의 캐릭터는 고등학교 시절까지만 해도 충분히 매력적인 배역이었다. 그녀는 출신 여고의 학생회장이었고 후배들의 우상이었다. 그러나 대학은 달랐다. **호헌 철폐, 독재타도의 바람 앞에서 전혜린은 필요치 않았고 오히려 비판의 대상이었을 뿐이다.**[14]

하지만 그녀가 그러한 사회 분위기 속에서 더 이상 전혜린이기를 포기했음에도 불구하고 87년 운동 체제가 해체되자마자, 또 다시 운동권에 속한 자신을 버려야만 했는데 그 이후 그녀에게 드러나는 정조는 냉소성이다.

> **그때만 해도 우리 참 어렸지. 안 그래? 생각해보면 별것도 아닌 것을……** 그녀의 목소리가 조금 달뜨기 시작했다. 내 얘기 못 들었지? 졸업하고서 이 년쯤 현장에 들어가 있었어. 거기서 남자 하나를 만나서 살았더랬는데 가끔 사람을 패는 것 빼고는 괜찮은 남자였거든. 그런데 그렇게 살다보니까 궁금해지는 거 있지. 그때 형이랑 잤으면 어땠을까. 후, 오해하지 마. 그냥 궁금했을 따름이야. **그때는 왜 그렇게 안 된다고 발버둥 쳤을까. 별일도 아닌 것을.**(255쪽)

14) 김영하, 「전태일과 쇼걸」, 『호출』, 문학동네, 2010, 224쪽. 이후 인용 시 본문에 쪽수로 표기.

위 인용문에서 그녀는 자신이 사회 운동에 가담했던 일을 마치 아무것도 아닌 것처럼 담담한 어조로 이야기 하고 있다. 그녀는 K기사처럼 미래에 대한 확신에 찬 명랑성을 띠는 어조로 이야기 하지 않는다. 그렇다고 해서 김남천의 소설 전반에 흐르는 우울성의 정조를 띠지도 않는다. 그저 무미건조하게 현 상황을 바라볼 뿐이다. 이는 김영하의 소설 전반에 흐르는 냉소성의 정조라고 할 수 있다. 그렇다면 왜 30년대는 우울성의 정조를 띠고 90년대는 냉소성의 정조를 띠는 것일까? 이 글은 이에 대한 답을 제4장에서 추적하고자 한다. 제4장에서 이 과정을 추적함으로써 소설 속에 나타나는 서술자의 톤에 주목하고 이를 토대로 김남천과 김영하가 어떤 식으로 주체를 인식하고자 했는지를 살펴볼 것이다.

4. '우울성'과 '냉소성(시니컬)'의 정조

김남천의 소설 「길 우에서」에 나오는 서술자의 톤은 시종일관 우울한 톤을 띠고 있다. 작품 「길 우에서」에서의 인용문을 먼저 보자.

> 요컨대 인도주의란 한편으로 생각해 보면 일종의 센티멘탈리즘이 아닐까요? 그런 의미에서 물론 피할 수 없는 사정이었겠지만, 내 종형 같은 이는 비극의 주인공이겠지요. 박선생님 앞에서 이런 소리 하기는 무엇하지만…… 나는 아무 대꾸도 하지 않았다. 그러나 K기사의 말에서 아무러한 충격도 받지 않은 것은 아니었다. 그의 종형이나 나까지를 범박하게 인도주의로 합쳐서 간주하려는 그의 의도가 미웁기도 하였지만, **확실히 이러한 둔하게 보이는 그의 신경 속에는 꺾을 수 없는 어떤 신념이 들어 보여서 나는 두려움 비슷한 감정을 품게 되는 것이었다.** (237쪽)

위 인용문에서 박영찬은 K기사에게서 당혹감과 두려움과 같은 감정들을 느낀다. 하지만 이와는 달리 K기사는 인도주의에 대하여 무감각하고 별다른 진지한 고민도 없어 보인다. 박영찬은 사회주의운동에 가담한 인물이고, 사회주의 운동의 붕괴 후 철저한 자기부정을 경험해야만 했던 세대이다. 하지만 K기사는 다르다. 그는 사회주의 운동을 겪지 않은 세대, 즉 자기부정을 겪어야 할 필요가 없었던 새로운 기술자 주체이었던 것이다. 새로운 열정으로 등장한 K기사와 같은 기술자 주체들은 미래에 대한 과도한 명랑성을 띠고 있었고, 이는 자기 부정을 겪어야만 했던 이전 세대 사이에서 괴리감을 형성한다. 헌데 이 괴리감이야말로 이들로 하여금 우울성의 정조를 띠게 하는 것이었다. 서술자의 톤은 새로운 세대인 K기사와의 괴리감과 그로 인해 생기는 자기 내부의 미묘한 균열을 감지하는 가운데 우울성의 정조를 띤다.

하지만 김영하의 소설 속 주체들이 서 있는 입지는 조금 다르다. 87년 체제의 진정성은 "역사적 책무나 책임의식을 강요하며 개인들을 도덕적으로 동원하는 양상"을 띤다고 앞서 서술한 바 있다. 먼저 김영하의 소설 「도드리」의 다음 장면을 보자.

> 그는 여러 차례 고사한다. 자신은 대금을 놓은 지가 오래되어 잘 불지 못할 뿐 아니라 그런 대중 집회에 나가서 대금을 불 수 없다는 것이다. 또한 그 여학생의 죽음은 안타깝게 생각하지만 개인적으로 잘 알지 못하는 사람이며 그 여학생이 참여했던 시위가 있었는지도 몰랐다고 말한다. 그러나 당신과 당신의 동기들은 집요했고 그는 결국 굴복한다. 형, 잠깐 동안만, 한 곡만 불어주면 돼요. 우리 국악을 대중들에게 널리 알릴 수 있는 기회이기도 하구요. 동기들은 간곡 한다. 뿐만 아니라 당신들은 시대를 업고 있었다. **처음엔 머뭇거리던 당신이 갑자기 그를 닦아**

> **세우기 시작한다. 형, 그럴 수가 있어요? 너무하네요. 죄 없는 학우가 타살 당했는데, 누군 그 친구 잘 알아서 최루탄 뒤집어쓰면서 시위 하는지 아세요? 멈출 수 없는 가학의 관성.**[15)]

김영하의 소설 속 주체들은 사회에서 강요하는 '도덕'에 입각하여 자신의 '윤리'를 저버린 채 살아야 했던 주체들이다. 위 인용문에서 보이듯 개인에게 주어지는 선택의 권리는 '도덕'이라는 대의명분 앞에서 철저히 매각된다. 「전태일과 쇼걸」의 '그녀' 역시 자기 자신을 이중부정해야만 존재 할 수 있었다. 하지만 87년 체제의 '도덕'이 붕괴됨과 동시에 그들을 둘러싸고 있던 거대 담론역시 해체된다. 그와 더불어 우리라는 이름으로 그들에게 가해진 폭력 또한 드러나는데, 김영하의 후일담 소설에서는 이러한 면모가 잘 드러나고 있다. 해체와 더불어 그들이 받은 정신적인 충격을 보호하기 위해 그들은 개인의 윤리로 회귀하지만 문제는 윤리와 새로운 세계와의 괴리감이다. 김영하의 소설 속 서술자의 톤이 냉소성이 짙은 이유는 바로 거기에서부터 비롯된다. 90년대를 거부하는 주된 목소리와는 달리 김영하의 소설 속 주체들은 이미 90년대 새롭게 휘몰아치는 자본주의 사회에 편입해 있다. 그들은 괴리감을 느끼면서도 별 다른 저항을 할 생각도 없다. 그저 새로운 세계의 질서 안에 머무르기를 원하는 것처럼 보일 뿐이다. 그도 그럴 것이 그들에게는 주어진 선택지랄 수 있는 것이 없었다. 이러한 주체들을 바라보는 시선에는 다소 비판적인 선행 연구가 주로 이루어져 왔었다.

하지만 소설 「전태일과 쇼걸」이 흥미로운 것은 영화 아름다운 청년 전태일과 쇼걸이 동시 상영한다는 데 있다. 노상래는 90년대의 기호놀

---

15) 김영하, 「도드리」, 『호출』, 문학동네, 2010, 79쪽.

이에 주목하면서, "거대 담론에서 일상성으로, 이야기에서 기호로, 현실에서 환상으로 이어지는 가교 역할"[16]을 하는 주요 작가로 김영하를 주목하고 있다. 이를 테면 아름다운 청년 전태일과 쇼걸이 동시 방영하는 것은 결코 우연의 일치가 아닌 90년대의 기호놀이에 불과하다는 것을 김영하는 이미 알아차리고 있었다는 것이다. 김영하는 소설 속에 여러 가지 기호들로 둘러싸인 주체를 등장시킴으로서 시대를 넘는 균형 감각을 획득하고자 한다.[17] 그럼으로써 그는 개인과 세계와의 괴리감을 회복하고자 했던 것인지도 모른다.

한편 김남천의 소설 「길우에서」 역시 여러 가지 기호가 범람하는 장면이 나오는데 K기사의 책상에서 그것을 발견할 수 있다. 먼저 다음 인용문을 보자.

> 책! 책이 가장 K의 내면생활을 증명 할 것이다! 나는 속으로 이렇게 생각하면서 내심에 끄리는것을 그대로 책궤앞으로 기어갔다. … 「난센스전집」이 한권 끼었으나, 「개조」도 있고 「중앙공론」도 끼여 있었다. 그러나 그러한 책은 합쳐서 다섯권. 그 나머지 네다섯권은 토목에 관한 기술적인 특수서적, 학생시대의 「노오트」, 그러나 그밖에 근 수무권에 가까운 책의 전부가 수학사나 과학사, 단 한 책이기는 하나 「자연변증법」의 암파문고도 들어있었다. 그러나 목을 굽히고 궤짝의 뒤를 살펴보니 한자기리로 두겨놓은 책가운데는 「아랑」의 번역이 한권과 「꾀에테」와 「하이네」의 시집, 「보앙카레」의 적은 책자들이 섞여 있었다.(233~4쪽)

K기사의 책상은 온갖 종류의 책이 꽂혀 있다. 박영찬은 K기사의 책

16) 노상래, 「1990년대 소설의 정체성과 전환기적 모색」, 『韓民族語文學』 34집, 1999, 198쪽 인용.

17) 위의 논문.

상에서 그에 대한 어떤 일정한 규칙을 발견할 수 있을 것이라 생각했지만, 결국 아무런 규칙도 발견할 수 없었다. 전환기[18]에는 K기사의 책상에서 보이듯이 여러 가지 기호들이 동일선상에 놓인다. 주목할 점은 김남천이 이러한 전환기에 자기고발문학을 주장했다는 것이다. 자기고발문학은 작가 스스로 소시민의 주관적 양심을 고발하는 것에서부터 시작한다. 그는 개념의 틀로 세계를 이해한다는 것이 불가능하다는 것을 이미 인식하고 있었고, 위기 가운데 작가 스스로 자기를 먼저 고발함으로써 새로운 주체의 길을 모색하고자 하였다. 이러한 전환기적 위기 상황은 비록 좋은 결과를 가져오지 않았지만, 질서의 붕괴에 직면했을 때 주체가 어떻게 윤리적으로 성찰할 수 있는지 시사점을 던져 주는 기회가 될 수도 있다.

5. 결론

이 글은 30년대 중・후반 카프가 해산하고 전시체제기가 구축 되 가고 있는 상황과 87년 체제가 90년대 소비문화 세계권으로 넘어가는 과도기적 상황에서, 기존의 망탈리테가 흔들리는 가운데 주체가 어떻게 윤리적 위기를 다루는지를 김남천과 김영하의 소설을 통해 살펴보았다.

김남천과 김영하가 서 있는 입지는 조금 다르다. 1930년대 중・후반은 카프해산 후 전시체제기가 구축되어가고 있는 상황 속에서 많은 지

18) 차승기는 1930년대 중・후반 과도기적 상황에 놓인 이 혼란스러운 시기를 식민지 전시 레짐으로 규정한다. 그는 K기사의 책상을 분석하면서, "어떤 합리적인 계산과 예측도 무력해질 수 밖에 없었던 이시기의 조선을 '식민지 전시 레짐'으로 규정"하여 "레짐 내에서 문학이 놓여 있던 자리를" 분석하고자 하였다. 이에 대해서는 차승기, 「'비상시'의 문법」, 『국제한국문학문화학회』 12집, 2002 참조

식인들이 전향을 선언하였다. 또한 신세대의 등장으로 이전의 카프 지식인들을 지배하던 이념은 무용지물이 되어 버리고 현실을 현실로서 감각할 수 없는 신세대들은 과도한 명랑성을, 이와는 반대로 이미 자기 부정을 경험한 이전 세대들은 우울성을 띠게 된다. 이 글에서 다루는 작품 속에서도 서술자의 톤은 우울한 정조를 띤다. 김남천은 이러한 전환기적 상황에서 지식인들의 소부르주아적인 면모를 고발하며 작가 스스로 진정한 자의식을 갖기를 주장한다.

한편 1987년 소비에트 동구권의 몰락과 함께 87년 체제를 이끈 변혁 운동의 주체들이 90년대 소비문화권의 체제로 포섭되어가는 과정에서 큰 혼란을 겪는다. 김영하는 이러한 시기에 87년 체제 내부에 지닌 모순을 고발한다. '우리'라는 이름으로 한데 뭉친 '도덕'이 누군가에게는 폭력이 될 수 있다는 것이다. 개인들은 이제 무너진 '도덕'으로 인하여 개인의 윤리로 자연스럽게 회귀하지만, 문제는 윤리와 새로운 세계와의 괴리감이다. 하지만 그들에게는 주어진 소비자본주의 세계로의 편입밖에는 별 다른 선택지가 없다. 그러므로 김영하의 소설 속 주체들은 냉소성을 띤다. 그러나 김영하의 소설 속 주체들이 아무런 성찰 없이 새로운 세계로 편입한 것은 아니었다. 김영하는 90년대의 기호 놀이—동일선상에 다양한 기호가 범람하는—를 인식하고 있었고 이를 통해 시대를 넘는 균형 감각을 획득하고자 시도하였던 것이다.

문학사적 위기마다 우리는 어떤 유사성을 발견할 수 있는데, 비록 위기 상황은 좋은 결과를 가져오지는 않지만, 질서의 붕괴에 직면했을 때 모든 도덕적 기반은 낯설게 된다. 끊임없이 자기 자신 안에 근거를 둘 수밖에 없다. 물론 이러한 윤리적 태도가 결과물로 나오기란 어렵다. 이것이 또한 도덕으로 굳혀지기 때문에 끊임없이 경계에서 자기 자신

안에 근거를 세워나가야 하기 때문이다. 위기를 위기로서 인식하는 것이 중요하다.

두 작가는 서로 다른 시대적 입지에 서 있었음에도 불구하고 전환기라는 공통의 열린 공간 내에서 집단 내부에 지닌 모순을 일정한 거리를 두고 파악함으로써 위기를 위기로서 인식해 나갔다. 김남천은 '자기'로의 일신상의 진리인 모랄을 강조함으로서 모랄을 포착하기위해 풍습을 부정적인 면이라 할지라고 있는 그대로 그려야 할 것을 주장하였고, 먼저 작가 자신 먼저 고발정신을 가져야 할 것을 주장하였다. 김영하는 소비자본주의 체재 내에서 자연스럽게 획득하게 된 윤리를 토대로 무조건적인 편승이 아닌 '기호놀이'를 인식함으로서 시대를 넘는 균형감각을 획득하고자 하였다.

최인호의 초기 소설에 나타난 미시권력과 통치성

「견습환자」, 「2와 1/2」, 「가면무도회」, 「무서운 복수(複數)」를 중심으로

김 혜 진

1. 서언

주지하다시피 한국에서 도시화가 빠른 속도로 진행된 시기는 1970년대다. 박정희 정권의 개발독재와 유신체제는 1960년대의 산업화를 급속도로 전개시켜 "전 인구의 50%정도가 도시에 몰려 사는 도시형 국가"를 만들었다.[1] 이 시기를 기점으로 한국사회는 많은 물질적 풍요를 누리게 된데 반해, 유래 없는 정신적 빈곤을 그 대가로 치러야만 했다. 이 정신적 빈곤은 인간으로 하여금 소외와, 주체성 상실 등의 부작용을 앓게 만들었으며 더 나아가 인간성의 소멸 현상으로까지 이어졌다. 이런 현상은 농촌보다는 도시를 중심으로 많이 나타났다. 게다가 산업화로 얻은 물질적 부는 대부분 지배계층이 독점하는 것이었기 때문에 이 시기 지배 계층에 대한 피지배계층의 불만은 쌓일 수밖에 없었고 계층

1) 황병주, 「1970년대 유신체제의 안보국가 담론」, 『역사문제연구』 27, 2012, 116쪽 재인용.

간 갈등이 심화되고 있었다.

이런 시대적·사회적 배경에 영향을 받은 민중문학이라는 큰 흐름은 권력을 지배층의 지배와 피지배층의 저항으로 이분화해 바라보고 있다. 대게 1980년대를 민중문학이 가장 활발했던 시기로 보지만, 그 시작은 1970년대 민중의 저항을 그리기 시작한 작가들에게서 찾아볼 수 있다. 민중문학은 노동자, 농민 등 민중이라 칭할 수 있는 주체를 중심으로 서사를 이끌어 나간다. 이때 노동자나 농민은 개인으로 소설에 그려진다기보다는 집단이나 계층의 정체성을 대변한다. 이 시기에는 피지배계층의 저항을 소재로 삼는다는 것이 본격문학의 소임이라고 생각하는 경향이 강하게 자리 잡고 있었다.

이런 흐름과 달리 최인호는 도시를 주 배경으로 소외된 주체의 소외된 주체의 일상을 소설화했다. 때문에 동시대에 활동했던 황석영, 조세희, 윤흥길 등으로 대표되는 저항성 짙은 민중소설 작가의 반열에는 속하지 않았으며 주로 통속작가로 분류되었으며 비판의 대상이 되어왔다.

박정희가 집권했던 1970년대는 단순히 전체주의적 국가 폭력의 시대라고 명명할 수 없을 만큼 복잡한 양상들이 혼재되어 있었다. 최근 연구들을 통해 박정희 정권이 시행했던 정책들과 국가권력의 특성이 다양한 각도에서 분석되고 있다. 권력을 이분법적으로 바라보는 것이 이런 시대적 혼잡성을 파악하는 민중문학의 문학적 독법이었다. 하지만 이는 본의 아니게 많은 잉여들을 남길 수밖에 없는 것이었다. 권력을 이분법적으로 바라보는 구도로는 파악되지 않는 이 잉여에 해당하는 미시적인 권력의 양상은 최인호의 소설에서 발견된다. 최인호의 소설은 지배와 저항이라는 거시적인 이분법적 구도로 파악되지 않는 소재들을 다루고 있었기 때문이다. 이 때문에 최인호는 당시의 평자들로부터 그가 적극적인 저항 의지를 보이지 않는다며 현실 도피적이라는 비판을 받기도 했다. 특히 최인호가 <조선일보>에 『별들의 고향』처럼 대중성 짙은 소설을 연재하면서부터는 '호스티스 작가'라는 불명예스러운 평가를 받기에 이른다. 훗날 몇몇의 평자들에 의해 한국 모더니티 문학의 기수, 청년 문화의 기수라는 호평을 받기도 하지만 그럼에도 불구하고 최인호가 영화계에 발을 들이고 장편소설들이 드라마로 제작되기 시작하면서부터는 대중소설작가, 통속작가라는 꼬리표는 그의 곁을 떠나지 않았다.

그러나 최인호에 대해 과거부터 지금까지 있어왔던 통속작가라는 선입견을 버리지 않은 일각의 평가는 그의 초기작에 나타난 문제의식과 특징들로부터 얻을 수 있는 다양한 가능성을 간과한 판단이라고 볼 수 있다. 왜냐하면 최인호의 초기작은 이분법적인 거대담론의 관점에서 포착되지 않는 미시적인 차원에 집중하고 있으며, 특히 소설화된 인물들과 그들의 일상 속에 깊숙이 자리 잡은 권력의 양상을 포착해 보여주고 있기 때문이다. 최인호는 일상을 잠식한 미시권력을 비판적으로, 다른 한편으로는 중간자적 입장을 취하며 그려내고 있다. 민중소설 작가들이 민중의 저항을 통해 쟁취할 전망과 유토피아를 제시했다면, 최인호는 그렇지 않다. 그는 그 어떤 장밋빛 전망도 제시하지 않은 채 세계를 비관적으로 바라보고 있을 뿐이다. 이는 그의 초기 소설에서 일관되게 찾아볼 수 있는 특징이다.

따라서 이 글에서는 1960년대 말부터 1970년대까지 이어지는 박정희의 통치를 바라보는 최인호의 세계인식과 소설에 포착된 권력의 다양한 양상을 살펴보고, 그 의미를 조명해 최인호의 초기 소설을 읽는 새로운 관점을 제시하고자 한다. 이 글의 2장에서는 「견습환자」, 「2와

1/2」를 통해 최인호가 포착한 일상을 조성하고 주체를 억압하는 규율 권력의 양상을 살펴보고, 3장에서는 「가면무도회」, 「무서운 복수(複數)」를 통해 공적인 영역에서 드러난 권력의 양상을 살펴보겠다.

2. 일상영역과 미시권력

최인호의 소설을 본격적으로 논하기에 앞서, 일상의 범주와 개념을 생각할 필요가 있다. 일상은 하찮은 것인지 중요한 것인지의 문제를 떠나서 우리를 둘러싸고 있는 모든 공간과 시간, 그리고 그 안에서 일어나는 사건들의 연쇄관계를 포함한다. 그런 일상은 인간의 생명 유지를 위한 반복적인 행위에 종속된다. 일상은 원래는 비일상적이었던 것들이 일상적인 것이 되는 일상화 작업을 통해 구성된다. 자본주의 체제에 포섭되면서부터는 현대인의 일상이란 성장과 발전이라는 지향점을 향해 구성된다. 따라서 어떤 의미에서 일상은 결코 자연스러운 것이 아니다. 차라리 일상은 어떤 수준의 생활이 유지되도록 하는 체제의 의도에 맞게 직조·발명되었다고 보는 것이 적절하다. 생존의 문제는 필연적이고 인간은 여기서 벗어날 수가 없다. 때문에 그들의 일상을 가능케 하고 신체를 감시하고 구속하는 권력에 몸을 내맡길 수밖에 없다. 물고기가 물을 떠나 살 수 없듯이 정상적인 일상을 영위하는 사람이라면 권력의 곁을 떠나서는 일상을 유지할 수 없다. 권력은 우리의 삶을 억압하기도 하지만 다른 한편에서는 지탱해주는 것이기 때문이다.

권력관계 속에 기입되어 있는 장치들과 일상이 주고받는 영향 관계를 먼저 살펴보자. 한편으로 일상은 거시적인 관점에서 사회를 조직·관리·통제하는 가시적인 장치들의 작동에 영향을 받는다.[2] 다른 한편으로는 미시적인 관점에서 비가시적인 장치들의 작동에 의해 영향을 받고 있다. 장치 자체는 사회를 구성하는 일종의 '네트워크'이다. 장치는 일상의 이질적인 요소들이 권력의 의지와 연관된 하나의 목적의 달성을 위해 촘촘하게 연결되어 구체적인 기능을 발휘하도록 한다. 가시적인 장치의 예로는 학교, 병원, 군대 등이 있고 비가시적인 장치로는 제도, 규칙, 담론, 지식 등이 있다. 이때 장치들에 의해 주체에게 가해지는 어떤 목적지향적인 힘은 규율적이며 금기적인 성격을 띠고 있다. 푸코에 의하면 규율권력은 신체를 직접적으로 억압하지 않고 특정한 목적에 맞게 잘 길들이는 권력이다.[3] 규율권력은 주체를 사회의 필요에 맞는 이상적 신체가 되도록 길들인다.

주체의 신체는 일상생활의 영위과정을 통해 길들여진다. 규율권력 하의 일상은 궁극적으로 국가를 유지하고 존속시킬 이상적인 신체를 생산하려는 하나의 목적을 지향하는 상태로 조성된다. 국가의 유지와 존속이라는 지향점은 국가를 개혁하려거나 국가라는 체제 자체를 부정하

2) 푸코의 논의에 등장하는 장치의 활동은 크게 세 가지로 구분할 수 있다. 첫째, 정신병원, 수용소, 감옥 등 사회에서 허용할 수 없는 비정상의 범주를 분류하고, 관리・통제하는 장치이다. 둘째, 개개인을 정상적인 주체로 만들어내는 규율화 장치들이다. 셋째, 규율화 장치들의 훈육 활동을 정상적인 인간이 되기 위해 필요한 것이며, 스스로의 선택에 의해 받아들이는 것이라는 점을 강조한다. 신병식, 「라캉 정신분석과 권력 개념 : 초자아와 권력의 양면성」, 『라깡과 현대정신분석』 11, 2009, 95~96쪽 참고.

3) "신체의 활동에 대한 면밀한 통제를 가능케 하고, 체력의 지속적인 복종을 확보하며, 체력이 순종-효용의 관계를 강제하는 이러한 방법을 바로 '규율(discipline)'이라고 부를 수 있는 것이다." 미셸 푸코, 오생근 옮김, 『감시와 처벌』, 나남, 2003, 216쪽.
규율은 정상화를 시행한다. 먼저 개인, 장소, 시간, 몸짓, 행위, 조직을 분석하고 분해한다. 둘째로 포착된 요소를 목표에 입각해 분류한다. 셋째로 최적의 사열・배열을 확립한다. 넷째로 규율은 점진적인 조련절차와 항구적인 통제수법을 정하고 정상과 비정상을 분할한다. 이 규율적 정상화에서 근본적이고 일차적인 것은 규범이다. 따라서 규율기술에서 발생하는 것은 정상화라기보다는 규범화다. 미셸푸코, 오르트망 옮김, 『안전, 영토, 인구』, 난장, 2011, 91~92쪽 참조.

는 주체에게는 필연적인 것이 아닐 수 있다. 하지만 권력에 대한 거부나 승인 모두 국가의 유지와 존속이라는 지향점을 둘러싸고 벌어지는 것이기에 필연적으로 어떤 연관을 맺고 있을 수밖에 없다. 권력의 의도에 따라 순종적으로 잘 길들여진 신체는 정상적인 범주에 포함된다. 그렇지 않은 경우에는 비정상으로 분류되어 권력에 의해 계속적인 훈련, 훈육을 받게 되거나 격리조치 되는 등의 처분에 맡겨지게 된다. 규율권력이 국가를 유지하는 충실한 권련인 한 인간의 신체는 그 신체를 파헤치고 분해하며 재구성하는 권력장치 속으로 들어갈 수밖에 없게 된다.[4]

최인호의 초기 소설에 등장하는 인물들은 권력에 의해 조성된 일상과 그 억압에 불만을 품고 있는 경우가 많다. 하지만 그들에게 그런 상황은 계속해서 견뎌야만 하는 것으로 그려진다. 반복적으로 등장하는 일상의 모습과 이 일련의 인물들이 보이는 불만에 찬 모습은 권력이 지향하는 바에 자신을 꿰어 맞추려다 생긴 부작용에 시달리는 모습으로 보인다. 이런 양상은 최인호의 초기 소설들 중 병원, 군대, 학교 등의 통제 가능한 공간을 배경으로 하는 소설에서 더욱 뚜렷하게 나타난다.

최인호의 재등단작인 단편 「견습환자」는 병원을 배경으로 하고 있어, 앞서 언급한 양상이 인물에게서 뚜렷하게 나타난다. 이 소설에서 최인호는 하나의 목적을 지향하도록 조성된 일상과 병원에서의 규율에 의해 직접적으로 길들여지는 신체를 문제 삼고 있다. 「견습환자」는 '나'의 입원부터 퇴원까지의 이야기로 주된 서사가 구성되어 있으며, 입원생활과 그 안에서 '나'에게 일어나는 심리적 변화를 자세히 서술하고 있다. '나'는 의사들에게서 느껴지는 무표정함과 견고함을 왠지 모르게

4) 미셸 푸코, 오생근 옮긴, 『감시와 처벌』, 나남, 2003, 217쪽.

견디기 힘들어 하는 인물로 어떻게 해서든 그들로부터 감정의 동요나 변화를 불러일으키고자 하는 인물이다.

고열에 시달리다 제 발로 병원을 찾게 된 '나'는 입원 절차를 받는 동안에는 제법 농담까지 해가며 아파하는 모습을 보이지 않는다. 하지만 '나'는 여러 가지 검사를 통해 병원으로부터, 치료・관리 되어야 할 환자로 규정된 순간부터, 병실에 명패가 걸린 순간부터, 또 몸에 맞지 않는 수의(囚衣) 같은 환자복을 입고난 뒤부터 갑자기 새삼 몸이 아파오기 시작한다.

> 입원한 다음날, 한 떼의 의사들이 병실로 몰려와, 겁에 질려 있는 나를 전범(戰犯) 다루듯 사납게 벽 쪽을 향하게 한 다음, 주사 바늘로 옆구리를 찔러 굉장한 양의 노르께한 액체를 빼내었고, **나는 집행을 기다리는 죄수처럼 유난히 하얀 병실 벽을 마주 바라보며 그들의 작업이 끝날 때까지 약간 울고 있었다.** 그리고 작업을 끝마치고 사라져가는 그 집행인들의 흰 가운에서 병실 벽처럼 차디찬 체온을 절감했다. **나는 이렇게 입원생활을 시작했으며, 어느 틈엔가 아침이면 체온계를 입에 물고 사탕을 깨물세라 조심스럽게 녹이는 유아처럼 체온을 재는 모범환자가 되고 말았다.** (최인호, 「견습환자」, 『최인호 중단편 소설전집』 1, 12쪽. 강조는 인용자)[5]

병원에서 '나'에게 실시한 검사는 '나'가 의학지식이 상정한 '표준적인 신체'인지를 판가름할 기준을 설정하고 그로부터 규율권력과 생명을 관리하는 권력이 작동할 수 있도록 한다. 병원에서 작동하는 생명을 관리하는 권력은 의학지식을 기반으로 개별적 인간을 객관적인 인간인

5) 이 글에서 인용하는 최인호의 소설들은 『최인호 중단편 소설전집』에 실린 것들이다. 따라서 이하 인용하는 부분에서는 소설의 제목과 쪽수만 표기한다.

것처럼 생물학적 기준에 따라 범주화 시킨다. 이렇게 설정된 범주에 따라 한 사람이 치료의 대상으로 구분되면, 생명의 보존과 증진만을 목표로 삼는 권력에 관리당하는 수동적인 상태에 머물게 된다. 이는 규율권력이 이상적인 신체를 위해 개인의 일상을 장악하고 수동적인 상태에 머물게 하는 것과 같이 작용한다. 그러나 이 둘 사이에는 큰 차이가 있음을 간과해서는 안 된다. 규율권력이 개인의 신체를 대상으로 작동하는 반면, 생명관리 권력은 '인구'라는 넓은 범주를 기반의 일부로서의 개인을 대상으로 작동한다.[6)]

입원생활이 시작된 순간부터 '나'는 생명을 담보로 규율권력과 생명관리 권력에 순종하며 자유를 반납한다. '나'의 자발적인 입원은 스스로가 생명보존의 욕구를 가진 인간임을 증명한다. 따라서 '나'는 치료과정에서 느껴지는 억압에 대해 순종해야 하며, 이 억압적 치료과정은 건강한 신체를 위한 절차라는 의미에서 정당성이 확보된 것이다. 생명유지의 필연성에 종속되어버렸기 때문에, 그는 수동적인 상태에 머물며, 병원 생활에 점차 익숙해져 간다. 그는 어느새 "모범환자"가 되어 있다.

매일 오전 아홉 시라는 정해진 시간에 시작되는 회진은 '나'의 일상을 구성하는 데 있어 중요한 요소로 자리하고 있다. '나'는 병원에서 주는 환자복을 입고 병원에서 제공하는 죽과 약을 먹으며 되도록 병색을

6) 생명관리 권력은 "국가가 통치의 대상으로서의 인간을 생물적 존재로 보면서 그 인간의 생물적 삶에 긍정적이든 부정적이든 영향을 미치면서 특정 목적을 달성하고자 하는 권력"이다. 생명관리 권력 하에 놓인 국가의 통치대상은 개인에서 인구 수준으로 바뀌게 된다. 생명관리 권력의 대상으로서의 인간은 이제 인구로서 "인구 전체의 증가나 감소, 건강상태, 인종적 구성" 등에 관계되는 상태로 파악된다. 이문수, 「사목권력과 생명권력 : Foucault가 보는 행정권력의 기원과 현재」, 『한국행정논집』 22, 2010, 950~951쪽 참고.

완연히 드러낸 채 오전 회진을 기다린다. 본래 병원은 기능에 따라 수술실, 입원실, 응급실 등의 공간으로 분할되어 있다. 병원에서의 공간분할은 신체를 가장 효율적으로 관리하기 위한 계산에 따른다. 분할된 공간에 따라 시간 역시 효율적으로 운용되는데, 이 안에 놓인 신체는 규율권력에 장악 당한 상태다. 개인의 신체는 규율권력이 짜 놓은 시간표에 따라 권력이 요구하는 이상적인 수준의 능력을 갖추 수 있도록 관리된다. '나'의 경우 병원에서 요구하는 건강한 신체라는 이상적인 상태가 될 수 있도록 의사와 간호원들에 의해 관리된다.

자본주의가 금전을 기준으로 인간을 평준화시켰다면, 의학지식은 건강함을 기준으로 인간을 평준화시킨다. 평준화는 개별적이고 특정한 가치를 지닌 대상들을 획일적이고 객관적인 대상인 것처럼 만들어버린다. 이 때문에 대상들 간의 차이는 봉합되고 서열화, 수치화 등이 가능해진다. 병원 안에서 '나'는 개별성을 인정받지 못하고 다른 여느 환자들과 구분되지 않는 대우를 받는다. '나'는 의학지식을 기반으로 작동하는 생명관리 권력에 의해 "기록된 대상"으로 다시 태어나게 된다.[7] '나'뿐만 아니라 제각기 다른 병으로 입원한 환자들 역시 "보육기 속의 유아"처럼 의료진에 의해 보호되고 관리되고 있으며 병원에서의 규율을 따르고 있다.

> **"굉장히 아픕니다."**
> **나는 믿어달라는 표정으로 말했다.**
> "옆구리가 굉장히 아프단 말입니다. 열도 올라서 밤이면 갈증을 느껴야 합니다. 정말입니다."

---

7) 양운덕, 「미시권력들의 작용과 생명정치」, 『철학연구』 36, 2008, 176쪽.

> 순간 의사들은 난감한 표정으로 나를 내려다보았다.
> "언제부텁니까?"
> 우두머리로 생각되는 반백의 의사가 은단을 주머니에서 꺼내 두서너 알 입에 넣고 그것을 굴리면서 거짓말 하는 절도범을 취조하는 민완형사 같은 소리를 내었다.
> "어제부텁니다. 아니, 정확하게 말해서 저녁 여덟시부텁니다."
> "닥터 김."
> **갑자기 그 의사는 신경질적으로 그의 몰모트를 잠시 내려다보고 나서, 뒤에 선 의사들 중의 어느 누구를 불렀다.**
> **"이틀 전의 엑스레이 검사는?"**
> **"이상 없습니다."**
> **"체온은?"**
> **"이상 없는데요."**
> **간호원들이 기재해 놓은 도표를 들여다보고 있던 인턴이 계산기 같은 입놀림을 했다.**
> **"정상입니다."** (「견습환자」, 18쪽. 강조는 인용자)

'나'는 의사들에게 자신의 증상을 과장해서 호소한다. 이런 구체적인 과장과 거짓말은 충분히 비정상적인 사람으로 보일 법한 행동이다. 그러나 의사들이 내린 진단은 "정상"이다. 의사들에게는 '나'의 호소보다 "도표"에 기록된 "엑스레이 검사"표와 "체온" 등의 객관적인 사실이 더욱 중요하기 때문이다. '나'는 의사들이 보유한 의학지식의 한 사례로서 병원 기록 내에서만 존재한다. 이제 병원에서 의사와 간호원에게 목소리를 내는 것은 기록 속에 존재하는 대상으로서의 '나'다. 개별적인 '나'의 불만은 객관적인 의학지식 앞에서 하찮은 것으로 취급당한다. 생명을 보존해야 하는 대업 아래, '나'는 의학지식이 상정한 기준에 따라 측정되고 기록되는 방식으로만 존재한다. 의학 지식의 한 사례로서 다시 태어난 '나'는 관리 대상으로서의 집단, 인구의 영역에 통합된 것이다. 병원 안에서 '나'는 의학 지식에 의해 인식되고 통제된다.

병원이라는 공간 안에서 작동하는 권력과 규칙은 한편에서 의사와 간호원이 환자들의 병세를 검사하고 기록하며 관리하는 역할을 맡고, 다른 한편에서는 환자들이 의사와 간호원들에게 자발적으로 순응하기 때문에 유지된다. 최인호의 「견습환자」에 그려진 이러한 관계 내부에는 어떠한 '인간미'도 담겨 있지 않다. '나'가 기록된 대상으로 다시 태어나 개별성을 상실해 버린 것과 마찬가지로 '나'의 눈에 비친 의사와 간호원에게서도 인간미나 개별성은 거의 느껴지지 않는다.

> 그러다가 나의 관심 대상을 의사들에게로 돌려버렸다. 그들은 모두 수염을 바싹 깎아서 동안(童顔) 같은 얼굴을 하고 있었고, 언제나 가운 주머니에 손을 찌르고 육상 선수처럼 복도를 뛰어다니고 있었다. **나는 그들을 햇볕 잘 드는 마당에 일렬횡대로 늘어세우면 그들의 얼굴이 모두 알루미늄 식기처럼 반짝반짝거릴 게라는 생각을 하고 있었다**. 그들은 빛깔 없는 테를 두른 안경 밑으로 눈빛을 번득이면서 병동을 오가고 있었다. …중략… **언제나 그들의 곁에선 약품 냄새가 나고 있었고, 그들의 희고 투명한 손가락은 햇살 속에서 매스처럼 번득이곤 했다. 그들의 깨끗이 세탁한 가운을 보노라면 주사액이 통 안에 가지런히 놓여 있는 정밀성 같은 것을 느껴야 했다**. (「견습환자」, 14쪽. 강조는 인용자)

> 간호원들은 병실과 병실 사이를 부산스레 헤매고 있었고, 간혹 의사들은 '비상'을 알리는 주번 하사 같은 기민한 동작으로 층계를 오르내리고 있었다. **나는 그들이 균을 잡아먹는 백혈구와 같다고 생각했다. 그리고 그들의 무표정하고 뻣뻣한 얼굴에서, 균을 거부하는 강력한 항생제의 효능을 느껴야 했다.** (「견습환자」, 16쪽. 강조는 인용자)

'나'의 눈에 의사들과 간호원들은 지적인 냉소를 띤 인물들로 비친다. '나'에게 의사와 간호원들은 "백혈구", "강력한 항생제" 같은 느낌을 줄 정도로 인간미가 없는 존재들이다. '나'가 관찰한 간호원과 의사들에게서 찾아볼 수 있는 것은 다만 이성적 판단 하에 실시하는 기계적인 분석과 치료 행위들뿐이다. 의사나 간호원들 모두가 어떤 개성도 없이 비슷한 표정과 차림새, 비슷한 행동을 보이기 때문이다. '나'에게 기계로 느껴지는 이들은 병원에서 '웃음'을 찾는 '나'와는 다른 존재들처럼 느껴진다.

하지만 사실 '나'와 이들은 모두 규율권력의 영향 하에서 목적에 맞게 짜인 생활을 하고 있으며, 서로 별반 다르지 않은 규율화된 생활을 영위하는 존재들이다. "미시적인 규율 장치 안에서 권력의 눈에 노출된 채 관리되고, 권력의 프로그램에 따라서 작동"하는 주체들이기 때문이다.[8] '나'가 입원생활에서 밀려오는 수동적 상태에 의해 무기력과 권태를 느끼는데 반해, 의사와 간호원들은 분주한 생활을 하고 있다. 이 덕분에 의사와 간호원은 비교적 능동적으로 보이지만, 실은 환자를 치료해야만 한다는 맹목적인 분주함에서 비롯된 권태에 사로잡혀 있다. 다만 표면적으로 드러나는 양상의 차이가 이 둘을 매우 다른 입장에 처한 존재들인 것처럼 보이게 한다. 권태감과 분주함이라는 상반된 양상의 기저에는 모두 삶의 유지에 필요한 반복적인 일상과 주체의 순종성이 짙게 깔려 있다. 「견습환자」에서 계속해서 강조되는 '나'가 느끼는 입원생활 속의 무기력과 권태는 의사와 간호원에게서 나타나는 분주함 속의 권태와 같은 맥락에서, 일상의 반복성, 권력이 강요하는 삶에 순

8) 양운덕, 앞의 논문, 175쪽.

종하는 태도에서 기인하는 것들이다. 의사와 간호원들은 규율권력이 원하는 바대로 이상적으로 잘 적응한 자들, 잘 적응한 신체들이라고 볼 수 있다.

이렇게 '나'와 의사와 간호원들이 일상에서 규율권력과 맺고 있는 관계를 통해 권력의 양면성이 드러난다. 권력은 단순히 폭력이나 지배, 억압이라는 단어로는 설명될 수 없는 특징도 지니고 있는 것이다. 한편에서 '나'의 경우처럼 억압과 통제를 감내하도록 강요하는가 하면, 다른 한편에서는 '나'와 '의사'와 '간호원'들의 삶을 유지해 주고 있기도 하다.

한편, 지금까지 살펴본 최인호의 초기 소설에 나타난 규율권력과 생명관리 권력의 양상은 당시 사회적 상황들과도 관련된 것임을 주목할 필요가 있다.[9] 1960년대와 1970년대는 국민의 복지에 관한 정책들이 속속 자리 잡기 시작했으며, 권력의 성격이 변화하기 시작한 시기라 볼 수 있다. 박정희 정권은 생명관리 권력의 관리 대상인 인구문제를 해결하기 위해 1962년 전국적으로 가족계획과 인구이동의 억제책, 농촌 귀환책 등의 직접적인 인구정책을 시행했다. 이와 함께 보건소의 설치, 의료보험 제도의 시행, 전염병의 예방, 피임약의 보급 등 다양한 캠페

9) 박정희 정권은 1961년 마련된 「재건국민운동에 관한 법률」, 1971년부터 경찰을 동원한 '퇴폐풍조 일제단속' 등 대중문화를 단속하며 국민들의 일상을 장려하는 활동과 금지하는 활동으로 나누는 규율적 성격의 정책을 대량으로 공표했고 또 활용했다. 규율적 정책들을 통해 박정희 정권은 간첩을 척결하고 반공체제, 절대적 빈곤의 탈피를 위한 경제 총동원 체제를 마련했다. 이에 대한 자세한 사항은 다음 논문들을 참고. 백경옥, 「1970년대 박정희정부의 대중문화통제」, 서울대 석사논문, 2012. 송은영, 「박정희 체제의 통치성, 인구, 도시」, 『현대문학의 연구』 52, 2014. 이상록, 「경제제일주의의 사회적 구성과 '생산적 주체'만들기」, 『역사문제연구』 25, 2011. 황병주, 「1970년대 유신체제의 안보국가 담론」, 『역사문제연구』 27, 2012.

인과 무의촌으로 의사를 파견하는 등의 의료 정책도 함께 실시했다. 또 국력의 지표이자 통치 대상으로서의 인구를 적정 수준으로 끌어올리기 위해서 쌀 생산량을 증가시키는 정책과 쌀 가격 형성에 정부가 개입하는 미가안정화정책 등의 관리 체제를 마련했다. 뿐만 아니라 박정희 정권은 인구와 물적 자원의 순환·조절에 용이하도록 국토를 재정비했다. 서울을 중심으로 행정구역을 확장하고 지방과 도시와의 연계성을 향상시키기 위해서 경부고속도로와 영동고속도로 등을 건설했다. 1970년부터는 새마을 운동을 통해 농촌의 도시화를 적극적으로 추진하기도 했다. 이런 국가의 정책들은 거시적인 차원에서 시행된 것이지만, 국민들의 일상에 계속해서 영향을 미칠 수밖에 없는 것들이었다. 또 이들 대부분은 도시화 과정에서 발생하는 인구 과잉 문제와 결부된 것들이었다. 때문에 도시 문제를 주로 소설화 한 최인호의 시선에 미시적인 차원으로까지 직접 개입하는 미시적 권력이 더욱 잘 포착될 수 있었던 것이다.

도시에서의 일상을 소재로 한 「2와 1/2」에도 역시 앞서 언급한 권력의 미시적 차원이 드러나 있다. 「2와 1/2」은 도시에 사는 이서영이라는 한 회사원의 이야기다. 그는 작은 출판사에 다니고 있으며, 매일 반복되는 업무와 특근, 야근에 지쳐있다. 그는 어쩐지 끊임없이 밀려드는 권태감 때문에 매우 무기력한 삶을 살아가고 있다. 그러다 그는 일상의 권태로부터 벗어나고자 다른 사람들 같았으면 "봐 줍쇼"하고 피했을 예방주사에 팔뚝을 내맡기는 작은 일탈을 감행하게 된다.

> 아무래도 그 주사만큼은 맞지 않았어야 했다. 다른 사람들처럼 잘 봐 줍쇼라고 담배나 권하며 슬슬 우물쭈물 꽁무니 뺄 것을 무슨 큰 영웅이

> 나 된 듯이 팔뚝을 걷어붙이고, 예방주사를 맞아버린 것은 아무래도 틀려먹은 짓이었다. 그 따위 주사를 맞아야 꼭 장티푸스가 예방된다면 지금껏 난 매해 여름이면 소위 옘병에 걸려 머리털이 빠졌어야 했을 것이다. 그렇다고 이번 여름은 유독 덥고, 어딘가 몸 한구석이 망가져버린 듯 피로하니, 그런 예방주사쯤 맞아두어 만일을 예비하자는 뚜렷한 목적의식하에 방역원 앞에 팔을 내민 것은 아니었다. 그 이유는 나도 잘 모른다. (「2와 1/2」, 31쪽.)

방역원이 등장하는 것으로 보아 앞서 언급한 인구정책의 일환으로 국가가 개인의 질병예방에 개입하고 있는 것을 알 수 있다. 권태로운 일상으로부터 벗어나기 위해 국가에서 장려하는 정책에 더욱 순종하는 방식으로 일탈을 감행한 이서영에게 예방주사는 본의 아니게 극심한 통증을 유발한다. 사실 예방접종은 인구 차원에서 생존율과 사망률을 관리하는 정책으로, 전체 인구의 몇 명이나 장티푸스에 걸렸는지, 예방접종을 했을 때 병에 걸리지 않을 확률은 얼마나 되는지, 예방접중의 부작용은 없는지 등을 고려한 것이다. 따라서 개인의 고통의 차원은 크게 고려되지 않는다. 때문에 예방주사와 같은 합리적인 독소, 합리적인 폭력에 의해 고통받게 된 이서영에게 "사회를 움직이는 것은 모두 우리네 생활과는 동떨어진 것"이라는 느낌을 갖게 한다. 이런 느낌은 경찰서에 남아 취조를 당하면서 더욱 강화된다.

이서영은 여럿이 함께 거주하는 주택에 살고 있는데, 아랫방 여자가 죽는 사건이 벌어지게 된다. 이 사건으로 인해 집안에 함께 거주중인 사람들은 물론 이서영 역시 그 사건의 용의자로 조사를 받게 된다.

> **사실 나는 오래 전부터 아주 적은 시간 이외엔 끊임없이 혹사당하고 있었던 것이다.** 토요일 오후까지, 어떤 때는 일요일까지도 나는 근무를

> 해야 했고, 그것은 이번 주만이 아니었다. 어제도, 그제도 **내가 기억하는 내 인생 저 깊은 곳에서부터 나는 줄곧 부림을 당하고 있었다.** 그리고 이렇게 예방주사를 맞은 것과 같은 본의 아닌 아픔도 이번이 처음이 아니었다. 집단적인 이웃과 이웃 사이에서 따스한 체온을 나누려면, 그저 세금을 꼬박꼬박 낸다거나, 시민증을 꼭꼭 가지고 다닌다거나, 국민의 의무인 통행금지 시간을 엄수하고, 군복무를 필한다는 자격 이외에도, 예방주사처럼 합리화된 독소에 몸을 떨어야 했다. **사회를 움직이는 것은 모두 우리네 생활과는 동떨어진 것이었다.** 가령 투표를 한다는 최대의 권리 밖에서 사회는 움직여지고 있었고, **그저 나는 언제나 아픈 곳이라고는 없이 생 이빨을 빼야 하는 듯한 본의 아닌 아픔 속에서 양순하게 사육되어온 것이다.** (「2와 1/2」, 42쪽. 강조는 인용자)

경찰서 의자에 앉아 취조를 기다리던 중 이서영은 평소 애써 무시해왔던 일상으로부터의 억압을 실감한다. 그리고 자신이 삶을 얼마나 수동적인 태도로 살아왔는가를 자각한다. 그의 표현대로 이서영은 “스스로 걸어온 상태가 아니라, 탁한 물 밑에 가라앉은 앙금처럼 밀려온 상태”였던 것이다. 그는 마음과 다른 말을 입에 달고 살았으며, 부당한 대우에 화 한번 제대로 내지 못한 채, 매일 자기 안의 목소리는 무시한 채로 자신과 동떨어진 것들을 위해 살아왔던 것이다. 이는 앞서 살펴봤던 「견습환자」의 ‘나’가 일상으로부터 느끼는 괴로움과 별반 다르지 않은 감정이다. 다른 점이 있다면 「2와 1/2」에서 이서영은 노골적으로 억압에 순종하는 모습을 보인다는 것이다. 「견습환자」의 ‘나’가 병원의 차갑고 정밀한 체계에 균열을 내기 위해 ‘웃음’을 도입하려 했지만, 결국 실패로 돌아가면서 끝내 자신의 패배를 인정하게 된 것과 달리, 이서영은 예방주사를 맞는 행위를 통해 작은 일탈을 감행했다. 소설의 마지막에서 이서영은 차라리 자신을 “순종하는 희열”에 길들여진 자로 인식하기에 이른다.

> 나는 무언가 즐거운 마음이 들었다. 서른의 나이에 내가 배운 바로는 저들이 놓아준 자리에 박물관에 진열된 자기처럼 앉아 있어야만 된다는 확신, **그 순종하는 희열 같은 것에 나는 이미 친숙해져 있었던 것이다.**
> "난 그냥 있을랍니다. 난 아주 재밌어요. 내일이면 또 월요일 아닙니까? 선생들." (「2와 1/2」, 51쪽. 강조는 인용자)

> 나는 아버님 산소에 가려던 계획이 휴지조각처럼 던져진 일요일의 절정에서 그들이 나를 부를 때까지 얌전하게 앉아 있을 계획이었다. 아침 한 끼밖에 안 먹은 배고픔과, 주사 덕분의 아픔 그리고 가슴을 저미는 듯한 고독감으로 나는 천천히 울고 있었다. 차라리 이만한 아픔이라면 아예 꾀병을 앓아버리는 게 낳을 성 싶다는 체념과 같이 차라리 이만한 고독과 슬픔 같은 것이라면 아예 그들에게 내가 범인이라고, 당신들이 원하는 것처럼 내가 범인이라고, …중략… **나 아닌 딴 사람이 죽이기 전에 내가 먼저 죽여버렸노라고 고백하리라 작정했다. 그러자 나는 무척 홀가분해졌다.** (「2와 1/2」, 51~52쪽. 강조는 인용자)

취조과정에서 이서영과 같은 집에 사는 동거인들 중 그를 포함한 3명의 남자만이 유력한 용의자로 남게 된다. 그를 제외한 2명의 사내는 자신들의 결백을 주장하며 한시바삐 경찰서를 몰래 빠져나간다. 그러나 그들과 달리 이서영은 도망가지 않은 채 경찰서에 얌전히 앉아 생각에 잠긴다. 그는 살해당한 여자의 몸에서 발견된 "임균"이 이서영에게도 있다는 점, 그가 "몽유병이 있어 가끔 한 밤중에 죽은 여인의 방 앞을 서성이는 것"이 목격되었다는 점 등을 근거로 유력한 용의자로 몰리고 있는 상황임에도 반항이나 도망갈 생각은 하지 않는다. 그는 아주 순순히 자신의 죄를 고백할 결심을 하자, 곧 마음이 홀가분해졌음을 느낀다.

하지만 저항성 없는 이서영의 태도가 오히려 개인에게 일상에서 가해지고 있었던 억압, 경찰서에서 가해지고 있는 억압을 더욱 강조해 드러내고 있다.

이서영은 경찰서에 앉아 "또 하나의 나"에 대해 생각한다. "밤마다 휘발유로 때를 벗기고, 브러시로 먼지를 털고, 버릇이라고는 눈곱만치도 없어, 기분 나쁜 말을 하는 놈에겐 철권을 휘두르는, 또 하나의 나를 사랑"해야 한다고 생각한다. 이는 평범하고 정상적인 수준 이하에서 존재하는 "또 다른 나"에 대한 생각이다. 아직 교정되거나 길들여지지 않은 상태의 이 또 하나의 나는 권력이 조성한 일상과 사회에 순응하는 과정에서 그간 놓쳐버린 자신의 또 다른 이면이자 배제되어버린 부분이다.

최인호는 권력이 조성한 일상과 사회가 개인을 얼마나 억압하고 고독하게 만들어가고 있는가에 대해 꾸준한 문제의식을 가지고 있었던 작가다. 최인호는 민중문학 계열의 작가들처럼 어떤 전복이나 이상적인 상황의 도래에 대한 언급을 하지 않는다. 그는 그저 덤덤하고 씁쓸하게 미시적 차원에서 일상을 장악한 권력을 관조하고 있었던 것이다. 지금까지 살펴 본 「견습환자」와 「2와 1/2」에서 반복적으로 강조되고 있는 것은 일상의 억압성과 권력의 규율성이다.

그간 최인호에게 덧씌워진 통속작가라는 편견과 달리 최인호는 일찍이 징후적으로나마 일상을 장학한 미시적 권력의 규율적 성격과 생명관리적인 측면을 소설 속에 그려놓았고, 이는 그 당시 박정희 정권의 통치술과 연관 지었을 때도 굉장히 타당한 것이며, 권력의 성격과 그 변화에 대한 예리한 포착이었다.

3. 공공영역과 통치성

1) 언론의 성격과 통치성의 변화

최인호가 1970년대 미시적 권력의 양상들과 더불어 예민하게 반응하고 있는 또 다른 주제는 권력이 사적 영역을 통치의 대상으로서 장악하기 시작했다는 점이다. 최인호의 중편 「가면무도회」와 「무서운 복수(複數)」에는 이와 같은 양상이 확연히 나타난다.

「가면무도회」에는 공적인 영역에 속하는 언론이 점차 사생활을 다룬 기사들에 의해 잠식되면서 기자인 화자가 겪는 심리적 딜레마를 그리고 있다. 사회부 기자인 이문후와 베테랑 기자인 부장 사이에서 벌어지는 갈등이 주요 서사를 이루고 있다. 이 두 사람의 갈등을 통해 최인호는 현대판 폴리스의 구실을 해야 할 언론이 사적 담론에 의해 잠식당했으며 오로지 유희거리만을 찾아다니기 바쁘다는 점을 비판하고 있다. 두 사람의 대립 과정에서 부장이 내세우는 논리는 대중이 언론에 요구하는 기사의 취향이 확연히 바뀌었다는 점이다. 소설 속에서 대중들은 이제 정치적인 것에는 관심조차 두지 않으며, 오로지 타인의 사생활을 재미삼아 엿보는 데 몰두하는 인물들처럼 그려진다.

> 그것은 엄중히 말해서 몇 시간 동안 텔레비전 카메라를 들이댈 성질의 것은 아니었다. **분명히 큰 사건이긴 하지만 저녁 뉴스에 상세히 보도해주어야 할 것이지, 사람이 죽는 현장을 몇 시간씩 중계하듯 보여준다는 것은 대중의 맹목적인 사디즘, 가학 취미에 매스컴이 단순히 놀아난 결과밖에 되지 않았다.** 그것은 엄격히 말해서 사형장을 중계한 꼴밖에 되지 않았기 때문이었다. …중략… 다음날 조간신문에는 클로즈업된 여인의 나신이 사회면을 장식했다. (「가면무도회」, 174~175쪽. 강

조는 인용자)

인용문은 이문후가 몇 년 전 심야에 고층 빌딩 꼭대기에 위치한 나이트클럽 화재 사건을 다룬 기사를 회고하는 대목이다. 이 회고를 통해 부장과 이문후 사이의 견해 차이가 확연하게 드러나고 있다. 부장에게 독자들은 매스컴이 개인에게 가하는 폭력을 즐기는 "사드적 주체"들이며, 부장은 독자들의 기사 취향이 "배우자가 간통을 했다는 기사"나 "스포츠와 일반 레저 기사"쪽으로 변화했고 신문사는 여기에 부응해야 함을 주장한다. 지극히 사적인 영역일지라도 대중이 원한다면 신문 기사에서 얼마든지 기사를 쓸 용의가 있고 그래야만 한다는 것이다. 반면에, 이문후에게 그런 변화 자체가 기사를 쓰는 것에 대한 회의감을 유발하고 작업을 권태롭게 만든다. 한 여인의 나신이 언론을 통해 대중에게 공개될 수 있었던 것도 부장의 이런 태도 때문에 가능한 일이었다. 이문후는 대중이 기자에게 요구하는 것과 자신이 생각하는 기자다움 사이에서 갈등하며, 타인의 사적 자유를 훼손하는 것에 유독 불만이 많은 인물이다. 하지만 그럼에도 불구하고 그가 신문사를 관두지 못한다는 점은 그를 더욱 괴롭게 한다. '사회부'기자로서 가져야 할 치안, 경찰, 재판, 시정 등에 대한 진정성 있는 관심과 태도는 오히려 바뀌어버린 언론의 성격에 이문후가 적응하지 못하도록 만들고 있다.

부장은 "고고 클럽이 퇴폐의 온상이라는 마땅히 지탄받아야할 대상임을 강조"함으로써 여인의 나신을 내보내는 데 대한 정당성을 확보하고자 하며, 개인의 사생활을 침해한다는 비난을 피하고 있다. 고고 클럽과 같이 퇴폐적인 장소에서 일어난 사적인 일에 대해서 대중이 공적으로 지탄을 가할 수 있도록 하는 근거는 당시 권력이 이상적으로 제시한 일꾼들의 모습과 관계가 있다. 1960년대 초반부터 이어져 온 박정희 체제의 통치는 아버지가 자식을 훈육하듯 국민들의 일상의 소소한 것들에까지 개입을 일삼고 있었다. "국민 전체를 같은 시간에 깨우고 같은 시간에 집에 들어가 잠들게 한 것은 말할 것도 없고, 심지어 불러야 할 노래와 입어야 할 치마의 높이, 그리고 길러야 할 머리카락의 길이까지 강제"할 정도였다.[10] 이런 간섭은 근면한 노동자를 모범적인 국민으로 제시했으며, 근면성실과 근검절약을 국민들에게 강조하기 위해 시행된 것들이었다. 근면한 노동자라는 범주가 명확하게 설정되면서 국민들을 분류하고 평가할 기준이 마련된 것이다. 때문에 일하지 않고 방탕하게 고고 클럽에 나가서 음주가무를 즐기는 국민, 여관을 드나들며 가정의 질서를 어지럽히는 국민들의 사생활에는 집단적인 폭력을 가하는 것이 용인될 수 있게 된 것이다. 박정희체제의 국가주도의 산업화와 경제제일주의는 "근대화를 수행할 주체창출의 규율화"를 추구하는 것이었다.[11] 사적 담론은 이제 공적 담론 영역을 장악하고 정치의 대상으로 등장하게 된다. 권력은 이제 사적인 영역을 대상으로 삼으며, 이는 앞서 최인호의 소설을 통해 살펴 본 규율권력과 생명관리 권력이 개인의 건강을 관리하고 신체를 길들이는 것과도 맥락을 함께 하는 것이다.

이런 일련의 상황들과 함께 언론이 독자들을 사적인 영역의 화젯거리로 유도할 수밖에 없었던 데에는 이 소설이 쓰인 1970년대에 대중적 파급력이 큰 언론이 검열당하고 있었다는 사실 역시 영향을 미쳤다.[12]

10) 김형중, 「1960~70년대의 한국과 생명정치」, 『인문학연구』 47, 2012, 77쪽.

11) 이상록, 앞의 논문, 117쪽.

12) 언론인들은 1971년 5월 15일 '언론자유수호 행동강령'을 발표했다. 구체적인 내용은 1. 책임성 있는 취재·보도, 2. 관계기관의 불법 부당한 연행의 일체 거부, 3. 기사삭제에 대한 타당성 확인, 4. 정보기관원의 언론기관 상주·출입 배제 등이다. 뒤이어 1973년에

유신체제 하에서 민감한 사안이었던 정치적인 사건들은 언론에 의해 자유롭게 다뤄질 수 없었다. 언론은 정치적 사건을 다루는 데 따르는 위험부담이 커지자, 일반이나 연예인들의 사건・사고에 눈을 돌린 것이다.

그러던 어느 날, 반공포로였다가 브라질로 망명을 떠났던 한 사내가 자신의 20년 전 첫 사랑을 찾으러 한국에 오게 되면서 이문후와 부장 사이의 갈등은 심화된다. 우연히 한국 대사관에서 얻은 팸플릿 속에 찍힌 자신의 옛 연인을 찾아달라는 요청에 이문후는 계속 한국에서 살아왔을지 모를 그 여인의 사정을 무시한 채, 그녀의 사생활을 대대적으로 공개한다는 것에 거부감을 느낀다. 그러나 부장은 이 이야기가 엄청난 기사거리가 될 것임을 직감하고 적극적으로 그 제안을 받아들이고자 한다. 그녀의 사진을 기사에 낼 것인가를 둘러싸고 이문후와 부장은 첨예하게 대립한다.

> "무턱대고 아침에 이 여인의 사진이 나간다면, 만약 그 여인이 살아 있다면, 자칫하면 지금 그 여인의 입장이 어떤지 모르면서 이 여인의 사생활을 우리가 침범하게 될지도 모르는 일 아닙니까? 혹시 이 여인이 다른 사람과 결혼했을지도 모르지 않습니까?" …중략… "목적을 위해서 빈자리에 조작된 꽃이라도 우린 꽂아두어야만 해. …후략…" (「가면무도회」, 198~200쪽.)

부장은 기사의 흥미와 전달하려는 메시지가 개인의 사생활보다 더 중요하다고 생각하기 때문에 기사의 극적인 상황 연출을 위해 약간의

는 '언론자유 수호결의'가 1974년에는 '자유언론 실천선언' 등이 이어졌다. 언론인들이 잇달아 속속 정권에 대항하는 선언들을 발표한 것은 당시 언론이 권력에 의해 얼마나 탄압받고 있었는가를 짐작케 한다.

조작을 해야만 한다는 생각을 피력한다. 이런 부장의 생각은 신문의 판매 부수를 염두에 둔 것으로 보인다. 신문사가 존폐위기를 겪지 않으려면 사람들로부터 꾸준한 관심을 얻을 필요가 있기 때문이다. 즉 앞서 언급한 정치적인 상황뿐만 아니라 경제적인 문제 역시 언론의 성격을 변화 시키고 있는 것이다. 그러나 이문후는 독자들에게 알 권리, 읽을 권리가 있는 것처럼 개인의 사생활은 저마다 보호되어야 할 마땅한 권리가 있음을 내세워 부장의 의견에 반박한다. 하지만 결과적으로 일은 부장의 뜻대로 흘러가게 되고 이문후는 또 다시 부장의 태도와 대중의 집단적인 가학성에 환멸을 느낀다.

이문후는 환멸을 느낄 때마다 극심한 위통(胃痛)에 시달린다.

> 문후는 아까부터 쓰려 오는 위를 달래기 위해서라도 무엇이든 먹어두지 않으면 안 되었다. 문후는 회사 앞에 차를 세우고는 깔깔한 입맛으로 우동을 한 그릇 삼켰다. 무엇이든 위 속에 집어넣으면 거짓말처럼 위장이 편안해진다. 문후는 자신의 위가 자신의 몸에 분명히 존재하고 있으면서도 자신의 몸의 일부가 아닌 것처럼 느꼈다. 그것이 뻔히 해로운 줄 알면서 그날 저녁 퇴근 후에 문후는 무지무지하게 술을 마셨다. 마치 자신의 위를 학대라도 하려는 듯. (「가면무도회」, 227쪽.)

이문후 역시 먹고 사는 문제에 얽매여 있는 도시의 회사원에 불과하다. 때문에 부장의 계획을 알면서도 적극적인 대항을 하지 못하는 자신의 모습에 심한 모멸감을 느끼며, 그것이 위통으로 나타난다. 이 위통은 그 역시 마음이야 어떻든 간에 집단적 가학성을 띤 대중에 속한 사람이며, 먹고 사는 문제로부터 벗어날 수 없는 한낱 인간일 뿐이라는 사실을 상기시킨다. 이문후의 심리적인 괴로움과 별개로 위는 마치 “자신의 몸의 일부가 아닌 것처럼" 무관해 보인다. 위통은 이문후가 어떤 고민을 하고 있든지 어떤 상황에 처해 있든지 먹고 사는 문제로부터 벗어날 수 없다는 것을 상기시켜주는 경종 같은 것이다. "마치 자신의 위를 학대라도 하려는 듯"한 이문후의 태도는 권력의 성격이 변화하면서 세계를 장악한 질서 역시 변화했으며, 여기에 아무리 맞서려 해도 자신 역시 그 권력의 영향 밖에서는 살아갈 수 없는 나약한 인간임을 원망하는 심리가 담긴 것이다.

이상적인 범주가 설정됨에 따라 비판받아야 마땅하다고 여겨지는 사람들에 대한 집단적인 폭력성의 표출이 가능하게 되고, 또 먹고 사는 경제적 문제만이 신문사의 존폐를 결정하는 한국사회에서 오직 사적영역만이 통치대상으로서 존재한다. 그렇기에 누구도 침해할 수 없는 것이어야만 하는 사적 자유는 이제 훼손당하고 벌거벗겨진 채 공공의 영역으로 끄집어져 나오게 됐다. 최인호는 이문후를 통해 언론이 사적 영역을 유희거리로 제공함으로써 생겨나는 문제를 드러내고 공적 영역과 사적 영역의 경계가 흐릿해지는 현상을 비판적으로 그려내고 있다. 그러나 최인호는 이번에도 어떤 저항행위의 실천이나 성취 없이 비관적인 결말로 소설을 마무리한다. 이는 차라리 어떤 점에서 기만적인 전망을 내세우지 않는 솔직하고 현실적인 태도로 보인다.

2) 학생운동의 허위성과 통치성의 변화

정치적인 사안들을 다루는 것이 비교적 자유롭지 못했던 언론과 달리 당시 정치적 비판을 앞세운 학생운동이 대학가를 중심으로 활발히 진행됐었다. 대학가는 최루탄과 학생들의 선전 구호로 조용할 날이 없었고 또 정상적인 교과 수업이 불가능할 정도로 학생들의 학생운동 참여율 또한 높았다. 최인호의 중편 「무서운 복수(複數)」는 1970년대 대학가에서 벌어진 학생운동을 둘러싼 이야기다. 이 소설은 1972년에 쓰인 것으로, 1971년 10월 서울대학교에서 일어났던 교련반대시위를 소설화한 것이라 짐작해 볼 수 있다.

당시 대학 간 연계 운동으로까지 번져 학생운동에 참여하는 학생들의 수가 5만여 명이 넘을 정도로 규모가 커지자 박정희 정권은 10월 15일, 서울 전역에 위수령을 발동한다.[13] 그리고 서울 시내 8개 대학에 위수군인을 배치하여 1,889명의 학생들을 연행했고, 이 중 119명은 구속되었다. 게다가 시위주동 학생들 117명은 입영 조치되었다. 학생운동에 가담했던 이들은 시민으로서, 또 지성인으로서 사회의 부정에 맞서는 권리를 행사했고 그 대가로 자신들에게 생사여탈권을 행사하는 무소불위의 초법적 권력에 의해 처분 당했다. 이처럼 정부에서 직접 학생운동에 개입할 정도로 학생들의 선전구호와 시위활동은 당대의 공공의 영역, 공적인 담론장으로서 정치적 비판의 기능을 충실히 했던 것으로 보인다. 그러나 통치성의 변화와 함께 언론의 성격이 변화했듯이 학생운동의 성격 또한 변화를 겪고 있었는데, 최인호는 이를 「무서운 복수(複數)」의 화자와 그의 시선을 통해 묘사하고 있다.

「무서운 복수(複數)」의 화자인 최준호는 9년째 학교에 다니는 복학생이다. 어느 날 병정놀이 같았던 교련 수업을 현역 군인 교관들이 맡게 되고 진짜 군인 다루듯 하는 수업 방식에 학생들은 불만과 반감을 갖게

13) 위수령은 "육군 부대가 한 지역에 계속 주둔하면서 그 지역의 경비, 군대의 질서 및 군기 감시와 시설물을 보호하기 위하여 제정된 대통령령을 말한다." 김형중, 앞의 논문, 71쪽.

된다. 게다가 교련 수업은 필수과목이기 때문에 무조건적으로 들어야만 한다는 사실이 학생들의 불만을 더욱 가중시켰고 이로 인해 학생들이 집단적으로 수업을 거부하고 학생운동을 일으키기에 이른다. 교련수업 반대 운동에 참여하는 학생들은 성명서를 발표하는 등, 정치적인 발언도 서슴지 않고 있기 때문에 겉보기에는 자신들을 장악하려는 국가권력의 횡포에 대항해 자못 반항적이고 패기가 넘쳐 보인다. 하지만 학생운동에 참여하지 않고 한발 떨어져서 그들을 바라보는 최준호의 눈에는 학생운동의 다른 면모가 보여서인지, 최준호는 학생운동에 미적지근한 태도를 보인다. 최준호는 학생운동을 앞장서서 이끄는 오만준과 김오준으로부터 부탁받은 성명서를 쓰겠다고 대답은 했으나 한 글자도 적지 못했으며, 자신에게 닥칠지 모를 불이익을 생각하며 학생운동에 말려들고 싶지 않아 한다. 이런 최준호와 비교했을 때 학생운동을 주도하는 오만준과 김오준은 적극적인 행동파로, 불이익에 대한 두려움은 없고 신념에만 가득 찬 것처럼 보인다.

학생운동이 한창이던 학생들 사이에 학생운동 참여자들의 스냅 사진을 정부에서 찍기 시작했다는 소문이 떠돌기 시작한다. 학생운동에 가담하는 모습이 사진에 찍히는 순간 닥칠지 모를 불이익은 대학생들의 삶을 순식간에 망가뜨릴 수 있는 것이었다. 이 소문은 학생들에게 "심심풀이로 데모를 해도 앞장을 서지 말라"는 말로 이해되기에 이른다. 독재정권 체제에 반항하면 사회 안에서 누릴 수 있는 권리를 박탈당하는 것은 물론이요, 이들을 관리 대상에서 제외시켜 국가가 방치하고 정상적인 수준의 경제활동 역시 불가능하도록 만들어 버리기 때문에, 오만준과 김오준처럼 나서서 학생운동을 이끌지 말라는 것이다. 학생운동에 가담하는 이들도 일상의 문제, 먹고 사는 문제로부터 자유로울 수 없다. 통치성의 성격이 사적인 영역에 영향을 미치는 방향으로 바뀌어 버렸기 때문이다. 국가는 학생들의 일상과 미래를 볼모로 학생운동을 저지하려 한다.

이런 대부분의 학생들과 달리 학생운동에 앞장서는 오만준과 김오준은 먹고 사는 문제에 종속되지 않은 것처럼 보인다. 그러나 이들의 학생운동 주동이 자발적 의지에 따른 것이 아니라, 관습적인 패턴의 반복임이 곧 밝혀진다. 소설의 후반부에, 오만준은 최준호를 찾아와 그 역시 자유롭게 학생운동에 참여하는 것이 아님을 고백한다. 오만준은 사람들이 "데모를 하라고 쉴새없이 하는 요구"에 충실한 술래잡기의 "술래"였을 뿐인 것이다.

> 그러니 새로 경질된 학생회장단은 으레 우리는 청렴결백한 여러분의 종입니다, 주인은 여러분이요, 우리는 여러분의 종일뿐입니다라는 것을 확인시키기 위해서라도 대규모의 데모를 해야 하는 것이다. **언제부터인가 우리들은 데모를 하지 않으면 온몸이 쑤시는 버릇이 들었던 것이다.**
> 새봄에는 새로 들어온 교양학부 학생들이 참 용감하기 짝이 없어서 **그들은 말만 들어 온 데모를 실습하려고 잔뜩 벼르고 있었기 때문에 이 친구들이, 이 교양학부 학생들이 건재 하는 한 데모 전선엔 이상이 없다는 것이었다.** (「무서운 복수(複數)」, 204쪽. 강조는 인용자)

오준호의 고백을 통해서도 학생운동이 허위성을 띠고 있음을 알 수 있지만, 이 사실은 최준호의 눈을 통해서도 확인이 가능하다. 최준호에 눈에 비친 학생 회장단과 학생운동에 참여하는 학생들은 모두 순수하게 정치적인 발언을 위해 뭉친 사람들이 아니다. 그들은 학생운동을 학생회장단의 정치 선전용으로 이용한다. 그들은 학생운동을 젊은 학생들이 마음속에 품고 있는 울분과 폭력성 그리고 호기심을 표출하는 활동

쯤으로 이용하고 있다. 학생회장단이 학생운동을 이용하는 이유는 회장단이 되었을 때 얻을 수 있는 금전적 이득 때문이다. 겉보기에 정치적인 공적 영역의 역할을 맡고 있는 듯했던 학생운동과 그를 주도하는 학생들이 모두 경제적인 사안과만 관계를 맺고 있었다는 사실은 앞서 언급한 통치성의 변화와 같은 흐름 아래 놓인 것이다. 학생운동은 학생들의 의식 저 깊은 곳에 쌓인 울분을 토로하는 폭력의 장, 학생회장단의 금전적 욕심과 관련된 이해관계의 장으로 그려지고 있다. 위의 사실들을 통해 알 수 있는 것은 궁극적으로 최인호가 「무서운 복수(複數)」라는 소설을 통해 대학가의 복잡한 상황을 보여줌과 동시에 학생운동의 본질이 변화하고 있었음을 중간자로서의 화자를 통해 보여주려 했다는 점이다.

최준호가 바라보는 학생운동에 대한 생각이 확실해질수록 학생운동의 허위성이 점차 확연하게 드러난다. 관습적이 되어버려 형식적인 껍데기만 남은 학생운동은 이제 세계의 진정한 불의를 인식하지 못하는 듯하다. 소설의 후반부 최준호와 교수의 대화는 이 허위성을 더 직접적으로 강조한다. 학생운동에 가담하는 젊은 청년들은 적이 누군지도 모른 채 항상 위기상황에 내몰려야 했고 그럼에도 자유롭게 반항하고 싸우기보다는 철저한 "페어플레이" 정신으로 무장한 채 정해진 공간과 시간 외에는 절대로 투지를 불태우지 않는다고 말이다. 군경들 역시 군 상부의 학생운동을 막아야만 한다는 명령에 맹목적으로 복종하는 수동적인 젊은이들일 뿐이다. 이들은 양측 모두 정치적으로 별 다른 사유를 하고 있지 않는다. 이렇듯 학생운동은 정치적이지 않은 이유들로, 허위로 가득 차 있다. 학생운동은 불안한 젊은이들이 궁지에 몰려 터트리는 불안의 증거일 뿐이다.

> 데모는 우리의 유일한 구원이요 합창이었다. 데모를 하려고 서로의 굳은 어깨에 어깨를 대면 상대편 핏속으로 튀어들어와 수혈(輸血)이 되고 평소에는 퇴색되어 그 빛을 찾을 수 없던 젊음이 새삼스레 번쩍이며 빛을 발하기 시작하는 것이었다. 그리고 그때에 우리 가슴속에는 평소 때의 분노 이를테면 미래에 대한 불안이라든가, 사회적인 관심거리, 버스 값, 군대라는 관문, 부모의 지나친 기대 …중략… 우리는 월남의 중립문제니 새로 생긴다는 정당 이야기를 하고 있었지만 아아 비겁한 민주주의여 안심하라. **우리는 정치 이야기를 하고 있었던 것은 아니야.** (「무서운 복수(複數)」, 271쪽. 강조는 인용자)

앞서 밝힌 바와 같이 최인호를 직접적으로 대변하는 듯한 화자 최준호의 시선을 통해 밝혀진 학생운동의 진짜 목적은 정치적인 대의를 위한 것들이 아니었다. 학생운동은 비정치적인 차원의 온갖 잡다한 억압으로부터 기인한 젊은이들의 불안과 폭력성의 표출이다. 국가주도의 산업화가 가져온 물질적 부의 증가는 사람들 간의 관계를 경쟁관계로 탈바꿈 시켰으며, 이로 인해 사람들 간의 연대의식은 파괴되었다. 자본주의 경제가 발달할수록 서로가 서로의 잠정적인 타자로서 적대적인 관계를 맺을 수밖에 없는 상황들이 연출되었던 것이다. 이런 시대적 분위기 하에서 1970년대의 학생운동이 앞전 세대의 그것과는 달라졌고 이것이 통치성의 변화와 관계가 있다는 것을 최인호는 예리하게 감지하고 있었던 것이다. 국가 전체 차원의 도시 성장률에 반비례하여 물질적으로 정신적으로 피폐해져만 가는 젊은이들의 불안은 도시로 노동력이 집중되면서, 안정적인 임금을 지불하는 직장의 감소로부터, 치솟는 물가와 집값에 나날이 심해지는 생활고로부터 비롯된 것이었다. 우리는 생의 유지라는 필연적인 족쇄로부터 절대 벗어날 수 없는 시대를 살고 있기에 이런 불안은 우리에게 더욱 견딜 수 없는 것이다.

최준호의 학생운동에 대한 비관적인 인식은 소설의 마지막 부분에서 더욱 암울한 방향으로 향한다. 형식적인 학생운동이 국가권력과 의도치 않게 상호 협조적 관계를 맺고 있으며, 국가에서 그것을 어느 정도 이용하고 있다는 소문이 대학가에 떠돌기 시작한다.

통치성의 변화와 함께 세계의 허위성이 드러나고 점차 공적 영역이 사적인 영역의 문제들로 점령당하게 되면서 나타나는 변화들을 감지는 최인호에게 저항의 길을 택하기보다는 더욱 비관적이고 허무주의적인 소설을 쓸 수밖에 없도록 만든다. 그가 파악한 세계에서 저항이나, 유토피아적인 미래는 오히려 기만적이기 때문이다. 그는 영민하게도 장밋빛 미래를 제시하는 허위성을 좇기보다는 오히려 권력과 통치성의 양상과 변화를 보여줌으로써 현실적인 비관성을 택했다. 민중문학이 권력의 지배에 맞서 적극적인 저항과 전복을 시도했다면, 최인호는 소설 속 인물로 하여금 권력을 거부하는 태도, 권력에 적응하면서도 그 스스로를 경멸하는 태도를 취하게 했다. 그럼으로써 새로운 세계에 대한 기대감 없이 당대를 장악한 권력의 양상을 비관적인 시선으로 덤덤히 독자에게 드러내 보여주는 방식을 택했다. 이는 결코 작가로서의 소명감이 없는 행위라고 비판받을 지점이 아니다. 훗날 그의 소설에서 나타나는 퇴폐의 탐닉이나 바보스럽고 허무한 인물들의 등장 역시 이런 맥락을 전제로 살펴본다면 비난의 대상이 아니라 시대를 바라보는 솔직한 관점에서 비롯된 것임을 알 수 있을 것이다. 그리고 이 점이 “소비, 유행, 취향의 문제를 중심으로 전개된 대중문화의 한 지류”이면서 “동시에 민중주의가 독점해온 지배 권력에 대한 거부와 비판의 의식”이 엿보이는 청년문화와 만나는 지점일 것이다.[14]

4. 결어

소위 개발독재라 불리는 박정희 체제는 주권자의 초법적 권한을 동원해 '한강의 기적'이라 불리는 막대한 국부의 증가를 가져왔지만 엄청난 정신적 빈곤을 그 대가로 치러야만 했다. 게다가 개발독재가 총동원 체제의 양상을 띠면서 국민들의 일상은 근면한 노동자라는 기준으로 범주화되었고 그 기준을 바탕으로 개인은 분류되고 평가되었다.

동시대 작가들과 달리 민중, 노동자 계층 등 집단의 정체성 또는 집단의 문제를 대변하는 소설을 쓰지 않고 도시공간에서 살아가는 현대인의 파편화된 일상을 소설의 주요 소재로 삼았던 최인호는 그의 인물들을 통해 일상이 얼마나 미시적인 차원의 권력에 의해 반복적으로 조성되어 있는지, 생존의 필연성에 얽매여 있는지를 보여주고자 했다.

이 글에서는 이런 최인호의 초기 소설들의 특징을 「견습환자」, 「2와 1/2」, 「가면무도회」, 「무서운 복수(複數)」를 통해 살펴보았다. 이렇게 조성된 일상에서 최인호의 인물들은 잘 적응하지 못해 많은 불만을 가지고 살아가는 경우가 대부분이다. 그들은 항상 반복되는 일상의 권태에 시달리고 있으며 자신의 삶이 스스로와는 동떨어진 채 흘러가고 있음에 모종의 괴리감을 느낀다. 이는 국가의 존속과 사회의 유지를 위해 정상적인 범주를 구성하기 위한 규율에 맞춰 살아가야만 한다는 데서 비롯된 권태감과 괴리감이다. 권태에 시달림에도 불구하고 그들이 억압적인 일상을 견디는 이유는 그들이 권력으로부터 벗어나서는 살아남을 수 없기 때문이다. 규율권력과 함께 결탁한 생명관리 권력의 작동방식은 개인을 '죽이거나 살리도록 내버려 두는 것'이 아니라 '살리거나 죽

14) 송은영, 「대중문화 현상으로서의 최인호 소설」, 『상허학보』 15, 2005, 422쪽.

도록 내버려 두는 것'이기 때문에 권력의 바깥은 곧 죽음을 의미한다. 이 과정에서 분명해 지는 것은 우리가 좋든 싫든 간에 권력에 사로잡혀 조성된 일상을 살아가야만 한다는 사실이고 또 권력을 작동을 가능케 하는 것이 우리가 생명을 담보로 구속되어 있다는 사실이라는 점이다.

최인호가 훗날 보인 대중작가로의 행보, 상업적 행보 때문에 그는 지금까지 연구대상에서 제외되거나 편견이 제거되지 않은 채 평가 받아왔다. 하지만 이는 그가 주류를 이뤘던 관점을 취하지 않았던 데서 비롯된 결과인 것이다. 시간이 지나 푸코, 아렌트, 아감벤 등 미시정치 영역에 대한 많은 연구서들이 국내에 소개되면서 과거 1970년대 박정희 체제의 통치를 새로 분석하는 연구자들이 많아지게 되었다. 이와 함께 1970년대 소설들 역시 정치적 상황과의 연관 하에서 새로 해석될 가능성들을 얻게 되었다.

1960~1970년대에 박정희 체제를 통해 생명관리 권력과 규율권력, 사적 영역을 통치 대상으로 삼는 권력의 양상이 사회를 적극적으로 장악하게 된 이상, 우리가 생명 유지의 필연성에 종속될 수밖에 없는 한낱 인간인 이상, 우리는 권력의 바깥으로 결코 벗어날 수 없다. 우리의 삶을 구속하고 억압하면서도 한편으로 유지시켜주고 있는 이러한 권력의 양상은 단순히 지배와 저항이라는 이분법적 구도로는 파악할 수 없다. 최인호는 민중소설 계열의 작가들과 달리 권력을 이분법적인 구도로 파악하지 않았기에 1960~1970년대의 삶 곳곳을 장악한 다양한 권력의 양상들을 징후적으로 포착해낼 수 있었던 것이다.

이 글에서 밝힌 권력의 양상에 포착하는 최인호의 태도가 훗날의 소설들에까지 이어지고 있는지는 아직 섣불리 결론지을 수 없다. 이는 계속해서 많은 연구가 진행되어야 할 지점이며, 대중문화를 바라보는 관점과의 연관 하에서 연구되어야 할 지점이다. 최인호에 대해 통속작가라는 편견을 접어둔 채, 다양한 상황들과 변화해 가는 관점들을 함께 고려해 중기, 후기 소설들에 대해 연구한다면 최인호의 소설을 읽는 새로운 독법들을 고안할 수 있으리라 기대한다.

이동하 소설에 나타난 일상의 근원적 위기와 금기성 극복 연구

김 주 선

1. 들어가는 말

이동하는 7, 80년대 한국문학에서 일상의 탐구에 대한 독특한 위치를 차지하고 있다. 동시대 작가들은 일상을 물신숭배와 속물화 현상이 주를 이루는 곳으로 보거나,[1] 획일화된 자본주의적인 방식의 삶이 환멸을 만들어내게 하는 곳이거나,[2] 산업화 사회에 의한 인간 소외의 장이다.[3] 그런데 이동하는 일상에서 폭력을 본다. 이동하는 정상적으로 반복되는 일상적 삶의 느닷없는 오작동에서 폭력을 발견한다. 그는 여느 날과 다름없이 반복되는 평범한 일상이 어느 날 급작스럽게 망가진

1) 김병덕, 「한국 여성작가 소설에 나타난 일상성 연구 −박완서 · 오정희 · 양귀자를 중심으로」, 중앙대학교 박사논문, 2002.
이귀영, 「박완서 소설의 일상성 연구」, 고려대 교육대학원 석사논문, 2011.

2) 신진숙, 「오정희 소설의 일상성」, 충북대학교 석사논문, 2009.
김병덕, 같은 논문.

3) 김병덕, 같은 논문.

자리에서 올라오는 근원적 허무의 공포를 다루고, 평범한 일상을 위협적으로 침입하는 급작스러운 사건들, 예컨대 자동차 사고나 아파트의 붕괴를 통해 삶이 갖는 본래적 불완전성을 고집스럽게 상기시킨다. 돌발적인 사건은 삶을 단순히 우연적인 것에 불과한 것으로 생각하게 만들만큼 충격적이다. 따라서 일상은 보호되어야 한다. 일상은 삶의 안정성을 위해 정상적으로 유지 반복되어야만 한다. 이것이 앞서 언급한 동시대의 다른 작가들과의 변별점이다. 다른 작가들이 일상을 부정적으로 그린 것에 반해 이동하는 일상을 문제적이되 동시에 보살펴져야만 하는 삶의 장으로 본다.

일상의 정상적 반복과 폭력의 관계는 이동하 소설 세계를 이루는 한 계기이지만 그에 대한 탐문은 아직 이루어지지 않고 있는 실정이다. 이동하에 대한 연구는 전쟁, 이데올로기, 국가 권력, 추위, 천재지변에 의한 일상의 폭력에 초점이 맞춰져 이루어져 왔다.[4] 물론 일상이 만들어내는 불안에 관한 언급이 전혀 없는 것은 아니다. 가령 황영숙은 이동하 소설 세계의 중요한 모티프 중 하나로 일상과 불안을 꼽고 있다. 노동과 아파트 생활 속에서 타성화 된 채 살아가는 일상과 그 일상 속에서 일어나는 일탈 욕망이 이동하 소설의 한 축을 이루고 있다는 것이

4) 강대원, 「근대화에 따른 폭력 양상 연구—이동하의 『폭력연구』를 중심으로」, 『한민족문화연구』 9집, 한민족문화학회, 2001.
이윤진, 「이동하 소설 연구 이동하 소설 연구」, 한양대 대학원 석사논문, 2002.
최옥주, 「李東河 소설에 나타난 폭력성 연구」, 한국교원대 교육대학원 석사논문, 2005.
김해갑, 「이동하 소설 연구 이동하 소설 연구」, 중앙대 예술대학원 석사논문, 2008.
최지애, 「이동하 장편소설 연구 : 폭력성을 중심으로」, 중앙대 대학원 석사논문, 2009.
황영숙, 「이동하 단편소설 연구」, 『한국문예비평연구』 1집, 한국문예비평연구학회, 1997.
황영숙, 「이동하 소설에 나타난 체험의 형상화에 관한 연구」, 『한국문예비평연구』 6집, 한국문예비평연구학회, 2000.

다. 황영숙은 일상에 길들여진 인물들이 일탈을 감행했을 때 얻는 두려움을 "존재의 흔들림"으로 인한 불안으로 정리하고 그 불안이 인물들을 일상으로 되돌리게 한다고 덧붙인다.[5] 그러나 황영숙의 관점은 타성화 된 일상적 삶에만 붙박여 사회 구조에 순응하는 인물들의 일탈 욕망이 갖는 의미를 밝혀내는 것으로 제한된다. 따라서 이 글은 이동하 소설에서 다루어지는 반복되는 일상이 좀 더 근본적인 차원에서 삶의 불완전성과 밀접한 관련이 있음을 밝히고 이러한 삶의 불완전성이 이동하 소설에서 어떻게 극복되는지를 살피고자 한다.

2. 일상의 정립

일상은 인간의 삶이 가장 직접적으로 영위되는 구체적인 시공간의 구역이자, 여러 사회세력에 의하여 제한되고 구성되는 인간의 삶의 통일의 장이라고 말할 수 있다.[6] 소설이 일반적으로 일상의 특수한 맥락을 구체적인 방식으로 보편화 하려는 장르라고 할 때, 이동하 소설의 서사 역시 저 일상의 특수한 부분을 구체적인 방식으로 기술했다고 말해야 할 것이다. 앞서 언급했듯이 이 글에서 밝히고자 하는 이동하 소설의 일상은 추위나 배고픔 등의 일상이나 자본주의적 일상, 혹은 여러 사회세력과 길항관계에 있는 일상은 아니다. 일상을 다루는 이동하의 문제의식이 집중되는 또 다른 곳은 특정한 삶의 방식의 반복으로서의 일상이다. 물론 그것은 특정한 노동방식의 반복, 가족관계가 만들어낸

5) 황영숙, 같은 논문.

6) 김우창, 『김우창 전집1』, 민음사, 2007, 82쪽.

생활 방식의 반복, 규격화된 아파트 생활 방식의 반복 등 여러 삶의 방식으로 변주될 수 있다. 이동하에게 문제가 되는 일상은 일정하게 유형화되어 고정된 일상의 형식인 것이다.

일상이 특정한 삶의 방식의 반복이라면 특정한 삶의 방식을 자신의 일상으로 만드는 주관적 과정이 일상에 구성적일 수밖에 없다. 삶의 양상은 수없이 많고 그 각각의 삶은 저마다의 방식으로 일상이 될 수 있다는 점을 염두에 두어야 한다. 즉 일상은 주어진 것이 아니라 각자에게 정립되는 것이다. 가령 「저당잡힌 사내」의 사내가 반복하는 노동의 일상은 끝없는 생산을 위한 노동의 의미 박탈과 휴식 없음이라는 노동 방식의 내재화가 만들어낸다. 자본주의적 노동 질서가 사내의 노동의 일상이 될 수 있었던 이유는 사내가 자본주의적 노동 질서를 내면화했기 때문이다.

소설은 전당포에 취직해 창고정리 일을 하던 사내가 작업을 하던 와중 출입했던 창고 문이 사라졌다는 사실을 알게 되면서 발생하는 사고의 변화과정을 보여준다. 사방이 벽으로 둘러싸인 창고 안에서 사내가 처음 느낀 감정은 당혹감과 두려움이다. 바깥으로 빠져나갈 수 없다는 공포도 그렇지만 시간의 흐름을 확인할 수 없다는 데서 오는 불안과 외부와의 교통이 완벽히 차단된 유폐감이 그를 견딜 수 없게 옭아맨다. 한계에 다다른 초조함에 급기야 있는 힘껏 벽에 몸을 부딪쳤다가 힘없이 나동그라진 그가 내린 결론은 다음과 같다.

> 나는 애초부터 이 조그만 공간 속에서 밀폐된 채 살아왔다는 얘긴가…. 지금의 상황으로는 이 결론만이 가장 타당한 것처럼 여겨졌다. 따라서 자신의 온갖 기억들은 도무지 믿을 수가 없다고 생각되었다.[7)]

이것이 첫 번째 변화다. 바깥으로 빠져나가기 위해 자신이 처한 상황을 파악해내려는 몸짓이 무기력한 저항으로 끝나자 창고에 갇혔을 때 느꼈던 두려움은 어느새 사라지고 사내의 정체성은 새롭게 조직된다. '나'는 애초부터 그 차갑고 견고한 벽면에 둘러싸여 밀폐된 채 살아왔으며, 그것이 바로 '나'임을 받아들이고 인정한다. 철저한 고립과 무한히 중지된 시간이 그의 삶에서 본래적인 것이 된다. 그는 자기 자신을 그런 상태로 재발견한다. 그러자 문득 탄광에서 노동했던 기억이 떠오른다.

> 그곳에서도 시간은 정지되어 있었다. 그것의 흐름을 재볼 수 있는 것이라곤 오직, 자신의 노동의 양밖에 없었다. 문득 작업 종료의 신호가 울린다. 그리하여 다시 지상으로 올라오면 하늘은 장기 근속자의 폐(肺)처럼 그렇게 음산했다. 그것이 새벽 어스름인지 저녁 땅거민지를 굳이 헤아릴 이유가 없었다. 마찬가지로 출퇴근의 의미를 찾을 필요도 없었다. 뭉뚱그려서 말한다면 단지 그렇게 생활을 했을 뿐인 것이다. 자기 생애의 일부를 저당잡힌 댓가로.[8)]

탄광에서의 노동이 그에게 떠오른 것은 시사적이다. 탄광에서의 노동은 시간의 흐름과 작업의 의미를 망각한 채 요구되는 만큼의 노동을 하다가 "문득 작업 종료의 신호가" 울리면 집으로 돌아가 휴식을 취한 후 다시 돌아오는 것이기 때문이다. 즉 탄광의 노동방식에 따르면 노동이라는 것 자체가 가지고 있는 본래적 성격이 바깥과의 단절이며 생각 없는 노동의 반복이다. 노동의 본질적 성격이 재정립되자 사내가 밀폐된

---

7) 이동하, 『삼학도』, 동아, 1989, 274쪽.

8) 같은 책, 275쪽.

방을 바라보는 관점도 변한다. 사내의 노동 방식은 기계적 반복을 중시했던 탄광의 노동방식을 중심으로 재조직된다. 그는 어떠한 두려움과 불안도 없이 창고 정리를 시작한다. 이것이 두 번째 변화다.

두 번의 변화는 특정한 삶의 방식을 일상적으로 반복하기 위해 그 삶의 방식 속에서 자기 존재를 승인하는 일상의 주관화 과정이 필요하다는 것을 공히 지시한다. 앞서 살폈듯이 사내가 반복하게 된 노동의 일상은 자본주의적 노동방식을 그 자신 안으로 내재화함으로서 구성되었다. 그의 노동의 일상은 시간의 흐름과 노동의 의미를 망각하고 바깥과의 단절, 추위, 외로움을 감내한 채 반복해서 일만 해야 한다는 자본의 지배적 노동방식과 동일하다. 특정한 일상의 정상적 반복은 자기 자신의 정체성이 그 일상과 상관적으로 재조직되어야만 가능한 것이다. 이제 그는 자신의 노동 속에서 자기 정체성에 대한 확신과 정당성을 갖는다. 일상의 정상적 작동은 일상을 살아가는 개별적 존재의 정당성을 보증한다. 일상의 단순성과 반복성은 개별적 존재의 삶을 지탱하는 필수불가결한 기제인 셈이다.

3. 일상의 근원적 위기와 금기성

일상의 정상적 반복이 개별적 존재의 삶을 지지한다면 일상의 오작동은 개별적 존재의 삶의 정당성을 위태롭게 만든다는 뜻이 된다. 바로 여기에 황영숙이 파악한 일상의 이탈, 혹은 일탈로 인한 불안이 있다. 일상의 공포와 불안은 정상적으로 반복되던 일상의 뒤틀림에서 탄생한다. 황영숙이 밝혀낸 불안은 친숙해진 일상 바깥으로 나가는 것에 대한 거부반응으로서의 두려움이다. 황영숙은 「돌」과 「휴가와 보너스」를 공들여 분석하며 회사의 지배적 질서라는 보편성에 대한 거부가 타성화된 의식에 불안을 낳기 때문에 다시 일상으로 돌아갈 수밖에 없다는 결론을 내린다.[9] 그러나 이 글에서 다루는 일상의 문제는 반복되는 일상의 정상성이 삶의 전면적 차원에서 박탈되는 경우다. 단순히 일상의 이탈이 불러오는 단순한 불안의 수준에서 문제가 발생하는 게 아니다. 일상의 정상적 반복이 오래 축적되면 일상을 반복하는 개별적 존재의 삶의 정당성도 강화될 수밖에 없는데, 그때 경험하는 일상의 파괴는 일상을 살아가는 인물이 견뎌내기 힘들 정도로 폭력적이다. 그동안 쌓아온 삶에 대한 믿음의 파괴, 정상적 일상의 전면적 파괴는 자신이 믿고 살아온 자기 정체성을 철저히 부정하게 한다. 지나간 모든 삶이 허무해지고 그동안 지켜온 세계가 무의미해진다. 이곳의 위기는 일상적 삶 그 자체의 붕괴 위기다. 즉 일상의 파괴는 일상의 근원적인 금기다. 일상은 환멸의 대상만은 아닌 셈이다.

> 조금은 오줌을 지리는 버릇은 부전자전인가 보다고, 그녀는 생각하였다. 전에는 그 사실이 곧잘 웃음을 자아내게 했었다. 그러나 이제는 그 발견과 확인이 아무런 느낌도 주지 않았다. 그것은 무의미하고 오히려 불결하기조차 하였다. 그러자, 너무도 소중한 것들을 이미 잃어버렸다는 깨달음이 통절하게 가슴을 쳤다. 빨래는 끝나지 않았지만 그녀는 손을 씻었다. 젖은 손을 앞치마에 묻으며 허리를 펴자 심한 어지럼증이 그녀를 흔들어놓았다. 지난 생애가 온통 모호해졌다.[10]

「낯선 바다」의 그녀는 지나간 삶이 급작스럽게 허무해지는 사태에

---

9) 같은 논문.

10) 이동하, 『문 앞에서』, 1997, 36쪽.

직면해 있다. 정상적으로 반복되었던 일상적 삶이 뒤흔들리자 삶의 의미가 흐트러진다. 이전에는 웃음을 자아내던 일들이 이제는 아무런 느낌을 주지 않고 오히려 불결하게 느껴진다. 기존의 삶이 갖는 의미의 박탈은 그녀를 흔들어놓는다. "지난 생애가 온통 모호해"지고 "심한 어지럼증이 그녀를 흔들어" 놓는다. 같은 일상이 지속됨으로서 보증되었던 삶의 의미는 단순한 허구로 전락한다. 헹가래에서 떨어진 강부돌 씨도(「헹가래」), 남편에게 이혼을 요청받는 성희도(「낯선 바다」), 알 수 없는 부름을 받는 송노인도(「일몰을 보며」), 방황하듯 시내를 배회하는 성문(「지붕 위의 산책」)도 모두 그동안 살아온 삶이 완벽하게 부정되는 사태에 직면한다. 위기는 심각하다. 모두의 삶 그 자체가 위태롭다. 그래서 필사적이다. 자신의 삶의 의미를 보증해주던 일상을 원상태로 복귀시키기 위한 노력은.

「헹가래」를 보자. 20년이 넘는 세월 동안 삼도제약의 일원으로서 충실히 살아온 강부돌 씨에게 닥친 위기는 정상적으로 반복해온 일상적 삶에 대한 허무의식이다. 근속 20주년 행사의 헹가래에서 몸집이 비대한 부사장과 팔팔한 제2공장장을 멀쩡히 들어 올리던 자들이 몸무게 54킬로의 그를 받아내지 못해 대리석 바닥에 나뒹굴게 한 느닷없는 사태가 강부돌 씨의 지난 삶을 공허하게 만들려 한다. 기이하게도 삶에 대한 허망함은 육체적 통증으로 나타난다. 그러나 극심한 허리 통증을 호소하는 강부돌 씨가 병원에서 받은 판정은 이상 없음이다.

> X레이 촬영 결과는 이상이 없었다.
> 「괜찮은데 그래….」
> 젖은 네가필름을 내던지며 의사는 심상하게 말했다.
> 「신경쓸 것 없어요. 나가다가 약방에 들러서 물파스 같은 거나 사다

> 한두 번 발라 보시오.」
> 쑥스럽게 강부돌 씨는 돌아섰다. 웬지 마음이 텅 빈 듯한 느낌이었다. 어렵게 올라갔던 병원 계단을 그는 수월하게 내려왔다. 무언가 엄청난 기대감이 허물어져 버린 듯한 기분이 들었다.[11]

왜 강부돌 씨는 육체적으로 정상이라는 의사의 말에 "마음이 텅 빈 듯한 느낌"을 받는가. 달리 말해 강부돌 씨는 왜 자기 육체에 문제가 있어야 한다고 생각하는가. 핵심은 결국 헹가래의 충격이다. 헹가래에서 떨어져 나뒹군 충격이 20년간 일해 온 회사생활의 의미를 전면적으로 부정하게 하는 계기가 되기 때문이다. 그가 지난 삶을 무의미하게 만들지 않기 위해서라도 헹가래에서 나뒹굴게 된 충격은 육체적 차원에만 있어야 한다. 헹가래에서 떨어진 충격이 온전히 육체적인 차원에서만 존재한다는 확신이 그의 지난 삶을 의미 있게 만든다. 따라서 그의 몸이 정상이라는 의사의 소견에 "무언가 엄청난 기대감이 허물어져 버린 듯한 기분"이 든 이유는, 자기 일상의 정상성을 회복할 수 있다는 기대감이 신체의 정상 판정을 통해 무너졌기 때문이다. 이후 강부돌 씨의 행보는 20여 년간 자연스럽게 반복했던 일상이 그릇된 것일지도 모른다는 생각을 어떻게든 방어하기 위한 과정으로 진행된다. 즉 강부돌 씨는 자기 일상의 곤궁을 봉합함으로서 기존에 반복했던 일상을 정상적으로 다시 반복할 수 있는 길을 찾으려 노력한다. 여관을 찾아가 "죽은 듯이 아주 푹 자버리"려 한다거나, 정신과를 찾아가 몽환적인 도시의 저녁 풍경을 바라보며 지난 삶들이 "대체로 온당했다"는 결론을 이끌어내는 것 또한 오래도록 반복해온 일상의 정상성을 회복하려는 시

11) 같은 책, 231쪽.

도들이다. 자본주의적 노동질서를 내재화한 「손오공」의 손상대 전무가 감당할 수 없는 회사의 업무를 처리하기 위해 분신술을 쓰는 것도, 「지붕 위의 산책」의 '성문'이 오랜 직장생활 끝에 부딪친 삶의 공허함을 극복하기 위해 거리를 배회하는 것도 모두 자기 삶의 완전성을 회복하기 위한 노력의 일환이다. 이처럼 일상이란 저 도저한 삶의 허무와 연접해 있는 것이다.

앞서 살폈듯이 이동하 소설에서 나타나는 일상의 위기는 각각의 인물들이 살아온 내력과의 밀접한 연관 속에서 만들어진다. 그러나 저마다 안정적으로 반복해온 삶의 방식과 무관한 방식으로 찾아오는 일상의 위기도 있다. 안정적으로 반복되었던 일상을 파열하는 그것은 개인의 정체성과 무관하게 찾아오는 바깥의 타격이다. 아무런 징후도, 어떠한 조짐도, 기미나 낌새도 없이 급작스럽게 찾아와 일상적 삶을 교란하고 궁지에 몰아넣는다. 따라서 어떻게 살아도 일상을 보호할 수 없다. 일상적 삶을 사는 인물들은 자기 삶의 필연성과 정당성을 완전히 잃어버린다.

> 멀쩡했던 건물이었다고는 말할 수 없다. 진작부터 부실 시공의 시비가 끊이지 않던 아파트였다. 자재난이 부쩍 심하던 때에 골조가 올라간 탓이었다. 하지만, 그 무렵에 지어진 아파트가 어디 그것뿐이던가. 신도시 아파트의 태반이 그런 사정이었으므로 유독 그들에게만 시급한 결단을 요구할 수도 없는 노릇이던 것이다. 건설회사며 해당 관청을 상대로 더러 문제점을 따지고 대책을 요구하며 여러 차례 항의시위도 벌였던 그들이었다. 또한, 그러면서도 멀쩡한 모노륨을 걷어내고 수입 목재로 거실 바닥을 깔거나 또는 멋대가리 없는 조명등을 뜯어내고 무드 있는 것으로 바꾸어 다는 등 내부 치장에 열을 올린 그들이기도 하였다. 아무리 녹슨 철근에다 바다모래를 중국산 시멘트로 버무려 대충대충 쌓아

> 올렸다고 쳐도 명색이 고층 맨션아파트인데 설마하니 팍삭 무너져 내리기야 하겠느냐고 다들 느슨하게 생각해왔던 것이다.
> 그랬는데! 참으로 믿을 수 없게 그중 한 동이 폭삭 주저앉고 말았던 것이다.12)

"멀쩡했던 건물이었다고는 말할 수 없다"지만 그래도 "명색이 고층 맨션아파트"다. 아파트가 무너질 것이라고 생각한 사람도 없었고, 언젠가는 무너질 것이라고 예측한 사람도 없었다. 어른들은 직장으로 출근하고, 어린이들은 학원으로, 노인네들은 경로당으로 모이는 평범한 일상 속에서 아파트 한 동이 갑자기 무너져 내렸다. 수많은 사람들이 평범한 일상 속에서 속절없이 죽었다. 장소도 시간도 불분명하다. 일상은 어떻게 침해될지 모른다. "언제 발밑이 폭싹 내려앉을지 모를 세상 아닌가. 어디서 누구에게 심장을 물어뜯길지 알 수 없는 세상인 것이다."(「앙앙불락」) 과연 「우렁각시는 알까?」의 황보만석 씨에게 시집 온 아내는 아무렇지도 않게 다른 남자와 팔짱을 낀 채 사라지고, 「앙앙불락」의 '나'는 스포츠카에 치어 죽을 고비를 넘기며, 「담배 한 대」의 '나' 역시 납치되어 땅 속에 파묻힌다. 안정적으로 반복되는 일상을 무너뜨리려는 위험은 도처에 산재해 있다. 이러한 폭력에는 어떠한 대비도 소용이 없다. 전조가 없기에 일상 그 자체가 불안하고 불투명해진다. 삶은 우연적인 것으로 바뀌지만 안전은 담보될 수 없다. 언제 어느 때 일상이 파괴될지 모른다. 일상의 위기는 무차별적이다. 결국 일상은 삶의 불완전성과 떼어져 존재할 수 없으나 깨어져서는 안 되는 금기의 성격을 갖고 있다. 일상을 단순한 반복, 단조로움, 지루함, 권태의 영역이라고 볼 수

12) 이동하, 『우렁각시는 알까?』, 현대문학, 2007, 176쪽.

없는 이유가 바로 여기 있는 것이다.

4. 일상의 근원적 위기와 금기성 극복

일상은 삶의 허무를 막을 수 없다. 일상은 삶이 단지 우연적인 것에 불과하다는 결론을 피할 수 없다. 일상은 근본적으로 삶의 불완전함과 연접해 있다. 이것이 이동하가 밝혀낸 일상의 진실이다. 해결해야 할 과제는 이렇다. 징후도 없이 들이쳐 삶을 근본적으로 뒤흔드는 무자비한 폭력에 어떻게 맞설 것인가. 무엇이 삶을 저 도저한 허무에서 구해낼 것인가. 앞서 밝혀낸 일상의 근원적 위기가 두 측면에서, 즉 그동안 구축해온 특정한 삶의 방식에 대한 부정의 위기와, 안정적으로 반복해온 특정한 삶의 방식과 무관하게 발생하는 우연적 위기로 나뉘어졌듯이 이동하 소설에서 보이는 해답 역시 두 측면으로 나뉜다.

특정한 삶의 방식에 대한 믿음이 깨짐으로서 일상 그 자체가 부정된다면 특정한 삶의 방식에 대한 고착에서 벗어나는 게 급선무다. 이는 일상의 붕괴 즉, 일상의 금기성 자체를 예방할 것이다. 그러나 앞서 살폈듯이 특정한 삶에 대한 고착에서 벗어나는 게 쉬운 일은 아니다. 「행가래」의 강부돌 씨도, 「손오공」의 손상대 전무도, 「지붕위의 산책」의 성문도 모두 자기 삶에 대한 집착에서 벗어나지 못했다. 그동안 반복해왔던 삶이 깨지려 할 때 그들이 보여준 모습은 이전의 삶을 안정적으로 되풀이하는 것에 대한 바람이었다. 무엇이 기존의 삶의 방식에 대한 집착에서 자유롭게 만들 수 있을 것인가. 무엇이 기존의 삶의 방식에서 벗어나게 만들 수 있을 것인가. 다음에 살펴 볼 「담배 한 대」는 이 물음에 대한 이동하의 응답이다.

이 소설에 등장하는 그녀의 반복되는 일상은 그녀 주위의 몇몇 사람들과 맺은 관계를 통해 알 수 있다. 군대 간 남자친구의 죽음, 아버지 부재 후 동생의 가출, 그녀에게 중절수술을 하게 만든 김대리의 자살은 모두 그녀와 밀접한 연관을 맺는데, 그녀는 저 모든 사건에 자신의 책임이 없음을 스스로에게 확인하며 살아왔다. 달리 말해 그녀가 영위하는 일상의 정상성은 책임 전도를 통해 가능했다. 군대 간 남자친구가 사고로 죽어도 그는 그의 가족들에게 대못을 박고 떠났기 때문에 문제는 남자친구에게 있(을 것이라 가정되)고, 동생은 그녀가 살아남기 위한 고투를 이해하지 못했기 때문에 떠났으므로 역시 문제는 동생에게 있(을 것이라 가정된)다. 자신을 찾아오는 김 대리를 만나주진 않았지만 그 역시 그녀에게 중절까지 하게 만든 장본인이므로 그의 자살은 그녀에게 책임을 요구할 수 없(을 것이라 가정된)다. 그녀에게 피해자는 항상 자기 자신이다. '나'의 삶이야말로 다른 사람들에게 가격당해 피멍이 든 외톨박이 삶이다. 즉 그녀의 일상은 그녀와 연관된 사람들의 지독한 불행이 그녀의 선택이나 행위와 무관하다는 확신을 통해 반복된다. 결국 그녀의 일상은 감당할 수 없는 현실에 대한 전도를 통해 만들어진 것이다. 그녀는 자신이 만들어낸 일상의 정상성에서 어떻게 해방되는가.

그녀가, 좀 더 정확히 말해 그녀의 유령적 사념이 일상의 반복에서 빠져나가게 되는 계기는 죽음이다. 그녀의 유령적 사념에게 죽음은 일상에 대한 몰두에서 벗어나 자기 자신에 대한 가능성을 재구성할 수 있는 계기다. 죽음이 개별적 인간과 반복되는 일상의 연결고리를 완전히 끊어놓는 종말의 영역에 있는 한, 죽음은 자기 자신에 대한 가능성을 새로이 열어놓을 수 있는 가능성으로 존재한다. 피할 수도 없고 건너

뛸 수도 없는 죽음은 특정한 삶에 대한 몰두에서 개별적 존재들을 해방시키는 가능성이다. 그녀의 유령적 사념이 저 죽음의 가능성을 통해 특정한 삶의 방식에 대한 고착에서 벗어나 자유로워졌음을 고백한다.

> 나는 결코 구천을 헤매지 않겠다. 누구도 원망하지 않으려 한다. 아무도 미워하지 않겠다. 미움과 노여움 때문에 앙갚음하듯 살아온 세월동안 너에게는 그렇게나 어려웠던 일을 나는 이제 이루려고 한다. 나는 비어 있다. 그러므로 무한정 자유롭다.[13]

특정한 삶의 방식에 고정되지 않는 삶이 가져오는 자유로움은 이동하가 찾아낸 일상의 위협에 대한 한 가지 대응책이다. 집착하지 않기 때문에 반드시 해야만 할 것도 반드시 피해야만 할 것도 존재하지 않는다. 상황이 만들어지고 사태가 흘러가는 대로 삶이 자연스럽게 흘러간다. 「너무 심심하고 허무한」에서 거지를 통해 이동하가 보여주고자 한 것도 바로 그 유연함이다. 삶의 흐름에 유연한 거지 사내와 깨달음을 위해 수련하는 젊은 중의 금기가 둘 사이에 끼어든 여자를 통해 대비된다. 수련을 위해 여자를 멀리하던 젊은 중은 여자에 대한 욕망에서 벗어나질 못해 거지사내의 몸까지 욕망하게 된다. 그러나 거지사내는 그런 젊은 중의 욕망마저 자기 자신 속으로 자연스럽게 받아들인다. 결국 젊은 중은 자기 삶의 방식에 대한 집착 때문에 수련에 실패하고 거지사내는 성불한다. 다음 인용문은 거지사내의 자유로움이 갖는 해탈적 충만함을 직접적으로 보여준다.

13) 같은 책, 171쪽.

> 겨울 한 철, 그것도 엄동만 빼고 나면 두루 좋은 날들이지만 그중에서도 이마로 한껏 봄볕을 받으며 해종일 양지바른 너럭바위에 나 앉아 있는 날들을 거지사내는 특히나 좋아했다. 그러고 앉아 있노라면 인생이 뭐 별건가 싶어지는 것이었고, 세월이야 흘러가는 대로 내버려두면 되는 것, 가진 것이 없으니 애써 지켜야 할 게 없고 애써 지켜내야 할 게 없으니 조바심칠 아무 까닭도 남아 있지 않노라고, 그답지 않게 이런저런 생각들을 좇아보는 것도 그런 때였다. 그런 순간에는 또 마음이 밝은 빛으로 가득 차올랐다. 그랬다. …… 몸도 마음도 죄다 무너져 내려 이윽고는 무한천공의 티끌 한 점으로 끝 간 데 없이 자맥질하던, 바로 그런 법열의 순간이었다.14)

거지사내의 인생론은 앞서 설명한 삶의 유연함에 부합한다. "세월이야 흘러가는 대로 내버려두면 되는 것"이니, 특별히 지켜야 할 것도 지켜내야만 할 것도 없다. 욕심도 없고 부족함도 없다. 조바심 낼 이유도 없고 집착해야 할 필요도 없다. 매사에 초탈한 마음이 평온을 가져온다. "법열의 순간"이다. 즉 특정한 삶에 대한 고착에서 해방될 때 특정한 삶을 반복하는 일상의 붕괴가 만들어낼 충격에서 자유로워진다. 어떠한 삶의 흐름에도 매달리지 않는 유연함. 이것이 이동하가 보여준 일상의 허무함을 극복하는 한 가지 방법이다.

이제 안정적 일상의 무차별적인 극단적 파괴의 위협들을 극복하는 과제가 남아 있다. 삶을 우연적인 것으로 만들어버리는 급작스런 타격을 어떻게 넘어설 것인가. 징조도 맥락도 없이 출연해 일상적 삶 그 자체를 붕괴시키려 하는 폭력에 어떻게 대응할 것인가. 아무리 조심해도 피할 수 없는 위험이라면 그 무질서한 폭력의 가능성을 삶의 자연스러

---

14) 같은 책, 15~16쪽.

운 부분으로 받아들이는 게 방법이 될 수 있을 것이다. 돌연한 폭력이 일상적 삶에서 필연적임을 받아들인다면 일상을 위협하는 폭력의 공포에 매몰되지는 않을 것이다. 이를테면 「앙앙불락」의 다음과 같은 일상의 폭력성 앞에서도 말이다.

> 심상한 어투로 그는 내게 말했다. "이건 약과라구요. 깜깜한 밤중에, 그것도 인적 없는 산중에서 덜컥 서버리는 경우도 종종 있으니까요. 추운 날 당하면 꼼짝없이 동태 신세가 되고 말지요." 그런 식의 삶은 어딘가 무모하단 느낌이 없지 않았으므로 나는 우정을 가지고 묻지 않을 수 없었다. "그런 일 당할 때마다 얼마나 황당하겠습니까? 차를 미리미리 착실하게 정비해두면 피할 수도 있지 않나요?
> "물론이죠. 하지만 재수없으면 당하게 된다구요. 바퀴 사이에 자갈이 끼어든다거나 멀쩡하던 타이어가 펑크가 난다거나 뭐 얼마든지 골탕먹을 수 있는 거죠. 그게 세상 사는 일이지요. 뭐."[15]

한 겨울에 도로에서 차가 멈춰서 버리면 극심한 추위를 견디는 것 외에 방법이 없다. 그러나 차량의 완벽한 정비가 일상적 위협을 분쇄하는 것도 아니다. 단지 재수가 없는 것만으로 멀쩡하던 타이어에 펑크가 날 수 있다. 일상의 폭력은 방비하고 대비한다고 해서 막을 수 있는 것이 아니다. 그게 세상사는 일이다. 삶의 불완전성은 결코 완전해질 수 없다. 그러한 진실을 받아들인 삶이야말로 일상의 충격에 더 유연하게 대처할 수 있다. 가령 「앙앙불락」의 '나'는 공포와 두려움이 만들어낸 삶에 대한 수동적 체념의 자세가 일상의 폭력에 대한 끝없는 도피로 귀결된다. 대처 자체가 불가능한 돌발적 타격 앞에 '나'의 삶은 한없이 움

15) 같은 책, 70~71쪽.

츠러든다. 도로에서, 학교에서, 안방에서도 위기를 겪은 「앙앙불락」의 '나'는 두려움과 불안 속에서 안식을 위해 매일 산으로 향한다. 즉 산행의 반복을 통해 일상의 불확실성을 방어한다. 그러나 산에서도 위기는 멈추지 않는다. 그는 입산통제를 하고 있는 관리자와 등산하려는 여학생들 사이에 다툼이 벌어지는 현장을 중재하기 위해 개입했다가 오히려 차가운 냉소를 동반한 봉변을 당한다. 결코 해결되지 않는 일상의 위협은 '나'에게 끝없는 충격만을 가할 뿐이다. 일상의 안정적 반복을 막아서고 붕괴시키려하는 느닷없는 폭력은 결코 막을 수 없다. 그러나 「앙앙불락」의 사내는 불완전한 일상의 삶 속에서 웃을 수 있는 여유를 갖는다. 담배를 권하는 '나'에게 사내는 이렇게 말한다. ""간뎅이가 부었다나 쫄았다나……. 꽤 심각한 상태라 조심하지 않으면 곧 큰 낭패를 당한다고 의사선생님이 겁주더라구요. 어쨌거나 당할 땐 당하더라도 조심은 해야지요." 이 대목에서 그는 잠시 웃음을 보였다." 즉 삶의 불완전성에 대한 인식과 인정이야말로 불완전한 삶 속에서 자유로울 수 있는 역설적 긍정이다. 불완전한 삶에 대한 두려움은 삶을 우연적 삶에 대한 우연적 도피 속에서 존재하게 하지만, 불완전한 삶에 대한 인정은 우연적 삶에 당당히 맞설 수 있게 한다. 일상의 불완전성이라는 근원적 위기의 극복은 일상의 불완전성에 대한 마음을 바꿈으로서 가능했던 셈이다.

5. 나가는 말

일상의 정립이 개별적 존재의 존재방식과 상관적이라면, 일상의 정상적 반복은 개별적 존재의 삶의 정당성을 지탱해준다. 거꾸로 말해 일상이 정상적으로 작동하지 못했을 때 개별적 존재의 삶의 정당성은 훼손된다. 이러한 관점은 일상이 단조로운 삶의 반복에 불과하다는 상투적 관념을 교정한다. 일상의 정상적 반복은 삶을 지루하게 반복하는 권태로운 시간이 아니라 삶의 확실성을 만들어내는 불가결한 조건이다. 똑같은 삶이 안정적으로 반복되게 하는 일상이야말로 저마다의 삶을 안정적으로 보증한다. 일상의 붕괴는 금기다.

따라서 일상의 파괴는 치명적일 수 있다. 가령 지나간 시간들이 완벽하게 무의미해지는 허무의 순간을 맞을 수도 있고, 지나온 시간과 무관한 차원에서 일상을 붕괴시키는 외적인 타격을 맞을 수도 있다. 일상은 그 일상을 보증하기 위한 형식이 필요하다는 점에서 불완전하기 때문에 일상을 침해하는 폭력을 어느 때고 겪을 수 있다. 일상을 뿌리에서부터 흔드는 무차별한 폭력이 삶 속에 있다. 이동하는 막을 수도 없고 대비할 수도 없는 이 폭력을 운명이라고 명명한다.

운명적 폭력을 극복하는 길은 어디에 있는가. 이동하가 제시한 해법은 두 가지다. 지난 삶의 내력을 뒤흔드는 폭력의 극복은 바로 그 지난 삶의 내력에 대한 집착에서 해방되는 데 핵심이 있고, 지난 삶의 내력과 무관하게 어떠한 전조도 없이 들이닥치는 폭력의 극복은 그 폭력의 우발적 성격을 인정하고 받아들이는 데서부터 시작된다. 운명적 폭력의 극복은 삶의 불완전성을 받아들이는 데서 가능해지는 것이다.

‘정상인’과 ‘비정상인’의 사이 잇기 : 사랑

정용준, 「떠떠떠, 떠」를 중심으로

한 국 인

1. 들어가는 말

한국문학에서 장애인을 찾아보는 것은 결코 어렵지 않다. 게다가 그런 장애인들의 사랑을 다룬 문학작품들을 우리는 종종 찾아볼 수 있다. 장애인은 길들여지지 않는 비정상인으로 훈련・훈육되거나 급기야 격리되기 마련이다. 그러나 그럼에도 불구하고 우리는 ‘타자’인 장애인-비정상인과 정상인의 사이를 잇는 현상학적 다리를 구축하려는 시도를 해야만 한다. 그것이야말로 진정한 자아를 발견하는 길이기 때문이다.[1]

이 글은 현대문학 속에서 권력에 의해 비정상인으로 규정된 ‘비정상인’인 장애인과 그 장애인의 ‘사랑’을, 정용준의 「떠떠떠, 떠」를 통해

1) 리처드 커니는 『이방인, 신, 괴물』에서 “접근 불가능한 이질성에의 포스트 모던적 고착과 맞서면서, 우리는 동종과 이종의 세계를 잇는 길을 건설하고 동질성과 이질성 사이의 길을 기록할 필요가 있다. 이러한 과정 속에서 철학은 우리가 자아 속의 타자와 타자 속의 자아를 발견해 가는 데 도움을 줄 것이다.”고 말했다. 리처드 커니, 이지영 옮김, 『이방인, 신, 괴물』, 개마고원, 2004, 25쪽.

다루고자 한다. 사람들은 태어나 누구나 사랑을 겪으며 살아간다. 이것은 마치 통과의례인 것처럼 사람들을 성장시키기도 하고 혹은 죽음의 충동을 느끼게도 만든다. 그것은 모든 인간의 권리인 것이다. 그러나 장애가 있는 비정상인들에게는 관리되는 신체의 측면과 사회의 시선, 권력의 규율로 인해 정상인들의 범주에 속하지 못하게 되고 누구나 누려야할 그 마땅한 권리인 사랑마저 '불구'의 문제로 치환된다.

현대문학 속에서 장애인들의 사랑을 언급하는 작품으로는 방귀희의 「깃털이 같은 새는 함께 앉기를 거부한다」와 신경숙의 「빈집」, 김지윤의 「절뚝거리는 세월」, 황원갑의 「별 없는 밤길」, 김원일의 「물방울 하나 떨어지면」, 김소진의 「자전거도둑」, 김지윤의 「절뚝거리는 세월」 등이 있다. 「깃털이 같은 새는 함께 앉기를 거부한다」의 박정식과 「빈집」에서의 청각장애인인 그녀는 사랑의 감정이 있기는 하나, 장애가 걸림돌이 되어 사랑을 이루지 못하고 「깃털이 같은 새는 함께 앉기를 거부한다」의 김준호는 장애 때문에 애초에 사랑의 감정 자체를 키우려 하지 않는다. 반면 평범한 가정을 꾸리는 경우도 있는데 「절뚝거리는 세월」에서의 아버지의 경우, 그리고 「별 없는 밤길」이다. 작품 「물방울 하나 떨어지면」에서는 배우자의 무조건적인 헌신으로 결혼생활이 이루어지고, 「자전거도둑」에서 민석은 동생의 벗은 몸을 보며 이성에 대한 관심을 보인다. 「절뚝거리는 세월」에서 채희는 장애가 원인이 되어 결혼생활이 깨어지고, 같은 작품에서 형석은 정상적인 사랑의 감정을 가지고 있긴 하나 장애가 원인이 아닌 이념의 차이로 사랑이 이루어지지 않음을 보인다. 보통 사랑과 결혼생활에 대해서 언급은 하고 있으나, 적극적으로 사랑의 감정을 키워나가고 있었던 경우에도 장애로 인해 사랑의 결실이 맺어지지 못함을 볼 수 있으며, 오히려 자신의 장애 때문에 처음부터 사랑을 시작하지 않으려는 내용의 작품도 볼 수 있었다.

반면 정용준의 「떠떠떠, 떠」에는 말더듬이이지만 타인의 시선이 두려워 말하기를 '포기'한 '벙어리'인 '나'와 '간질'을 일으키며 발작하는 는 '그녀'가 나온다. 규율권력의 상징인 학교에서 신체적인 다름을 인식당한 두 사람은 비정상인으로 낙인찍히고 정상인들과 분리되어 자란다. 그러나 이런 두 비정상인이 만나 서로 '사건'을 겪고, 비정상인으로서 불가능해 보였던 사랑을 깨달으며, 말하기를 포기했던 남자가 여자에게 사랑을 '선언'하기 위하여 포기했던 말하기를 다시 시도할 때 그는 벙어리에서 다시 말더듬이로 변한다. 사랑하는 사람을 위해 '덜 비정상인'의 경계로 한걸음 나아가는 것이며 비정상인과 정상인의 사이를 잇게 되는 것이다.

2. 사회에서 타율화된 몸이 겪는 고통

차라리, 벙어리가 되겠어.[2)]

나는 벙어리가 되기로 선언한다. 열한 살. 규율권력의 공간이었던 학교에서 27번이었던 내게 선생은 일어나 책을 읽으라고 시켰다. 나는 알고 있었다. 읽을 수 없다는 것을. 그러나 중요한 것은 선생도 그 사실을 알고 있었다는 것이다. 그럼에도 불구하고 선생은 매월 27일만 되면 '나'에게 책읽기를 시켰고 때로는 27일이 아닌 7일이나 17일, 혹은 전혀 상관이 없는 3일, 6일 같은 날에도 27번인 내게 책읽기를 시켰다.

2) 정용준, 『가나』, 문학과 지성사, 2011, 10쪽.

말더듬이인 나는 폭력적이고 강압적으로 '또박또박' 읽으라는 선생의 명령에 서서 울었고, 말을 더듬었으며, '새까만 악마 같은 다른 열한 살들'에게 조롱당했다.

> 친구들 중 몇몇은 킥킥 거리며 웃었고 몇몇은 병신, 더듬이, 장애인 같은 말로 나를 조롱했다. 뒤에서는 작게 잘라 침을 묻혀 동그랗게 뭉친 종잇조각이나 지우개가 날아와 뒤통수를 때렸다. 선생은 …그들의 모든 행동을 방치했다. 때로는 주먹으로 교탁을 내리치며 날카롭게 소리쳤다.
> 선생님 말이 안들리니? 읽어. 빨리 읽으란 말이야![3]

선생은 나를 더욱 억압하며 빨리, 또박또박 읽기를 원했고 동급생들로부터 조롱당하는 나를 방치했다. 이처럼 비정상인에게 행해지는 폭력, 배제 등의 권력의 행사는 권력의 윗부분인 선생뿐만 아니라 주인공과 같은 위치에 있어야 할 동급생에게서도 발생하는 것으로, 그렇기 때문에 더욱 불평등하고 유동적인 관계들 속에서 행사되는 것임을 확인할 수 있다. 무방비하게 쏟아지는 선생과 동급생들의 폭력으로 인해 나는 억압되어 더욱 말할 수 없게 되었고 시간이 지나자 나에게 더 큰 폭력이 찾아온다. 그것은 '무관심'이었다.

> 더 이상 나는 친구들의 흥미조차 되지 못했다.[4]

할 수 만 있다면 다시 열한 살로 돌아가 '선생의 목에 연필을 찔러 넣을거'라고 생각한 나는 자신을 모든 이들 앞에서 비정상인으로 낙인

---

3) 위의 책, 14~15쪽.
4) 위의 책, 15쪽.

찍게 만든 선생에게 살인충동을 느낀다. 그러나 나는 이날 '말하는 것' 자체를 완전히 포기한 것이 아니었다. 그래서 열여섯 살이 된 해에 말더듬는 것을 고치기 위해 '저는 말을 더듬습니다. 꼭 고치고 싶습니다. 용기를 얻기 위해 이 자리에 섰습니다.'가 적힌 하드보드지를 들고 육교위에 올랐다.

> '안녕하십니까?'의 '안'이라는 짧은 초성하나 발음하지 못하고 나는 육교 한 가운데 정물처럼 서 있었다. 지켜보던 사람들이 나를 내버려두고 그냥 지나가기 시작했다. 1초도 안 되는 짧은 시간동안 툭 던진 그 눈빛들이 화살처럼 날아와 팔과 다리에 박혔다. …그때 육교에서 뛰어내리고 싶었다. 지나가는 트럭에 깔려 죽거나 두 개의 다리 중 하나라도 잃어 차라리 장애인이 되어 평생 휠체어에 앉아 커다란 바퀴를 돌리며 사는 것이 이것보다는 나을 것 같았기 때문이다.[5)]

열한 살에는 살인충동을 느꼈던 소년은 열여섯 살에 자살충동을 느꼈다. 그리고 또 다른 장애인–비정상인이 되길 원했다. 열한 살과 열여섯 살의 소년이 느꼈던 죽음에 관한 충동은 모두 나에 의한 것이 아닌 타인–타의에 의한 것으로 폭력적이고 억압적인 시선들 때문이었다. 이는 자신이 말더듬이라는 사실, 즉 비정상인인 것에 대한 단순한 원망에 그치지 않고 이제 세상의 시선들을 저주하는 것으로 확장된다. 미셸 푸코가 말하는 '규율권력'에 의하면 사람들은 자신들의 의지와는 상관없이 권력이 편리성에 의해 나누어 놓은 바에 따라 순종하는 신체로 길들여지게 된다. 그렇게 길들여진 신체는 정상적인 범주에 포함되지만 그렇지 않은 경우에는 '비정상'으로 분류되어 권력에 의해 훈련이나,

5) 위의 책, 21쪽.

훈육, 심지어는 격리 등의 대가를 치르게 된다.[6] 달리 말하면 '비정상인'을 학대하고 무시하는 것은 단순한 비정상인 개개인의 문제가 아닌 사회 전반에 걸친 문제라는 것이다.

어쩌면 선생이 책읽기를 시키며 '또박또박'을 요구하지 않았거나 혹은 하드보드지를 들고 육교에 선 그날 오랫동안 그의 입에서 '안녕하십니까'의 '안'이라도 들어주는 이가 있었다면 그는 자신의 몸이 타율화되는 것에 동의하지 않았을지 모른다. 그래서 그는 선언했다.

> 이제 나는 벙어리다.[7]

한편 '그녀'는 열한 살의 동급생들 사이에서 소년이 말을 더듬으며 울고 있는 모습을 지켜보다 발작을 일으켰다. 모두 소년의 책읽기를 기다리다 지쳐 정적마저 흐르고 있을 때 그 정적을 깨뜨린 것이 바로 바닥에 쓰러져 몸을 떠는 열한 살의 그녀였던 것이다.

> 여자아이의 보라색 입술에서는 하얀 거품이 일었고 뒤집힌 눈동자는 완전한 희색이었다. 놀란 열한 살들은 소리를 지르며 각자의 엄마를 부르며 울었고 선생은 어찌할 바를 몰라 허둥대다 날카로운 목소리로 옆반의 남 교사를 불렀다. …여자아이는 한동안 학교에 나오지 않았다. … 선생은 여자아이가 다른 학교로 전학을 간다고 했다. 여자아이는 공식적인 작별 인사도 하지 않고 자신의 물건들을 챙겨 뒷문으로 조용히 빠져 나갔다.[8]

6) 미셸푸코, 오생근 옮김, 『감시와 처벌』, 나남, 2003, 217쪽.
7) 정용준, 앞의 책, 22쪽.
8) 위의 책, 15~17쪽.

소녀의 발작-간질을 동급생 모두가 보았고 놀라 울며 소리를 질렀다. 선생은 아이들을 진정시키지 못하여 옆 반의 남교사까지 동원한다. 소년과 마찬가지로 소녀 또한 그날 그 교실에서 비정상인으로 분류되었다. 그리고 며칠 뒤 소녀는 죄지은 사람처럼 조용히 전학을 갔다. 비유하자면 소녀는 관리할 수조차 없는 괴물에 가까운 비정상인으로 간주되어 푸코가 말하는 격리의 대가를 치르게 된 것이다.

열한 살 때 떠났던 그녀를 나는 '놀이공원'에서 만났다. 정상인-인간의 모습으로 일할 수 없던 그들이 유일하게 동물의 탈을 쓰고 일할 수 있는 곳이었다. 말을 하지 않아도 되는 직업이었고 갑자기 쓰러져 버둥대도 뒤집힌 눈동자나 입에서 나오는 거품같은 것이 보이지 않는 직업이기 때문이다. 말하자면 비정상인인 그들이 유일하게 정상인들과 같은 공간에서 어떠한 폭력적이고 억압적인 시선도 없이 함께 어울릴 수 있는 유일한 직업인 것이다.

> 할 수 있는 게 이것 밖에 없어. 얘는 언제나 웃고 있거든. 어떤 상황이 와도 절대 인상을 쓰지 않아. 완벽한 포커페이스. 그게 마음에 들어.
>
> 그녀는 판다의 머리를 쓰다듬다 주먹을 쥐고 가볍게 머리를 툭 때린다. 판다는 여전하다. 영원히 웃다 끝내 소각될 얼굴.
>
> …
>
> 나 역시 할 수 있는 것이 이것밖에 없었어. 말을 하지 않고도 할 수 있는 일은 많아. 하지만 말을 하지 않거나 못하는 사람에게 일을 주는 곳은 없지.
>
> …
>
> 동물이 됐다. 일하는 것이 가능해졌다. 사자의 탈을 뒤집어쓰고 있으면 아무도 내게 질문하지 않는다. 동물은 인간의 언어가 필요 없다. 대화할 필요도 없다. 그저 용맹스럽게 포효하고 털이 무성하게 난 팔과 다

> 리를 흔들면 된다. 덜 자란 아이들은 끊임없이 내게 안기고 싶어 하고 연인들은 나와 사진을 찍고 싶어 한다. 토끼도 있고 다람쥐도 있지만 가장 인기가 많은 동물은 단연 백수의 왕인 사자다. 판다가 나의 인기를 시기하며 왕좌를 빼앗기 위해 호시탐탐 기회를 노리고 있지만 판다처럼 우둔한 귀여움 하나만으로 사자를 이길 수는 없는 법이다.[9]

말을 더듬고 말을 하지 않으리라 선언했던 나에게 일을 주는 곳은 없지만 내가 인간—정상인으로서의 삶을 포기하고 오히려 동물이 되기를 선택했을 때 사람들은 끊임없이 사자인 나를 사랑을 해준다. 그리고 통제가 불가능해 쫓기듯 전학을 간 그녀 역시 판다로 그에 버금가는 인기와 사랑을 누릴 수 있게 되었다. 잘 길들여진 정상인들의 범주에 포함되지 못하던 주인공인 나와 그녀가 정상적인 생활—말하는 것, 발작하지 않는 것을 '동물의 탈'로 은폐할 때 그들에게는 타의에 의한 고통이 줄어든다.

한번은 일이 끝나고 그녀와 함께 작동이 멈춘 놀이기구에 앉아 이야기를 나누다 발작을 일으키는 그녀를 보았다. 그녀는 판다의 머리만 겨우 뒤집어쓰고 간질의 모습을 내게 보였고 '붉은 원피스의 소녀보다 조금 더 성장한 그녀는 그때처럼, 아니 그때보다 더 끔찍하고 위태로운 모습으로' 떨었다. 발작이 멈춘 후 그녀는 익숙하게 일어나 정리를 했고 나는 그녀를 안아주고 싶은 충동을 느꼈지만 그녀는 '등으로 나에게 말'했다.

---

9) 위의 책, 17~18쪽.

> …내가 갑자기 잠드는 세계에서 꾸는 꿈은 달라. 난 한 번도 그 꿈에서 울어본 적 없어. 꿈속에서 만난 사람은 늘 나를 안아줬어. 그 세계는 믿을 수 없이 따뜻하고 너무도 고요해. …하지만 다른 사람들이 있는 곳에서 깨어날 때가 문제야. 그럴 때면 잠에서 깨는 것이 반대로 꿈같아. 가장 더럽고 차가운 세상에 던져진 것 같은 악몽. 나는 늘 버려진 아이처럼 길 위에 누워있어.[10]

이런 생활이 지속되자 두 사람에게는 사회성이 결여되는 모습이 포착된다. 비정상인으로 사회에서 버림받은 존재인 나와 그녀는 각각 이런 생각을 하고, 말을 한다.

> 타인들의 장애를 이해한다는 것이 가능한 일일까? 장애는 이해할 수 있는 게 아니야. 오직 확인만 가능할 뿐이지. …그들은 내 장애를 이해할 수 없어.[11]

> 나의 내부를 몽땅 들킨 것 같은 기분이 얼마나 끔찍하고 더러운 것인지 너는 죽어도 알 수 없을 거야.[12]

3. 사랑의 사건으로 사이 잇기

놀이공원에서 판다인 그녀와 사자인 나는 사람들이 없을 때 작동이 멈춘 놀이기구에 앉아 놀이공원을 감상한다. 늘 판다인 그녀가 말하고 사자인 내가 듣는다. 나는 그녀의 말을 듣고 있으면 '안쪽의 속살이 따

10) 위의 책, 26쪽.
11) 위의 책, 18쪽.
12) 위의 책, 27쪽.

뜻해지는 것을 느꼈다'고 한다. 여기서 '안쪽의 속살'은 '혀'를 의미하는 것이다. 말을 더듬고 벙어리를 선언한 내게 혀는 무가치한 것이고 '플라스틱', '극지방', '얼음', '유빙'처럼 딱딱하고 차가운 이미지이다. 그러나 그녀의 이야기를 듣고 있으면 나의 안쪽의 속살인 혀가 따뜻해졌다. 그녀의 말은 '물'과 같이 나의 딱딱한 얼음들을 녹이고 있는 것이었다.

> 따박따박 움직이는 그녀의 입술 사이에서 흘러나오는 말이 물처럼 얼굴에 닿을 때마다 딱딱한 표정의 단단한 표면이 깎이거나 녹아내렸다.[13)]

그때 그녀가 사랑을 고백했다. 열한 살에 책을 읽으려고 자리에서 일어나 책을 들고 서 있던 소년을 보았을 때부터 너를 사랑했던 것 같다고. 사랑이 '선언'[14)]된 것이다. 알랭 바디우는 『사랑예찬』에서 "사랑의 선언은 우연에서 운명으로 이르는 이행의 과정"[15)]이라고 말했다. 두 명의 열한 살짜리의 어린 학생들이 우연히 만나 부들부들 떨고 있던 소년을 소녀가 사랑했었다고 선언하는 순간 둘의 만남은 "우연을 시작이라는 형식 안에 고정"[16)]시키게 된 것이다. 이제 두 사람의 우연이 고정되었다. 그러나 아직 두 사람 모두 사랑을 선언하지는 않았다. 나는 '어쩌면 나도 그때부터 그녀를 사랑했을지도 모른다'며 속으로만 생각했기

---

13) 위의 책, 22쪽.

14) 알랭 바디우는 『사랑예찬』에서 "사랑은 항상 만남에서 시작됩니다. 그리고 저는 형이상학적인 방식으로 이러한 만남에 하나의 사건, 다시 말해서 사물들의 즉각적인 법칙에 속하지 않는 무엇에 사회적 지위를 부여합니다."라고 말했다. 알랭 바디우, 조재룡 롬김, 『사랑 예찬』, 길, 2010, 40쪽.

15) 알랭 바디우, 조재룡 롬김, 『사랑 예찬』, 길, 2010, 55쪽.

16) 위의 책, 55쪽.

때문이다. 그러나 그들에게 곧바로 두 번째 '사건'이 나타난다.

> …그녀의 손가락이 기묘하게 뒤틀리기 시작했다. 불끈 쥔 주먹이 부르르 떨렸다. ……그녀는 짧고 날카로운 비명을 지르며 바닥에 쓰러졌다. 붉은 원피스의 소녀보다 조금 더 성장한 그녀는 그때처럼, 아니 그때보다 더 끔찍하고 위태로운 모습으로 바들바들 떨고 있었다. 웃고 있는 판다의 명랑한 얼굴 이면에 하얗게 눈을 뒤집으며 어둠을 보고 있을 그녀의 진짜 얼굴.[17)]

그녀가 발작을 일으킨 것이다. 남자는 그런 그녀를 어떻게 해야 할지 몰라 그냥 그녀의 어깨를 껴안았다. 그리고 정신을 차린 그녀는 남자에게 '나의 내부를 몽땅 들킨 것 같은 기분이 얼마나 끔찍하고 더러운 것인지 너는 죽어도 알 수 없을 거야.'라고 말했다. 그러나 그는 완전하게는 아니라 할지라도 어렴풋이 알고 있었다. 나도 말을 더듬기에 타인에게 받은 억압으로 그 비슷한 감정과 생각을 느껴온 까닭이다. 게다가 그 또한 이전에 '그들은 내 장애를 이해할 수 없어.'라고 독백한 적이 있다.

그녀는 불가능하다고 했지만 나는 조금이나마 그녀를 이해하게 되었다. 롤랑 바르트는 『사랑의 단상』에서 "이해한다는 것은 이미지를 나누고, 몰인식의 최고 기관인 나를 해체하는 일"[18)]이라고 설명했다. 내가 그녀를 이해하기 시작하자 나는 그녀를 사랑하게 되었다. 아무도 자신의 장애를 이해할 수 없을 것이라고 생각하고 온 세상에 벽을 만들어

---

17) 정용준, 위의 책, 24쪽.
18) 롤랑 바르트, 『사랑의 단상』, 동문선, 2004, 94쪽.

스스로 장애라는 이름 아래에서 살아온 그는 자신과 비슷한 생각을 하는 타인을 만나 그녀를 이해하기 시작했고 '몰인식의 최고 기관인 나를 해체'하고 변화하기 시작했다. 이것은 그녀를 이해하는 것과 동시에 자신을 진정으로 이해하게 되는 것과 같다.

> 그날 밤 나는 잠을 거의 자지 못했다. 잠이 들면 꿈을 꿨고 꿈속에서 그녀는 날카로운 돌멩이가 깔린 길바닥에 누워 몸을 비비며 발작을 했다. 같은 꿈이 끝없이 반복됐고 반복되는 꿈만큼 그녀는 입에 거품을 물었다. 나중에는 내가 잠이 들면 그녀가 고통스러워 진다는 생각이 들어 눈을 감는 게 두려웠다. …… 왜 그런 생각이 들었는지 모르겠지만 나도 나만의 방식으로 괴로워야 한다는 생각이 들었다. 활자를 가만히 내려다 보다 입을 열어 읽기 시작했다. ……무릎 꿇은 내 허벅지 위에 채찍을 휘두르며 자해하는 기분이었다. 하지만 나는 견뎠다. 더듬거리는 소리가 그녀에게 들렸으면 좋겠다는 생각 하나만 남고 모든 것이 산산이 부서지는 밤이었다.[19]

사랑이란 타자의 이질성을 받아들이기 위해 기꺼이 나의 경계를 여는 것이다. 때문에 나는 그녀의 간질과 발작을 이해하고 받아들이기 위해, 더 나아가 그녀를 온전히 이해함으로써 자신을 진정으로 이해하기 위해 스스로 가장 정상인과 비정상인의 경계에 서게 만드는 '말하기'를 시도하는 것이다. '차라리, 벙어리가 되겠어.'라고 다짐한 것을 전도시켜 입을 열어 책을 읽었다. 그는 그녀를 사랑하게 되었기 때문에 스스로를 괴롭게 만들었다. 그리고 그날 이후로 남자와 여자는 '연인'이 되었다.

---

19) 정용준, 앞의 책, 28쪽.

그리고 곧 두 사람은 세 번째 '사건'을 만난다. '한낮의 유원지가 갑자기 저녁처럼 깜깜해지며 큰 비가 쏟아지는 날', 오직 빗소리만 두 사람을 에워쌌고 판다는 사자의 손을 꼭 잡고 탈의실로 달렸다. 털옷은 빗물로 가득 젖어 무거워졌고 판다가 갑자기 자신의 머리를 쑥 뽑아 집어던지자, 사자도 따라했다. 둘은 '정체불명의 생물로 기묘하게 변태'했는데, 그는 그것을 '이상한 경험, 이상한 세계'라고 표현했다. 게다가 두 사람은 말하는 것, 발작하지 않는 것을 '동물의 탈'로 은폐하고 오히려 동물이 되기를 선택했을 때에만 정상인들에게 폭력적·억압적 시선도 없이 어울릴 수 있었는데 그런 동물에서 또다시 정체불명의 생물로 변태한 것이다.

> 그녀의 머리에서 떨어진 물방울이 얼굴에 떨어져 나는 눈을 감았다. 눈을 떴을 때 그녀의 얼굴이, 다시 눈을 감았을 때 그녀의 입술이, 다시 눈을 떴을 때 그녀의 혀가 꼭 다문 내 입술을 천천히 열고 있었다. 나는 다시 눈을 꾹 감으며 입술을 열었다. 그녀의 혀는 어항 속 물고기처럼 내 안에서 움직였다. 부드럽고 느린 움직임으로 맴돌다가 갑자기 빠르게 수면까지 떠올랐다 바닥까지 가라앉았다. 그녀의 혀가 내 혀를 만났을 때 내 혀는 뒷걸음질 쳤다. 내 혀는 늘 말라있었고 딱딱했으므로 그녀의 혀를 다치게 할지도 몰랐다. 물러서는 내 혀를 그녀의 혀가 재빨리 붙잡았다. 그녀의 혀는 아주 천천히 내 혀를 만졌다. 나는 더 이상 도망가지 않고 그 자리에서 그녀의 혀를 안았다. 오랫동안 혀뿌리에 옹이처럼 박혀있던 단단한 긴장이 일순간 무너져 내렸다. 내 혀는 물처럼 녹아 그녀의 혀에 흡수되었다.[20]

물은 모든 얼음을 녹인다. 그리고 불가능해보일지라도 오랫동안 시간

20) 위의 책, 31쪽.

이 지나면 딱딱한 것을 뚫기도 하는 잠재력을 갖고 있기도 하다. 그녀의 말이 딱딱했던 나의 표정을 깎고, 녹였던 것을 생각해 볼 때 그녀는 물과 같은 존재이다. 그만큼 그녀는 무한한 잠재력을 갖고 있는 존재인 것이다. 그런데 하늘에서 큰 비가 쏟아지는 날, 나와 그녀는 둘 다 그녀의 상징과 같은 비-물에 젖었다. 입고 있던 털옷에 잔뜩 물이 머금어졌고, 사자와 판다의 머리를 벗어던져 머리끝부터 발끝까지 물에 젖지 않은 곳이 없었다. 나의 변화는 여기서 급격하게 일어난다. 플라스틱, 극지방, 얼음, 유빙, 옹이로 묘사되던 나의 혀는 어항 속 물고기 같은 그녀의 혀와 만나 '물처럼 녹았다'고 한다.

> 그렇게 딱딱하고 굳어있던 네 혀가 갑자기 어디론가 사라져버린 기분이었어. ……그런데 그때, 어디에서부터 스며드는지 알 수 없는 따뜻한 물이 차올랐어. 어느새 내 혀는 수면 위에 떠있는 작은 돌고래처럼 헤엄치고 있는 거야. 세상에 어떻게 너는 이 멋진 혀로 아무 말도 안 할 수가 있었던 거니.[21]

모든 멈춰있는 상태의 이미지였던 나의 혀는 이제 생명력을 얻었다.[22] 말할 수 없었던 남자로 인해 상징계의 언어로 소통할 수 없었던 두 사람이 처음으로 교감하는 순간이었을 것이다. 물속이면 어디든 자유롭게 헤엄칠 수 있는 어항 속 물고기, 수면 위에 떠있는 작은 돌고래가 된 것이다. 처음 키스를 나눈 후, '오래도록 잠들어있던 생명들이 땅

---

21) 위의 책, 31~32쪽.

22) 바디우는 『사랑예찬』에서 "사랑한다는 것, 그것은 온갖 고독을 넘어서 세계로부터 존재에 생명력을 불어넣을 수 있는 모든 것과 더불어 포획되는 것입니다"라고 말했다. 알랭 바디우, 앞의 책, 113쪽.

위로 기어 나오는 때'를 말하는 나는 '그들이 땅위에 올라와 남은 시간을 모두 사용하며 목숨을 거는 유일한 일은 짝을 만나고 사랑을 하는 일이다'고 말했다. 곧 '열 한 살의 지독했던 시간도 그녀를 처음으로 만났었다는 기억 하나로 완전히 뒤바뀌는 것 같았다'고 말하며 붉은 원피스의 소녀를 만났던 우연의 순간이 운명으로 이행되었음을 선언한다. 그러나 나는 여전히 '너를 사랑해'하고 소리 내어 말하지는 못한다. 단지 '말하고 싶었다'고 생각만 할 뿐이다.

그녀를 사랑하는 나에게는 이제 가끔 그녀를 기다리는 시간이 찾아온다. 나는 그녀가 잠이 든다고 말한다. 그러나 이 기다림의 시작은 이때가 처음이 아니다. 붉은 원피스를 입은 소녀의 발작을 처음으로 본 날이 그에게는 기다림의 시작이었다.

> 나는 온종일 여자아이의 빈 의자를 쳐다봤다. ……기다림은 전에는 느껴보지 못한 이상스럽고 고통스러운 경험이었다. 나는 처음으로 누군가를 기다리는데 시간을 온전히 사용했다. 시계의 초침이 분침처럼 분침이 시침처럼 더디게 움직였다.[23)]

사랑하는 사람을 기다리는 것은 '고뇌의 소용돌이'[24)]이다. 기다리는 동안 기다리는 사람은 자신이 자신을 향해 오고 있는 사람을 사랑함을 무한히 인정해야한다. '사랑하는 사람의 숙명적인 정체는 기다리는 사

---

23) 정용준, 앞의 책, 16~17쪽.

24) 롤랑 바르트는 '기다림'이란 사랑하는 이를 기다리는 동안 대수롭지 않은 늦어짐으로 인해 야기되는 고뇌의 소용돌이라고 이야기하며, 사랑하는 사람의 숙명적인 정체는 기다리는 사람이라고 말했다. 롤랑 바르트, 김희영 옮김, 동문선, 『사랑의 단상』, 2004, 64쪽.

람이기 때문'이다. 그러나 사람들이 있는 곳에서 깨어날 때면 낯선 사람들의 시선으로 상처받는 사랑하는 그녀를 위해 이제 남자는 사람이 많은 유원지에서 갑자기 잠이 드는 그녀를 위해 나름대로 분투한다. 판다를 지키는 사자가 되는 것이다.

> 그때마다 사자는 번개처럼 달려가 판다 곁을 지키고 서서 아이들을 내쫓고 으르렁 거리며 그들을 방해했다. …평소에는 절대로 하지 않는 앞구르기나 옆돌기도 하고 지나가는 사람들을 먼저 때리고 도망가기도 했다. 자진해서 사람들과 사진을 찍기도 했고 아이들을 번쩍 안아 어깨에 걸고 뛰기도 했다.[25]

사랑하는 존재를 지키기 위해 '나'는 결여되었던 사회성을 회복하게 된다. 사회에서 상처입고 타인과의 관계를 닫고 살던 '나'가 사랑하게 된 그녀를 이해하게 되고, 그렇기 때문에 발작에서 깨어난 그녀가 상처받는 것을 막기 위해 주인공인 나는 나－세계－그녀와의 열린 관계를 만들면서 자신들을 격리시켰던 사회로 한걸음 다가가게 되었다.

나는 그녀를 만나고 쉽게 울고 싶어졌다. 메말라있는 상태로 묘사되던 남자가 그녀로 인해 눈물로 범벅이 되고, 목이 메며, 불쑥불쑥 울고 싶어졌다. 축축하게 나의 안에 물이 쌓이고 있는 것처럼. 그러나 나는 울지 않았다.

> 절대로 나를 만지지 마. 허둥대지도 말고 놀라지도 마. 절대로 울지도 말고 걱정하지도 마. …만약 또다시 네 눈이 지금처럼 눈물로 가득하다면 나는 너를 더 이상 만날 수 없을 것 같아.[26]

---

25) 정용준, 앞의 책, 33쪽.

그녀의 말로 인해 나는 기다림의 시간에 울지 못한다. 그녀를 계속 만나기 위한 일종의 금기가 생긴 것이다. 그리고 울고 싶어도 울지 못하는 자신에 비해 꿈에서는 행복할 그녀를 생각하면 화도 났다. 하지만 남자는 '그런 사소한 감정에 휘둘리지 않고 열심히 일했다.' 그래야 그녀가 꿈에서 깨어도 곧 손을 탈탈 털고 나에게 달려와 아무렇지 않게 다시 싸우고 다시 연애할 수 있기 때문이다.

어느날 나는 그녀의 왼쪽 어깨에 이끼처럼 붙어있는 '굳은살'을 만졌다. 그녀가 잠이 드는 순간이면 늘 왼쪽으로 쓰려졌기에 생겼던 상처였다.

> 그녀의 어깨에 입을 맞추고 혀를 댔다. 단단하고 까슬까슬했다. 천천히 핥기 시작했다. 가능하다면 부드러워지길 원했고, 정말 그것이 가능하다면 혀가 지나가는 방향으로 쓸려 없어지길 바랐다. …그녀의 몸에는 크고 작은 흉터들이 많았다. 나는 그것들에 일일이 입을 댔다. …그녀는 웃으면서 자꾸 몸을 뺐지만 나는 끝까지 따라가 그것들을 하나씩 찾아냈고 집요하게 혀를 댔다.[27]

나에게 '혀'는 상처였다. 말을 더듬게 만들었고 세상으로부터 억압된 시선을 받게끔 했으며 '벙어리'선언을 하게 만들어 비정상인의 경계로 밀어 넣은 상처. 나는 그런 혀로 그녀의 상처들을 핥고 또 핥았다. 딱딱했으나 그녀로 하여금 부드러워진 혀로 굳은살을 쓸었다. 따라서 그녀의 상처를 향해 자신의 상처인 혀를 가져다대면서 그녀를 향한 자신의 무의식적 차원에서의 사랑과 이해를 깨닫게 되고 더 나아가 이것은 '장

26) 위의 책, 27~28쪽.
27) 위의 책, 34쪽.

애는 이해할 수 있는 게 아니야.'라고 단언했던 것에 대해 전복을 일으켰다.

그때 마침 그녀가 꿈에서 깨어난 후 처음으로 외로움을 느꼈다고 고백했다. 이것이 이들에게 일어난 세 번째 사건이다. 그녀는 현관 앞에서 쓰러지고 난 후 외로움을 느꼈다고 했는데 꿈에서 찾고 있던 사람을 찾지 못했기 때문에 깨고 난 후 그토록 외로웠다고 고백했다. 그런데 그녀는 더불어 찾고 있던 사람이 '너였어.'라며 나를 가리켰다.

> 나는 너를 찾고 있었던 거였어. 끝내 못 찾고 꿈에서 깨어 그토록 외로웠었나봐. 지금은 외롭지 않아. 그 꿈보다 지금 이 순간이 더 완전하고 완벽해. 어서. 들어와.[28]

그녀에게 꿈은 현실보다 행복한 공간이었다. 꿈에서 깨어 상처받을 때는 단지 사람들이 있는 곳에서 꿈을 깼을 때일 뿐이었지, 꿈 자체의 공간은 그녀를 행복하게 만들어주던 공간이었던 것이다. 그러나 이제 상황이 바뀌었다. 꿈에서 그녀를 안아주고 외롭지 않게 해주었던 존재가 나였다는 것을 그녀가 알게 된 것이다. 이후로 그녀는 나가 있기 때문에 꿈보다 현실이 더 완전하고 완벽하다고 선언했다. 두 사람은 다시 한 번 '지점'[29]을 통과해 새로운 사건을 만났다. 지점을 통과할 때마다 사랑은 견고해지고 층위는 쌓여간다. 그들은 곧바로 생명력 있는 물고기처럼 서로를 만지고 맛보았다. 그리고 나는 그녀에게 다시 사랑을 선언하고 싶은 충동이 일었다. 그러나 곧 쉽게 포기하고 '너를 사랑해'의

---

28) 위의 책, 3쪽.

29) 알랭 바디우, 앞의 책, 61쪽.

메타언어로써 포옹과 손가락 글자로 자신의 마음을 전할 뿐이었다.

> 직접 말해 줘. 네 말을 듣고 싶어.[30]

나의 마음을 눈치 챈 그녀가 '처음 봤을 때처럼 단단하고 집요한' 눈빛으로 나를 쳐다보며 말할 때 그녀는 포기하지 않고 '더듬어도 되니까' 말하라고 했다. 그동안 나에게 '더듬어도 된다'는 말을 한 사람은 없었다. 처음 말을 더듬기 시작했던 그날부터 27번으로 시종일관 책읽기를 강요당했던 순간에도, 심지어 말 더듬는 것을 고치려고 피켓을 만들어 육교 위에 올라갔을 때도 나에게 '더듬어도 괜찮다'는 말을 한 것은 그녀가 처음이었다. 모두들 나에게 또박또박 말하기를 기대했을 뿐이었다. 그녀의 고집스러움은 결국 나의 입에서 소리가 나오도록 만들었다.

> 내 입에서 나오는 소리는 모스부호 같았다. 음성은 끊어졌고 단어는 분절되고 해체됐다. 나의 언어는 조각조각 나뉘어 찢겨져있어 태어날 때부터 이미 죽어있는 상태였다. 내가 겨우 그녀에게 들려준 말이라곤 떠, 떠, 떠, 밖에 없었다.[31]

그때 그녀가 고통스럽게 발작하기 시작했다. 행복하다는 그녀의 말이 마치 거짓말인 것처럼 보는 남자로 하여금 아, 아, 아, 소리를 내며 괴로워할 만큼 발작했다. 나는 그런 그녀를 위해 왼쪽 어깨에 더 이상의 굳은살이 배기지 않도록 이불을 접어 집어 넣어줄 뿐이었다. 할 수 있

30) 위의 책, 36쪽.

31) 위의 책, 37쪽.

는 것이란 고작 그런 것뿐이었다고 했다. 그러나 그가 할 수 있는 것이 하나 더 있었다. 나는 여자에게 천천히 말하기 시작했다.

> 떠, 떠떠, 떠떠, 떠떠떠, 떠, 떠, 아아, 아아아하아아,아아아,아,사,사,사아,아,아아,아아아,라라,라라라라,라,라라라,아,아아앙,해.[32)]

나의 사랑이 드디어 상징계의 언어로 선언되었다. 그리고 시종일관 '내 맘이 너에게 들릴까?', '너에게 들렸으면 좋겠다.'고 생각했던 사랑이 '그녀는 지금 분명 들을 것이다.'고 확신에 찬 사랑으로 변모했다. 더듬어도 된다고, 있는 그대로의 나를 사랑했던 그녀로 하여금 마침내 나의 사랑 선언을 가능하게 만든 것이다. 서로를 단순히 이해함으로 끝나는 것이 아니라 서로의 존재를 고유한 것으로 인정하고 받아들였기 때문에 나는 자신도 내내 할 수 없을 것이라고 생각했던 사랑의 선언이 가능해졌다. 이제야 비로소 완전한 '둘이 등장하는 무대'가 되었다. 그렇다고 해서 그가 완전히 말 더듬는 것을 고치거나 그녀가 발작하지 않는 것은 아니다. 여전히 나는 말을 더듬을 것이고, 때때로 그녀는 여전히 발작을 일으킬 것이지만 둘은 그럴 때마다 길고 산만하게, 혼동스럽고 복잡하게, 사랑을 선언하고 또다시 선언하며, 그런 후에도 여전히 다시 선언할 것이다.

정용준의 「떠떠떠, 떠」 속 주인공인 '나'가 겪고 있는 말더듬는 증상은 '유창성 장애'로, 나의 발화 내용을 들었을 때 그의 장애 등급은 '3급 2호' 정도로 볼 수 있을 것이다. 그러나 교실 내에서 선생과 동급생들에게 행해진 시선적 폭력과 폭언으로 인해, 그리고 육교 위 사람들의

32) 위의 책, 38~39쪽.

시선으로 인해 '벙어리 선언'을 한 이후로 주인공의 삶은 아예 말을 할 수 없는, 그러나 다른 사람들의 말을 들었을 때 이해할 수 있고 자신이 어떤 말을 하고 싶은지 생각할 수 있는 '3급 4호'의 장애등급으로 하락한다.[33)]

그러나 주인공이 그녀를 만나 사랑에 빠지고 사건을 겪으며 사랑을 선언하게 될 때 그의 장애등급은 다시 상승한다. 이것은 정상인들에게는 당연한 권리이지만 비정상인에게는 불구로 여겨졌던 사랑을 가능하게 하는 것이고 그것으로 인해 주인공인 '나'가 아예 말을 할 수 없는 벙어리에서 더듬기는 하지만 말은 할 수 있는 말더듬이로 위치가 옮겨짐으로써, 비정상인에서 정상인의 경계로 한 발자국 더 나아가는 것이

33) 음성장애 판정 개요
(1) 음성장애는 단순한 음성장애, 발음(조음)장애 및 유창성장애(말더듬)을 포함하는 구어장애를 포함하며, 언어장애는 언어중추손상으로 인한 실어증과 발달기에 나타나는 발달성 언어장애를 포함한다.

장애등급	장애정도
3급 1호	발성이 불가능하거나 특수한 방법(식도발성, 인공후두기)으로 간단한 대화가 가능한 음성장애
3급 2호	말의 흐름이 97% 이상 방해를 받는 말더듬
3급 3호	자음정확도가 30% 미만인 조음장애
3급 4호	의미 있는 말을 거의 못하는 표현언어지수가 25 미만인 경우로서 지적장애 또는 자폐성장애로 판정되지 아니하는 경우
3급 5호	간단한 말이나 질문도 거의 이해하지 못하는 수용언어지수가 25 미만인 경우로서 지적장애 또는 자폐성장애로 판정되지 아니하는 경우
4급 1호	발성(음도, 강도, 음질)이 부분적으로 가능한 음성장애
4급 2호	말의 흐름이 방해받는 말더듬(아동 41-96%, 성인 24-96%)
4급 3호	자음정확도 30-75% 정도의 부정확한 말을 사용하는 조음장애
4급 4호	매우 제한된 표현만을 할 수 있는 표현언어지수가 25-65인 경우로서 지적장애 또는 자폐성장애로 판정되지 아니하는 경우
4급 5호	매우 제한된 이해만을 할 수 있는 수용언어지수가 25-65인 경우로서 지적장애 또는 자폐성장애로 판정되지 아니하는 경우

보건복지부 장애등급 판정기준 개정안, 언어장애 판정기준, 2013, 48쪽.

라고 할 수 있다.

4. 맺는말

정용준의 「떠떠떠, 떠」에서는 말더듬이였던 소년이 사회의 억압으로 인해 '벙어리 선언'을 하기에 이른다. 벙어리로서의 삶을 사는 그는 비정상인으로 규정지어지며 분리된 삶을 살아왔고 그렇기 때문에 정상인들이 얻는 직업을 얻지 못한 채 자신의 장애를 은폐하는 사자탈 쓰는 직업을 갖게 되었다. 주인공인 '나'뿐만 아니라 '그녀' 역시 사회에서 비정상인으로 규정된 '간질'환자인 발작하는 여성으로, 본인의 실존을 왜곡하는 직업인 놀이공원의 판다옷을 입는 직업을 갖고 본인이 비정상인이라는 것을 숨겨 정상인들과 같은 공간에서 어떠한 폭력적이거나 억압적인 시선도 없이 함께 어울릴 수 있게 된다.

규율권력에 의해 소외되고 분리되어 살아올 수밖에 없었던 비정상인이었던 주인공 '나'의 사회성결여는 어쩌면 당연한 것이었다. 그러나 사랑하는 그녀가 간질로 인해 발작을 일으키고 '잠'이 들 때마다 그는 그 옆을 지키며 점점 사회성을 회복하는 양상을 띤다. 먼저 사람들에게 다가가 사진을 찍기도 하고 아이들에게 다가가 안아주기도 한다. 이 모든 것은 사랑하는 존재를 지키기 위한 행동으로 발작에서 깨어난 그녀가 상처받는 것을 막기 위한 행동이며 이 과정을 통해 나는 나-그녀-세계와의 열린 관계를 형성한다.

시종일관 '내 맘이 너에게 들릴까?', '너에게 들렸으면 좋겠다.'고 생각했던 그는 그녀에게 말을 더듬으며 힘들게 사랑을 고백할 때 확신했다. '그녀는 지금 분명 들을 것이다.'고. 확신에 찬 사랑으로 변모한 것이다. 두 사람의 완전한 사랑의 선언이 이루어졌고 그것은 서로를 단순히 이해하므로 끝나는 것이 아니라 각자의 존재를 고유한 것으로 인정하고 받아들였기 때문에 가능했던 것이다.

그리고 그것은 '벙어리 선언'을 했던 그가 다시 '말더듬이'로 변모하는 순간으로 우리나라의 보건복지부가 지정한 3급 4호의 장애등급에서 3급 2호의 장애등급으로 장애등급이 '상승'되는 순간이기도 하다. 다시 말하면 비정상인보다 정상인의 범주에 더 가까운 위치라는 것이다.

정용준은 자신의 논문[34]에서 '소설을 연구한다는 것은 인간을 연구한다는 말과 동의어다.'고 이야기 하며 본인의 소설에서 '외부적 세계와 인간의 내면적 세계의 분리와 그로인한 폭력과 망각에 대해 지적하고 망각된 존재들의 내면의 목소리를 듣기 위해서는 어떻게 해야 할 것인가'에 대해 연구하겠다고 하였다. 장애인을 연구한다는 것 자체가 장애인이 인간에 포함되어야 한다는 것이 아니라 장애인을 연구함으로써 인간의 경계가 확장됨을 의미하는 것인데 인간-정상인이 되기 위해서는 사회가 허용하는 질서의 공간 안에 들어가야 함을 우리는 잘 알고 있다. 그런 의미에서 주인공인 나에게 사랑은 실질적으로 국가가 규정해 놓은 장애등급의 상승을 가져왔을 뿐만 아니라 결여되었던 사회성도 회복시켰고 무엇보다 사랑하는 그녀를 이해하기 위해 한 행동들로 비롯하여 온전히 자신을 이해하게 됨으로써 비정상인의 위치에서 '덜' 비정상인으로, 즉 정상인의 경계로 한발자국 더 나아갔다.

정용준의 「떠떠떠, 떠」를 통해 '사랑'이 '정상인'과 '비정상인'의 사이를 잇고 그를 통해 자아 속에 타자와 타자 속에 자아를 발견할 수 있게

34) 정용준, 「내면탐구로서의 소설 창작 방법」, 조선대 석사논문, 2012, 5쪽.

하는 매개체가 될 수 있는 것으로 여겨진다. 이는 다른 문학작품 속에서도 마찬가지로 정상인과 비정상인의 사이를 잇는 작업을 위해 '매개체로서의 사랑'을 연구해볼만한 가치가 있음을 의미한다고 볼 수 있다.

김애란 소설에 나타난 정서적 배려의 관계와 그 한계 연구

자기 억압적 감정을 중심으로

김 주 선

1. 들어가는 말

김애란의 소설에 대한 주된 평 중 하나는 IMF세대로 특징지어지는 이들의 사회적 경제적 빈곤과 아픔을 기발한 상상력과 감각적인 언어로 풀어낸다는 것이다. 이는 특히 두 번째 소설집인 『침이 고인다』에서부터 도드라지는데, 가령 「도도한 생활」의 마지막 장면은 김애란의 특장이 잘 표현되어 있다. 소설의 결말은 침수되는 반지하방에서 피아노 치는 인물을 보여주는 것으로 끝난다. 물이 가득 차 있는 반지하방에서 맑게 울리는 도-, 레-, 미- 소리는 독자로 하여금 단순한 슬픔을 넘어 비애의 감정을 불러일으키게 할 만큼 빼어나다. 이러한 상황에 집중하는 연구들은 '방'에 각별히 주목하여 '방'이 주변부적 삶을 사는 인물들의 부유하는 정체성, 주변부적 정체성을 구성하는 핵심 요소라고 지적한다. 좁은 '방', 궁핍한 '방'은 인물들의 정체성과 상관적으로 존재하는 상징적 공간이다.[1)]

그러나 대부분의 김애란 소설의 인물들이 가난뿐만 아니라 절망, 우울, 수치, 부끄러움, 민망함 등의 자기에 대한 부정적 감정에 억압되어 있다는 사실은 아직 주목받지 못하고 있다. 김애란 소설에 등장하는 인물들의 정체성은 사회적 경제적 체계가 발생시키는 자기부정적 감정과도 밀접한 연관을 갖는다. 몇몇 단편에서도 그렇지만, 특히 『두근두근 내 인생』에서 선명하게 드러나는 타인에 대한 배려와 그 한계는 저 IMF세대의 지독한 자기부정적 감정들과 무관하게 보기 어렵다. 김애란 소설에 등장하는 인물들이 타인의 자기 부정적 감정에 민감하며 또한 타인에게 준 상처 때문에 괴로워하는 모습이 강하게 드러나는 이유는 IMF라는 사회적 배경이 자리하고 있는 것이다.

김애란 소설에 대한 기존의 연구 중 감정과 관련한 연구는 양윤의의 「서울, 정념의 지도-2000년대 소설을 중심으로」가 유일하다.[2] 양윤의 역시 '방'이 문제가 되지만 특정 정체성을 강조하는 다른 연구들과 그 논지를 달리한다. 양윤의는 서울의 가난한 자들이 통공간적으로 존재한다고 보고, 이 때문에 그들 각자가 내밀한 관계를 맺고 도시 전체가 하나의 유기체로 성립된다고 주장한다. 이제 서울은 가난한 자들의 마음이 이어지는 인정(仁情)의 장소로 변환되며, 그 인정(仁情)은 『두근두근 내 인생』에서 타인에 대한 절대적 사랑의 마음으로 나타난다는 것이다.

이 글은 앞선 연구들에서 누락된 자기부정적 감정들의 사회적 발생

---

1) 김재덕, 「김애란 초기 단편소설 연구」, 공주대학교 일반대학원 석사논문, 2012.
김희준, 「김애란 소설의 공간과 인물 태도 연구」, 순천향대학교 교육대학원, 2013.
장미영, 「청년의 고립된 자아와 디스토피아적 상상력-김애란 소설을 중심으로」, 『여성문학연구』, 32집, 한국여성문학학회, 2014.

2) 양윤의, 「서울, 정념의 지도-2000년대 소설을 중심으로」, 『현대소설연구』, 52집, 한국현대소설학회, 2013.

요인을 살피고, 부정적 감정들에 대한 배려를 통한 정서적 관계와 그 한계를 밝히고자 한다. 여기서 자기부정적 감정들은 사회적 체계와 밀접한 관련 속에서 나타나고, 배려를 통한 정서적 관계는 법의 문제를 피해갈 수 없다는 사실이 명확해질 것이다. 이 글에서 다루는 텍스트는 사회의 문제가 본격화되는 『침이 고인다』와 『비행운』, 그리고 배려가 만들어내는 정서적 관계와 그 한계를 보여주는 『두근두근 내 인생』으로 한정한다.

2. 빈곤과 절망

김애란 소설 세계의 인물들은 기본적으로 가난한다. 그들은 선험적으로 가난하거나 반드시 가난해진다. 면면도 다양하다. 알바를 하는 50대 아저씨(「기도」), 동네 경제의 연쇄적 몰락으로 파탄 나는 가족 경제(「도도한 생활」), 벌이가 좋지 않은 택시 기사(「그곳의 밤 여기에 노래」), 오전에는 전단지를 돌리고 오후에는 공항에서 청소를 하는 기옥 씨(「하루의 축」) 등 가난한 자들의 목록은 끝이 없다. 그들에게 가난은 해결될 수 없는 천형이다.

김애란의 소설 세계에서 공들여 묘사되는 청년세대의 가난도 영구미제다. 대학에 들어갈 때부터 어려움이 시작된다. 미래를 위한 시간이 안개 같은 사회 속에서 뚜렷한 대책 없이 불분명하게 흘러간다. "막연하게 국문과에 가고, 막연하게 사대에 가고, 막연한 열패감이나 우월감을 갖고 졸업을 하고 진학을 했다. '적성'이 아닌 '성적'에 맞춰 원서를 쓰는 일도 잦았지만, 대부분 잘 기획된 삶에 대해 무지했고, 자신이 뭘 하고 싶어 하는지 몰랐다."(「도도한 생활」) 교대 진학에 실패하게 된 사회적 이유가 IMF 때문이라 할지라도, "그것은 마치 누군가 '네가 대학에 떨어진 이유는 올해 카시오페이아좌에 있는 7789베타별이 자오선을 지나갈 때 반짝거렸기 때문이란다'라고 말해주는 것과 같"(「자오선을 지나갈 때」)다. 그 낱말이 가리키는 의미구조는 아득하고 까마득해서 지극히 비현실적이다. 아무것도 명확하지 않고 무엇 하나 확실하지 않다. 사회의 흐름 속에서 자신의 위치를 파악하고 대처하기에는 그 모든 것이 너무나도 거대하다. 대학을 졸업하고 직장을 갖는 것도 문제다. 철저한 자기 관리와 계발을 통해 대학교 성적과 토익 점수를 상위권으로 만들어도(「자오선을 지나갈 때」), 좁은 고시원에 틀어박혀 공부만 하고 살아도(「기도」), 잘생긴 총각 강사에게 수치심을 무릅쓰고 생리 결석 사유서를 제출하며 출석점수를 관리해도(「서른」), 좋은 직장을 잡아 가난을 벗어나는 것은 불가능에 가깝다. 다음 인용문은 이와 같은 인물들의 몰락한 상황을 상징적으로 대변한다. 결국 생활비를 벌기 위해 보습학원의 강사가 되어 한 달에 60만원을 받았던 「서른」의 '나'의 말이다.

> 학생 중에는 평소에 저랑 한마디도 안 하다 이따금 딸기우유나 초콜릿을 건네고 가는 여중생도, 말수 적고 속이 깊어 언제나 부모님을 걱정하는 남고생도 있었어요. 공부를 하도 한 탓에 수업 중에 코피를 쏟는 아이도, 갑자기 복도로 뛰어나가 토를 하는 아이도 있었고요. 그런데 언니, 요즘 저는 하얗게 된 얼굴로 새벽부터 밤까지 학원가를 오가는 아이들을 보며 그런 생각을 해요.
> '너는 자라 내가 되겠지…… 겨우 내가 되겠지.'[3)]

학원에서 공부하는 고등학생들을 바라보는 '나'의 시선에는 어떠한

---

3) 김애란, 『비행운』, 문학과지성사, 2012, 298쪽.

희망도 존재하지 않는다. '나'는 이미 체득해 알고 있다. 누구보다도 열심히, 부지런히, 죽을힘을 다해 살아도 사정이 나아지지 않는다는 것을. "성적 장학금도 받고, 도서관과 행정실에서 근로 장학생으로 일하고, 편의점이나 커피숍에서 틈틈이 아르바이트"를 하며 학비와 생활비를 충당하는 성실하고 검소한 학생이었지만 무엇도 될 수 없었던 자신을.

『침이 고인다』 이후 이 같은 절망적 사고가 김애란 소설에 등장하는 인물들의 사고를 지배한다 해도 과언은 아니다. 모든 가능성이 닫혀 있고 미래에 대한 희망도 없다. 피폐한 상황을 벗어나려는 몸부림은 더한 불행으로 귀결된다. 희망 속에서 다단계를 시작한 「서른」의 '나'는 거듭되는 실패 속에서 학원의 제자를 다단계로 끌어들이는데, 제자 혜미는 자살을 시도하다 식물인간이 된다. 즉 누구도 이 암울한 상황을 벗어날 수 없다. 완전히 짓눌려 납작해진 채, 간신히, 안간힘을 쓰며 생존하는 것만이 할 수 있는 유일한 것이다. 분노는 없다. 짓눌린 자들은 우울과 절망 속에 있지만 이 현실을 견뎌내는데 집중할 뿐이다. "어쨌든 견뎌내야 했다. 모두가 그러고 있으니까. 모두가 잘, 버티고 있는 것 같으니까."(「벌레들」) 사회를 문제 삼고 비판적으로 바라보는 이도 없다. 모두가 인내하는 것을 택한다. 사회의 체계에 철저히 복종한 채 뭉개져 영속하며, 더 지독한 나락으로 떨어지지 않기 위해 버티기. 이것이 김애란 소설에 등장하는 인물들의 심적 태도다.[4)]

---

4) 여기서 양윤의는 가난 속에서 몰락한 인물들의 마음이 이어져 서로에 대한 인정(仁情)을 낳는다고 주장한다. 그러나 김애란의 소설 속에서 그 둘을 잇는 직접적인 연결고리를 찾는 것은 어렵다. 이는 사실 양윤의 스스로도 단언하지 못하는 부분이다. "눈에 보이지 않았던 도시를 일으켜 세울 수는 없을까. 김애란의 건축술은 도시 전체에 피를 돌게 하고 세부의 부분들이 서로 내밀한 관계를 유지하여서, 도시 전체를 하나의 유기체처럼 느껴지게 하려는 듯 보인다."(양윤의, 위의 논문, 62쪽.)

사회의 체계에 대한 반성적 능력의 결여는 정체성의 문제와 밀접한 관련을 맺는다. 정체성이란 결국 특정한 사회 속에서 특정 사회의 상징적 체계에 호명되어 구성될 수밖에 없기 때문이다. 사회의 체계에 대한 의심이 없는 이가 그 사회에 몰입되어 있다는 것은 자명한 사실이다. 예컨대 각 개인들의 인정에 대한 욕망, 혹은 개인의 자기실현은 오직 사회가 만들어내는 인정역학 내에서만 작동하게 된다. 사람들은 사회의 체계가 만들어낸 인정체계 속에서만 의미연관을 맺고 사회를 지탱한다. 사회가 만들어낸 좋은 삶의 기준은 불변하고 사람들은 사회의 이상적, 정상적 기준에 도달하기 위해 노력한다. 사회의 견고한 가치 기준과 그에 몰두한 사람들. 수치스러운 감정은 바로 거기서 만개한다.

3. 사회의 가치체계와 수치 계열의 감정들

빈곤해도, 미래에 대한 희망이 보이질 않아도, 결국 경제적 사회적 활동을 하지 않을 수는 없다. 취직을 하기 위해 구직활동을 해야 하고, 먹고 살기 위해 적은 돈이라도 벌어야 한다. 지인들의 경조사에 참석하는 일이나 생활에 필요한 상품 구매 등의 활동도 필수불가결하다. 그런데 생존의 문제인 동시에 사회적 관계 문제인 저 활동들은 독특한 위치를 차지한다. 일상을 만드는 저 활동들 하나하나가 사회적 관계 속에서 자신의 상징적 자리를 보여주는 척도가 되기 때문이다. 가령 공무원 시험 준비를 하는 「기도」의 언니는 꽃 같은 20대를 노량진의 칸막이 안에서 보내는 것보다 자신이 살던 동네의 추상적인 '시선'을 더 곤욕스러워한다. 그녀는 자신의 미취업이 갖고 있는 상징적 의미를 잘 알고 있으며 그 때문에 동네 어른들의 시선 속에서 수치스러운 감정을 느낀다. 수치, 부끄러움, 민망함 등의 수치스러운 감정들은 「기도」의 언니뿐만 아니라 김애란 소설에 등장하는 수많은 인물들이 자주 겪는 감정들이다.

수치, 부끄러움, 민망함 등의 감정을 다루는 것은 까다로운 일이다. 저 감정들을 정확히 구분해서 정의할 수 없기 때문이다. 예컨대 임홍빈은 수치심이 자아에 의한 자기평가와 자신에 대한 타인의 평가 사이의 차이를 조절하기 위한 심리적 기제에 의해 발현된다고 주장하면서, 수치의 감정은 인격적 존재로서의 자기평가와 직결되기 때문에 자신의 정체성 자체에 대한 심각한 고려 없이 느끼는 부끄러움을 수치의 감정과 동일시하기는 어렵다고 보고 있다. 게다가 그는 두 감정의 구분이 가능하다고 해서 그 같은 구별의 기준이 항상 객관적 타당성을 지닌다고 보지 않는다. 자신의 일탈적 행위나 태도 등에 대한 관용의 정도가 다르다는 점도 문제가 될 수 있고, 동일해 보이는 척도가 사회문화적인 맥락에 따라 달리 해석될 수 있기 때문이다.[5] 그러나 앞서 언급한 감정들은 강도적 차이가 있을 뿐 그 발생 메커니즘이 동일하다는 점에서 하나의 계열을 이루고 있다고 볼 수 있으며, 따라서 수치스러운 감정의 계열 모두는 사회적 가치체계 및 인정체계가 만들어내는 규범적 타자 없이 존재할 수 없는 감정이다.

규범적 타인의 표상을 표상하거나 타인화된 자기에 의한 자기 평가를 거치는 수치스러운 감정은 당혹스러움, 치욕, 굴욕, 불안, 분노 등의 감정을 동반하기도 한다. 전인격적인 차원에서 부정적 감정을 동반하는 수치스러운 감정은 부정적으로 평가되는 자기를 보호하기 위해 방어적

5) 임홍빈, 『수치심과 죄책감』, 바다출판사, 2013, 241쪽, 370쪽 참조.

인 태도를 만들어내기도 하기 때문이다. 그러나 앞서 말했듯이 여기에 분노는 없다. 분노가 분개하여 몹시 성을 냄이라면, 김애란 소설 세계에 분노는 존재하지 않는다. 분노라고 할 만한 감정이 나타나는 소설은 『두근두근 내 인생』뿐이다. 사회의 인정체계, 가치체계에 대한 비판적 의식도 없다. 남아 있는 것은 자아 정체성을 타격하는 수치에 대한 두려움뿐이다.

> 남자와 여자가 메뉴판을 펼쳐 들었다. 남자의 얼굴에 당혹스러운 빛이 스쳤다. 모두 처음 보는 음식인 데다, 메뉴에 딸린 선택 사항을 어찌할지 몰라서였다. 샐러드 드레싱으로 '스모키 허니 디종'을 시켜야 할지, '발사믹 비네그레트'를 골라야 할지, 이 세트와 저 메뉴는 뭐가 다른지, 스테이크를 완전히 익혀달라고 하면 촌스러워 보이지 않을지, 음료를 하나만 시켜도 될지, 그리고 무엇보다도 이렇게 난처해하는 자신을 종업원이 깔보지는 않을지 걱정이었다. 종업원은 주문이 서툰 손님들에게 익숙한 듯했다. 여자와 남자는 종업원의 친절한 설명을 들으며 엉겁결에 주문을 마쳤다. …… 주문이 서툴렀던 탓에 두 사람은 음식을 많이 남겼고, 남자는 식당을 나오며 7만 원이 넘는 밥값을 카드로 결제했다.[6] (「성탄특선」, 96~97쪽)

남자는 레스토랑에서 주문이 서투르다는 것이 갖는 사회적 의미를 내면화했다. 그는 자신의 서투른 모습이 고급 취향을 가지지 못해 미적으로 세련되지 못한 남자로 보이게 만들지도 모른다는 것을 자각하고 있다. 수치에 대한 남자의 자기의식은 수치스러울 수 있는 상황을 어떻게든 넘어가는 데 쓰인다. 수치심이 자기평가의 감정과 깊이 관련되어

6) 김애란, 『침이 고인다』, 문학과지성사, 2010, 96~97쪽.

작동한다는 것을 염두에 두면 과도하게 많은 음식을 엉겁결에 시킨 남자의 당혹감에 대해 짐작할 수 있다. 그는 수치심으로 인해 마주할 전인격적 곤궁이 다가오지 못하게 자기를 배려하고 보호한다.

미적으로 세련되게 보이지 못하는 데서 오는 수치스러운 감정은 김애란이 공들여 세공하는 지점 중 하나다. 물론 구직활동 중에도 수치를 겪는다. "처음 면접을 보러 다니던 때, 그녀는 자기 몸값을 스스로 불러야 한다는 사실에 당황했었다. …… 그때 자신이 느꼈던 감정이 수치심이었다는 것만은 분명했다."(「침이 고인다」) 택시기사를 하는 용대가 손님들에게 듣는 말들도 자신의 초라한 위치를 숨기기 위한 허풍 섞인 거짓말이다. "물론 용대는 알고 있었다. 택시 안에서는 기사도, 손님도 거짓말을 한다는 것을. …… 자기 위치가 초라할수록 풍선처럼 커다랗게 허풍을 떤다는 걸 말이다."(「그곳의 밤 여기의 노래」) 그러나 김애란의 소설에서 가장 중요하게 묘사되는 것은 미적 차원에서 발생하는 수치스러운 감정이다. 어디서나 취향과 세련됨의 정도가 사람의 가치를 결정한다. 특히 상품들은 이미 사회의 계급적 정체성을 구성하는 기호로 환원되어 있으며, 상품의 구매는 사람들의 사회적 위상을 파악하는 척도가 된다.

> 오래전부터 '소독한 델몬트 주스 유리병에 보리차를 담아, 냉장고에 넣어두었다가 시원하게 마시는 것'은 사내의 로망 중에 하나였다. 그런 것 하나가 자기 삶을 어떤 보통의 기준에 가깝게 해주고 또 윤택하게 만들어주는 것 같아서였다. 사내가 고집하는 생활 습관은 몇 개 더 있었다. 사내는 여동생에게 '아무리 돈이 없어도 화장실 세정제만은 반드시 사 넣어야 한다'고 말했다. 화장실 세정제는 둥근 모양의 고체로 변기 수조에 넣어두는 것이었다. 그러면 물을 내릴 때마다 변기 안으로 파란 수돗물이 쏟아져 나왔다. 사내는 흰 변기 안에 청신하게 고여 있는 푸른 물만 보면 이상하게 기분이 좋아진다고 했다. 심지어는 자신이 괜찮은

인간처럼 느껴진다고.[7)]

이 사내 역시 특정 상품이 갖는 사회적 의미를 내면화했다. 그는 델몬트 주스 유리병에 보리차를 담아 마시는 것, 화장실 세정제를 쓰는 것이 자기 자신의 삶을 윤택하게 만들어준다고 생각한다. 델몬트 주스 유리병과 파란 물의 화장실 세정제는 사회의 가치체계 속에서 자신의 삶을 긍정적인 방향으로 보장해주는 상품이다. “아무리 돈이 없어도 화장실 세정제만은 반드시 사 넣어야 한다”는 욕망의 차원은 여타의 인물들에게서도 똑같이 드러난다. 빡빡한 생활 속에서도 와인을 마시고(「침이 고인다」), 대출금이 밀려 있어도 해외여행은 떠나야 한다(「호텔 니약 따」). 상품 구매를 통해 사회의 가치 체계가 만들어낸 기준점을 통과하게 되므로 감각적인 쇼핑 능력이 중요해진다. 셀 수 없이 많은 상품의 도열 속에서 “내가 원하는 게 뭔지 알고 있다는데서 오는 여유”, 또 “원하지 않는 것 역시 정확히 알고 있다는 식의 까다로움”을 갖고, “호들갑스럽지 않게 자기주장을 하고 있는 정장. 백화점 할인매장에서 산 너무 비싸지도 싸지도 않은 핸드백. 담담한 질감의 소가죽 구두”(「큐티클」)를 고르는 미적 안목과 취향이 김애란 소설 속 인물들의 자긍심이다.

이렇듯 김애란 소설에 등장하는 인물들은 수치스러운 감정에 극히 민감하게 반응한다. 모두가 수치스러운 상황을 겪지 않으려 노력하고 수치스러운 감정에서 벗어나고자 노력한다. 수치스러운 감정이 특정 사회의 가치체계가 공고히 존재할 때 작동한다는 것을 염두에 두면 이들의 심리적 경향성이 집단적 순응주의로 귀결될 수밖에 없다는 것을 알

7) 김애란, 위의 책, 101~102쪽.

수 있다. 즉 변화시킬 수 없는 사회 속에서 사회의 가치 체계에 순응하고 그 안에서 자기 자신의 위상 정립하기. 이 역시 김애란 소설에 등장하는 인물들의 심적 태도다.

4. 정서적 배려의 관계

사회 체계에 철저히 짓눌린 사람들에게 가장 먼저 필요한 것은 '배려'일 수 있다.[8] 사회의 인정 체계 바깥으로 떨어져 나가는 것에 극도의 두려움을 느끼는 이들은 더 깊은 나락으로 떨어지기 전에 보살펴야 하는 존재일지 모른다. 그들의 인격적 위상이 극단적으로 내몰리기 전에 수치스러운 감정을 비롯한 자기부정적 감정들을 배려해야 하는 것이다. 그러나 타인의 자기에 대한 부정적 감정을 헤아린다는 것은 저마다 다른 개별자들에 대한 공통감각 없이 불가능한 일이다. 자기에 대한 부정적 감정은 사회의 일반적 인정역학에 의해서만 발생하는 것이 아니라, 각각의 개인이 자기 자신에 대해 생각하는 관용의 정도에 따라 달라지기도 하기 때문이다. 이 같은 곤란함이 잘 드러나 있는 작품이 바로 「기도」다.

백수인 '나'는 문화상품권 세 장을 받기 위해 "대졸자 취업 경로 조사"를 받는다. 놀랍게도 조사원은 "아버지 또래"다. 정식 직원이 아닌 듯한 그에게 취업경로를 밝히는 "나는 좀 쩔쩔맨다." 전에는 월 200만 원을 받는 홍보부 일을 했었고, 지금은 세 시간에 십오만 원을 받는 과

8) 여기서 배려는 하이데거가 말하는 염려의 양태로서의 도구적 배려와 아무런 관련이 없다. 배려는 '도와주거나 보살펴 주려고 마음을 씀'이라는 사전적 의미로 사용된다.

외를 하고 있는 자신의 직업 이력 때문이다. 이 사회에서 50대의 남자가 '알바'를 하고 있다는 게 어떤 의미일 수 있는지 알고 있는 '나'는 "사내가 혹시라도 자기보다 어린 사람에게 무례함을 느끼지 않을까 초조하다." 그러나 '나'는 그에게 무례하지 않을 수 있는 태도가 무엇인지 알지 못해 더 초조하다. 그가 자기 자신의 직업에 대해 어떻게 생각하는지, 그에게 무례하지 않기 위한 태도는 무엇인지 알 수 없기 때문이다. '나'의 최선의 배려는 일을 마치고 돌아서는 남자를 불러 그의 목적지를 물어보고 최단 거리를 알려주는 정도다. 그러니까 자기부정적 감정을 발생시키는 일반적 문법에 친숙한 것만으로는 타인의 감정을 보살피고 돌볼 수 없다. 필요한 것은 특수한 타인의 자기부정적 감정의 발생 문법을 간파할 수 있는 감각, 개별적 경우를 보편적 차원에 귀속시키는 감각이 아닌, 그때그때의 상황들 속에서 타인과의 조화를 이루는 보편자적 공통감각이다.[9] 그리고 『두근두근 내 인생』은 타인과의 공통성을 찾고 그들의 정서를 배려하며 조화를 이루려는 마음이 강렬하게 드러나는 작품이다.

『두근두근 내 인생』의 서사는 독특하다. 조로증에 걸린 소년이 주인공임에도 그와 그를 둘러싼 인물들의 분위기는 농담과 유머, 명랑한 공감, 고통과 슬픔에 대한 배려를 통해 따뜻한 모습으로 그려져 있다. 즉 타인의 마음을 그늘지게 하지 않으려는 배려의 마음이 『두근두근 내

9) 이때 공통감각은 인식적 능력이 배제된 채 감성적 취미의 영역에만 그 역할이 귀속된 칸트적 의미의 공통감각이 아니다. 가다머는 공통감각을 감성적 취미의 영역에만 국한시킨 칸트를 비판하며 공통감각이 객관적인 것을 편견 없이 파악함으로서 보편적 관점을 찾아내려는 교양을 전제한다고 주장한다. 따라서 교양인의 감각은 일종의 인식방식이며 가능한 타인들의 관점으로만 현존하는 보편적 감각이라는 것이다. 한스 게오르그 가다머, 『진리와 방법1』, 이길우 외, 문학동네, 2012, 37~73쪽 참조.

인생』의 저변에 깔린 정서다. 배려를 통한 공동체의 조화로운 존속에 대해서는 많은 논란이 있었다. 가령 결코 쉽게 해결될 수 없는 삶의 고통과 불화가 텍스트 내에서는 '쉽게' 해소되고 인물들 간의 갈등 구조는 결국 키치적 아름다움으로 승화돼 화해로 향한다는 주장이 있다.[10] 확실히 『두근두근 내 인생』에 등장하는 몇몇 인물들의 사소한 실수를 제외하면 소설에 등장하는 거의 모든 인물이 각기 다른 상황에서 각기 다른 인물들의 마음을 배려하고 보살피며, 그 시도는 정확히 성공한다. 인물들 간의 관계는 서로에 대한 헌신적인 사랑과 배려를 통해 아름답게 존재한다. 각자의 배려가 만들어내는 공동체적 서사는 『두근두근 내 인생』의 한 축이다. 그러나 김애란의 관심이 자기부정적 감정과 그에 대한 배려에 있다면 『두근두근 내 인생』의 서사는 김애란 소설 세계의 귀결점 중 하나라고 할 수 있다. 따라서 문제는 타인의 특수성에 대한 배려의 가능성이 어떻게 이루어지는지, 조화로운 공동체의 가능성은 또 어떻게 가능한지를 가늠하는 것이다. 앞서도 밝혔지만 타인을 진정으로 이해하고 보살피려는 마음이 타인에 대한 이해를 즉각적으로 가져오는 것은 아니기 때문이다. 구분은 섬세하게 이루어져야 한다. 타인에 대한 사랑의 정도는 타인에 대한 이해의 정도와 반드시 일치하진 않는다. 그들은 어떻게 각기 다른 여러 상황들 속에서 타인의 마음을 감싸 안아줄 수 있었던 것인가.

앞서 설명한바 있듯이 수치스러운 감정을 만드는 것은 규범적 타인의 기준과 다른 자아정체성의 부각이다. 그러나 규범적 타인의 기준과

10) 심진경, 「김애란 '두근두근 내 인생'에 엇갈린 시선, 경향신문, 2011. 8. 7. ; 이명원, 「김애란의 『두근두근 내 인생』, 그 명랑함에 묻는다」, 프레시안. 2011. 7. 15. ; 서희원, 「키치적 구원과 구원 없는 삶」, 『문예중앙』 가을호, 2011. 참조.

다른 자아정체성의 부각이 항상 수치스러운 감정만을 만들어내는 것은 아니다. 규범적 타인에 의한 자기 정체성의 훼손은 우울이나 절망, 죄의식으로도 나타날 수 있다. 달리 말해 자아의 자존감과 정체성을 흔들 수 있는 무수한 일상적 상황이 자기에 대한 부정적 감정을 만들어낸다. 이러한 감정들이 언제나 내적 차원과 외적 차원이 만나는 경계지점에서 발생할 수밖에 없다면, 타인을 배려하기 위해 타인이 자기 부정적 감정을 느끼는 사적 경계를 인지해야만 한다. 때문에 타인을 보살피기 위해 각각의 상황마다 다른 타인의 마음상태에 대한 감각이 요청된다. 다시 말해 '나'는 타인과 마주하는 각각의 상황과 맥락 속에서 매번 다른 판단을 내려야 하며 그러한 상황과 맥락에 대한 어떠한 판단도 오성, 이성의 보편적 원리로부터 올 수는 없다. 이는 타인의 정체성에 대한 '감지'가 본질상 논박의 여지 없이 증명되지 않는다는 것을 뜻한다.[11] 그러나 인식의 불투명함이 타인에 대한 앎을 불가능하게 만드는 것은 아니다. 감각적 판단은 각각의 경우에 있어 그 근거를 제시할 수 없다 하더라도 확실히 구별하고 판단할 수 있다. 가령 타인과의 관계에 대한 감각을 갖고 있는 이는, 그 사람과의 사이에서 이루어져도 좋은 것과 좋지 않은 것을 분별할 수 있으며 실제로 우리는 종종 그렇게 타인을 대한다. 다음 인용문을 보자.

> 어머니는 웃으며 말을 흐렸다.
> "너 같은 애는……"
> "……"

11) 타인의 사적 경계를 포착하는 감지에 관해서는 한스 게오르그 가다머, 위의 책, 37~40쪽 참조.

"아프면 안되는데."

나는 눈썹 없이 퀭한 눈으로 어머니를 물끄러미 바라봤다. 그러곤 뭐라 대꾸해야 할지 몰라 주춤거리다, 조심스레 입을 열었다.

"엄마 있죠, 나 같은 애는……"

"응"

"나 같이 정말 괜찮은 애는 말이에요."

"그래."

"나 같은 부모밖에 못 만들어요."

"……"

짧은 사이, 어머니는 그게 뭔 말인가 고민하다 이내 엷은 미소를 지었다.

"인터넷 그만하고 얼른 자. 자꾸 이럼 컴퓨터 못하게 할 거야."[12]

병원 밖으로 나온 뒤, 슬쩍 어머니의 소매를 잡아당겼다.

"엄마."

"응?"

"사람들이 우릴 봐요."

어머니는 아무렇지 않게 대꾸했다.

"내가 너무 예쁜가보지."

기미 낀 얼굴에 거만한 미소를 띠고서였다. 눈가에는 두껍게 칠한 파운데이션이 주름을 따라 논바닥처럼 갈라져 있었다. 어머니는 오래 일해 남자처럼 뼈마디가 굵어진 손으로 내 작은 손을 꼭 감싸쥐었다. 그러고는 '이거 왜 이래? 나 열일곱에 애 낳은 여자야!'라는 태도로 꼿꼿이 걸어나갔다. 남의 이목 따위 진작부터 신경쓰지 않았다는 듯. 잘못한 게 없으니 도망치지 않겠다는 식으로. 어머니는 나와 함께일 때 어디서든 서둘러 걷는 법이 없었다.[13]

12) 김애란, 『두근두근 내 인생』, 창비, 2011, 74쪽.

13) 김애란, 위의 책, 100쪽.

한아름과 어머니 사이에 오가는 감정은 복합적이어서 쉽게 나누어 정리하기 어렵다. 어떤 상황에서 발생한 감정은 아주 단순한 경우가 아니라면 다층적으로 혼합 되어 있기 마련이다. 두 인용문에서 나타난 감정 또한 세분화해서 정리하는 것이 무리일 수 있다. 그러나 두 인용문에서 나타나는 감정들이 어머니와 한아름의 자기부정적 감정임을 눈치챌 수 있다면, 두 사람 모두 상대의 마음 상태를 헤아리고 배려함으로서 둘 사이의 관계를 긍정적이고 조화롭게 만들어내고 있다는 것 역시 알 수 있다. 나 같이 괜찮은 애는 나 같은 부모밖에 못 만든다는 아름의 말이나 사람들의 시선에 곤욕을 느끼는 아름에게 내가 너무 예뻐서 쳐다본다고 대꾸하는 아름 어머니의 말은, 특정한 상황에서 느끼는 상대의 특수한 마음을 배려하는 공통감각의 발현이다.

자기에 대한 부정적 감정들이 자기 정체성에 대한 위협으로 다가온다면 그에 대한 배려는 깊은 유대감의 공동체적 정서로 확장될 수 있다. 그것은 결국 타인의 정체성에 대한 공감과 배려로 이어져 서로가 서로에 대해 신뢰와 믿음을 갖게 하기 때문이다. 그러니까 『두근두근 내 인생』에 나타난 배려와 돌봄의 서사는 타인의 마음을 '감지'하고 그들과 조화를 이루려는 보편자적 감각이 만들어냈다고 해야 한다. 『두근두근 내 인생』에서 전개된 사랑과 배려는 타인의 정체성에 대한 인정과 배려를 통해 그들과 함께 더불어 존재하려는 공존의 마음이 만들어낸 것이다.

5. 정서적 배려의 관계와 법

앞서 살폈듯이 『두근두근 내 인생』에 등장하는 인물들의 자기부정적 감정들은 타인의 특수한 정체성과 마음 상태를 감지하고 그들과 조화를 이루려는 보편자적 감각과 마음에 의해 서로 배려 됐다. 개별자의 특수한 정체성에 대한 이해와 배려가 그 어떤 것보다 개별자의 고유성의 의미를 민감하게 포착하는 것은 분명한 사실이고, 모든 이가 자신만의 특수성을 배려 받을 권리가 있다면, 『두근두근 내 인생』의 배려는 모든 특수한 개별자들이 자기 자신만의 행복을 추구할 권리에 대한 절대적이고 윤리적인 응답이기도 하다. 그러나 그렇게 구축된 관계에 어려움이 없는 것은 아니다.

문제는 개별자의 특수한 욕망이 다른 누군가의 마음을 극렬히 침범할 수 있다는 점이다. 실패한 시나리오 작가인 서른여섯의 남자가 조로병에 걸린 한아름의 삶을 영화 시나리오로 옮기기 위해 불치병을 앓는 소녀로 위장해 이메일로 접근 했던 사건을 보자.

『두근두근 내 인생』에서 구축된 정서적 배려의 성격은 결국 아름을 중심으로 구조화되어 있다 해도 과언이 아니다. 조로병에 걸린 아들과 그 아들을 바라보는 부모의 심경이 『두근두근 내 인생』의 전체적인 정서, 즉 감정적 배려를 만들어낸다. 모두가 타인에게서 자기부정적 감정들이 발생하지 않기 위해 조심한다. 한데 남자는 인터넷을 이용하여 한아름에게 이성적으로 접근했고 호감을 얻어냈다. 남자의 정체가 밝혀졌을 때, 그는 아름과 아름 부모, 그리고 그들을 둘러싼 이들에게 정서적 충격을 줬다. 아름은 배신의 상처에 통곡하며 힘들어하고, 아름을 둘러싼 사람들의 마음에는 분노가 들끓는다. 이후 공동체적 유대감은 재편된다. 아름을 속인 남자를 용서하고 배려하는 사람은 아름을 제외한 그 누구도 없다.

핵심은 아름의 어머니가 아름을 속인 남자의 정체를 파악하고 나서 얻게 된 정신적 충격에 있다. 그녀는 그녀 자신과 아름의 마음을 가혹하게 침해한 남자의 행위가 법적으로 처벌할 수 있는 수준이 아니라는 것에 분노하며 조치를 촉구한다. "너 왜 가만있는데? 사기죄로 고발해야 하는 거 아니야? 어떻게 좀 해봐. 응?" 결국 그녀의 분노는 아름과 남자의 관계가 아름에게만 억압적으로 작동하는 것을 처벌하지 못하는 법을 향해 있는 것이다.

달리 말해 그녀는 지금 아름이라는 조로증 걸린 소년의 특수한 정서 경제를 고려하지 못하는 법을 문제 삼고 있다. 그녀의 강조점은 타인의 특수성에 대한 철저한 사랑이 아니라 개별자의 특수성이 정서적 차원에서 침해받지 않도록 법이 개별자의 특수한 인격적 권리를 보호해야 한다는 데 있다. 짧지만 강한 그녀의 요청은 법과 정의의 문제를 재고하게 만든다. 법은 태생적으로 균열 속에 자리한다. 법의 정초나 설립이 어떤 정당한 토대 없이 이루어지기 때문이다. 따라서 법은 그 자체로는 합법적이지도 불법적이지도 않은 채 폭력적으로 탄생한다. 물론 법의 폭력적 탄생이 탄생 그 자체를 부당하게 만드는 것은 아니다. 어떠한 기준도 없는 상태에서 만들어진 법은 정초된 것과 비정초된 것의 대립을 초과한다. 법의 권위는 법 그 자체에 근거한다. 법의 정의는 법 그 스스로 만들어낸다. 법은 특정한 사태에 대한 계산적 폭력이다. 따라서 "법은 정의가 아니다. 법은 계산의 요소며, 법이 존재한다는 것은 정당하지만, 정의는 계산 불가능한 것이며, 정의는 우리가 계산 불가능한 것과 함께 계산할 것을 요구한다."[14] 여기서 그녀의 요구는 법이 언제나 정의보다 협소하다는 점에서 정당하다. 언제나 계산된 채로 존재

14) 자크 데리다, 『법의 힘』, 진태원 옮김, 문학과지성사, 2009, 37쪽.

하는 법은 법 바깥에서 존재하는 정의의 요구에 의해 탈구축되어야 한다. 계산될 수 없는 타자의 무한성은 법의 바깥에서 정의를 지시하고 요청한다. 이는 "정의의 요구의 극단적 강화이며, 정의의 요구 속에 초과와 불일치를 기입시켜야 하는 일종의 본질적 불균형[법과 정의, 또는 보편성과 독특성 사이에 존재하는]에 대한 감수성이다."[15)]

개별자의 특수한 욕망은 다른 사람의 특수한 욕망과 절대적으로 비대칭적일 수 있다. 감정적 배려가 정서적 유대감의 관계를 만드는 데 몰두한다면, 법은 침해받지 않아야 할 인격적 권리를 보호하는 제동장치가 되어야만 한다. 그것은 특수한 개별자의 무한성에 대한 정의의 요구와 분리될 수 없다. 결국 『두근두근 내 인생』은 감정적 배려를 통한 정서적 관계의 가능성과 그 한계를 법과 연관해 보여준 셈이다.

6. 나가는 말

수치스러운 감정의 발생은 사회의 인정역학에 기반을 둔다. 사회의 변화 속도가 느리고 사회의 인정체계가 굳건히 유지될 때 수치스러운 감정이 만개한다. 바야흐로 수치 문화의 생산이다. 한데 바로 그 견고한 인정체계가 타인의 수치스러운 감정에 대한 감지의 가능성을 높이기도 한다. 사회의 극심한 변화는 타인과 사회의 가치체계를 급변하게 만들기 때문이다. 예컨대 『두근두근 내 인생』이 보여준 배려의 공동체는 가족적 공동체에 한정된다.

그러나 배려는 각자의 이해관계를 완벽히 반영하지 못한다. 정서적으

15) 자크 데리다, 위의 책, 44쪽.

로 결속되어 있는 사람들 각각의 욕망은 그들 간의 감정적 관계에 의해 고려되는데, 그러한 관계에서는 어느 한 사람의 이해와 소망이 다른 이와 동등하게 존재하지 않는 일이 반드시 일어날 수밖에 없기 때문이다. 즉 배려를 통한 정서관계는 일방적이고 폐쇄적인 배려가 작동하는 관계를 만들 수 있으며, 사람들이 보편적 권리와 의무를 갖는 평등한 존재라는 보편성을 억압하고 은폐할 수 있다. 따라서 법이 필요하다. 법은 정서적 관계를 맺는 개별자가 자신의 권리를 침해받지 않는 곳에서 생존할 수 있는 공간을 마련해야 한다. 법은 특수한 개별자들이 자유롭게 존재하는 한에서 정서적 관계망의 일원이 될 수 있도록 자기 자신을 탈구축하며 제도적 공간을 형성해야 한다. 법과 배려의 상보적 관계. 이것이 바로 김애란의 소설에서 읽어낼 수 있는 바다.

김소진 소설 연구

공간과 인물을 중심으로

박 길 성

1. 들어가며

김소진은 1991년 등단 이후 1997년까지 네 편의 단편 소설집과 두 권의 장편소설, 각각 한 권의 창작동화와 산문집, 두 권의 짧은 소설집, 그리고 미완성 작품을 남겼다. 주목할 점은 짧은 작품 활동 기간과 많지 않은 작품 수에 비해 김소진 소설에 대한 연구가 많이 이루어졌다는 점이다.

김소진 소설에 대한 기존 연구들을 크게 세 계열로 연구되어 왔음을 확인할 수 있다. 첫 째로, '아비는 개흘레꾼'이라는 명제로 수렴되는 가족사의 소설적 의미를 다룬 연구와 둘째, 달동네 사람들의 삶의 애환을 다루는 방식에 대한 연구, 마지막으로, 이념적 좌표를 상실한 90년대 지식인의 고뇌와 갈등에 주로 천착한 연구가 그것이다. 그 중 김소진에 대한 대부분의 연구는 '아비는 개흘레꾼'이라는 명제로 수렴되는 가족사에 대한 연구가 주를 이루고 있다.

황국명[1]은 김소진의 소설 속에서 제시된 세 가지 명제에 주목한다. 첫째로 "소설이란 세계관의 다른 이름(「개흘레꾼」)"이며, 둘째 "아버지는 개흘레꾼(「개흘레꾼」)"이며, 마지막으로 "아버지는 아들의 거울이다(「두 장의 사진으로 남은 아버지」)"를 김소진 소설의 이해를 위한 세 단계로 제시한다. 그는 김소진의 소설이 아버지를 통해 완성된다고 정이한다. 또한 이광호[2]는 김소진 소설에 나타난 '아버지'는 80년대적인 이항대립이 지배하는 공식적인 역사를 넘어선, 그 이전의 실존의 역사를 체현하고 있다고 밝힌다. 정홍수[3]는 경우도 김소진 소설의 아버지를 기존의 소설사에서 아버지의 존재를 "억압이나 부재(不在)라는 상징으로 자리하고 있다고 보고 있으며 김소진은 그 자리를 자신의 자리로 만들려 한다고 파악한다.

가족사의 소설적 의미를 분석한 다른 연구로는 김소진의 작품들이 '어머니'의 삶에 빚을 지고 있는 것이라 보는 류보선[4]이 있다. 그는 김소진의 작품이 어머니와 같은 인물을 또는 어머니의 형상을 한 여성들의 등장을 통해 직·간접적으로 어머니의 삶을 다루며, 끈끈한 생명력으로 난관을 떨치며 살아가는 민중들의 삶을 형상화해 낸다는 것이라 분석한다. 이와 같은 유사하게 주제적 측면과 연관 지어 '부성'과 '모성'의 의미를 찾는 것으로부터 자아를 찾아가는 여정으로, 그리고 결국에는 사회라는 담론의 세계로 확장되어 가는 과정을 통해 부조리한 현실을 고발하고 있다고 분석한 백지연[5]이 있을 것이다.

---

1) 황국명, 「상처 입은 자의 쓸쓸한 초상」, 『문학사상』, 문학사상사, 1997.
2) 이광호, 「아버지의 존재론－김소진을 위하여」, 『한국문학』, 1997, 여름호.
3) 정홍수, 「허벅지와 흰쥐 그리고 사실의 자리－김소진의 글쓰기」, 『문학사상』, 문학사상사, 1995, 제279호.
4) 류보선, 「그리움과 끈끈한 생명력의 깊이」, 『창작과 비평』, 1993, 여름.

김택중[6]은 작가의 창작의 원동력은 억압된 심층심리의 원체험이라 밝히고, 따라서 김소진은 '무의식'이라는 영역에서 소재를 길어 올려 글을 쓰는 작가라 밝히고 있다. 또한, 그의 작품 세계에서는 어머니에 대한 순응과 포용이 크게 작용한다고 보고 있으며 어머니는 넓은 의미에서 원체험의 모체로 충동과 욕망의 억압인 대표표상으로 존재하여 작품에 나타난다고 보고 있다.

학위논문들에서 다뤄지는 김소진 소설에 대한 연구들은 기존 가부장적인 아버지와 다른 형태의 아버지가 소설에 등장한다는 입장으로 접근하는 경향이 주를 이룬다.[7] 이러한 경향은 김소진 소설이 가지고 있는 소설적 가치와 의미를 석사학위 논문의 내에 담아내기 힘들다는 점과 김소진 소설에서 아버지라는 존재가 그만큼 큰 비중을 차지한다 판단하기 때문일 것이다. 그럼에도 학위논문에서 김소진 소설에 대한 새로운 관점으로 분석하는 연구들이 새롭게 나타나는 추세이다.

박수연[8]은 김소진 소설의 '문제적 개인'인 남성인물들을 가정과 사

---

5) 백지연, 「현재를 응시하는 '수인(囚人)'의 글쓰기」, 『문학정신』, 1997, 가을호.

6) 김택중, 「무의식적 원체험의 극복과 포용—김소진의 『눈사람 속의 검은 항아리』와 이순원의 『말을 찾아서』」, 『대전어문학』, 2000, 제17집.

7) 김영연, 「김소진 소설 연구」, 대구대학교 대학원 석사학위 논문, 2005.
김지우, 「김소진 소설 속에 나타난 화자의 자아정체성 인식 양상에 관한 연구」, 한양대학교 대학원 석사학위논문, 2007.
민경준, 「김소진 소설의 갈등양상 연구」, 경희대학교 교육대학원 석사학위 논문, 2004.
박선봉, 「김소진 소설 연구」, 충남대학교 교육대학원 석사학위논몬, 2009.
박혜민, 「김소진 소설 연구 : 갈등 및 극복의 양상을 중심으로」, 계명대학교 교육대학원 석사학위논문, 2010.
이진화, 「김소진 소설 연구」, 울산대학교 교육대학원 석사학위 논문, 2004.
임주영, 「김소진 소설의 갈등 양상 연구」, 순천대학교 교육대학원 석사학위 논문, 2008.
최원석, 「김소진 소설 연구 : '아버지의 부재'의 응집과 확산」, 단국대학교 대학원, 2013.

8) 박수연, 「김소진 소설의 남성인물 연구」, 고려대학교 인문정보대학원 석사학위논문, 2006.

회에서 패배주의에 사로잡힌 채 정신적 황패함을 드러내고 있거나, 경제적 무능함 등으로 가부장의 권위를 상실하고 있다고 본다. 이러한 요인들로 인한 그들의 '남성상'은 거세위협을 받고 있음을 지적하고 '아버지다움' 즉, '부권의 기능과 역할'은 무엇인지 전통적 사회적 관점을 소개하고 '남성성'의 결여 현상을 그 관점에서 파악하려 한다. 이숙[9]은 김소진 소설을 정신분석학적으로 접근하여 아버지는 수치감을 일으키게 하는 인물이며, 어머니는 모성강박관념을 불러일으키는 인물로 보고 있다. 또한 작품의 결말이 완벽한 화해로 보기는 어렵지만 일시적 화해를 가져오는 것으로는 볼 수 있다고 말한다.

김소진 소설에 대한 분석 중 두 번째로 많은 비중을 차지하는 주제는 달동네 사람들의 삶의 애환에 대한 연구들이다. 정명중[10]은 『장석조네 사람들』이 공동체를 사유하기 위한 실존적 지반과 그것을 실현하기 위한 최소 조건들에 대한 풍부한 암시들로 가득한 작품이라 정의한다. 이는 정명중이 미아리라 특수한 공간과 그 내부의 인간들의 삶의 모습에서 소설에 의지해 필자가 생각하는 공동체의 상을 보여주고 있음을 발견한 것이다. 이신자[11]의 경우 『장석조네 사람들』이 변두리 도심 기층민들의 삶을 생동감 있는 언어로 탁월하게 표현해낸 작품이라 분석한다. 또한 이 작품이 가지고 있는 문학사적 의의를 기층민들의 삶의 형태를 인간이 근본적으로 가지고 있는 갈등구조의 근원적인 양상으로 볼 수 있다는 점과 갈등구조의 근원을 탁월한 어휘와 사실성 있는 언어

9) 이숙, 「김소진 소설 연구－작중인물의 콤플렉스를 중심으로」, 전남대 국어국문학과 석사학위논문, 2003.

10) 정명중, 「감성공동체의 발견」, 『감성연구』, 전남대학교 호남학연구원, 2011.

11) 이신자, 「김소진 장편소설 <장석조네 사람들> 연구 : 인물 분석을 중심으로」, 강원대학교 교육대학원 석사학위 논문, 2011.

로 표현한 점이라 주장한다. 김소진의 소설 중 도심 기층민들의 삶을 주제로 한 연구들은 크게 도심 변두리에 살아가는 민중들의 고단한 삶의 모습에 집중하는 경향[12]과 그들이 사용하는 언어들에 대한 분석,[13] 마지막으로 공간을 통해 발견되는 한국사회의 특징들에 대한 분석[14]이 주를 이룬다.

김소진 소설 텍스트 자체를 분석대상으로 한 연구도 진행되는 추세이다. 윤소영[15]은 김소진의 1인칭 소설을 중심으로 서술자아의 양상을 주인공 서술과 목격자 서술, 서술자아와 경험자아, 외부지각과 내부지각으로 구분하여 일인칭 소설에서 사건을 '경험하는 나'와 그것을 '서술하는 나'가 있다고 분석한다. 둘 사이에는 시간적 거리가 존재한다고 밝히고 이를 통해 김소진 소설에서 성장한 현재의 '나'가 과거의 원체험의 기억을 재생하여 서술하고 있으며 이에 따라 서술자아의 개입이 두드러진다고 말한다. 결국 과거의 체험 공간 속의 모든 대사는 간접화의 경향을 보인다는 것이다. 박미설[16]은 김소진의 소설을 텍스트언어학

12) 감정옥, 「김소진 소설 연구」, 중앙대학교 대학원 석사학위 논문, 2007.
이경진, 「김소진 소설의 서사적 정체성 연구」, 순천향대학교 교육대학원 석사학위논문, 2014.
석채영, 「김소진 소설 연구 : 인물의 특성을 중심으로」, 홍익대학교 교육대학원 석사학위 논문, 2006.

13) 김경수, 「현재적 삶을 바라보는 두 개의 시각－김소진 『장석조네 사람들』, 김훈 『빗살무늬토기의 추억』」, 실천문학사 Vol.38, 1995.
김덕임, 「김소진 소설 연구」, 한국교원대학교 교육대학원 석사학위논문, 2009.
나은경, 「김소진 소설 연구」, 동국대학교 문화예술대학원 석사학위논문, 2000.

14) 강정아, 「자본주의 도시 공간에 대한 문학사회학적 연구 : 김소진 소설을 중심으로」, 부산대학교 대학원 석사 학위논문, 2003.
조명기, 「김소진 소설에 나타난 도시 주변 공간의 로컬리티－『장석조네 사람들』을 중심으로」, 現代文學理論硏究 Vol.43, 2010.

15) 윤소영, 「김소진 소설의 서술 양상－일인칭 소설을 중심으로」, 우석대 교육대학원 석사학위논문, 2003.

적 측면에 접근함으로써 김소진의 개성적인 언어감각을 방언, 속담·관용어구, 대화체 등으로 특징짓고 있다.

김소진 소설에 대한 기존 연구들의 특징들은 앞에서 밝힌 세 명제에서 벗어나지 못한다는 한계를 보인다. 그만큼 김소진의 소설에서 세 명제가 가지는 의미와 비중이 크다는 의미일 것이다. 한편으로 최근 발표된 두 편의 박사논문[17] 역시 김소진 소설의 새로운 의미와 가치를 찾기보다 기존의 연구들에서 밝힌 김소진의 소설적 특징을 재고하는 듯한 느낌을 받게 만든다.

이에 이 글은 김소진 소설에 대한 연구에서 다소 다루어지지 않은 부분에 대하여 분석하고자 한다. 특히 김소진 소설에 반복적으로 등장하는 세 공간, 거제포로수용소와 도시 변두리 지역인 미아리, 마지막으로 90년대 학생시위 현장을 분석하고자 한다. 김소진 소설에서 이 세 공간은 시대적, 지리적, 정치적 특성이 각각 다르게 나타지만 세 공간이 공통적으로 그 내부에 존재하는 존재들을 통해 한국사회의 공통된 모순을 보이는 특징을 보인다. 이에 본고는 김소진 소설에 나타난 공간과 인간들을 통해 김소진이 말하고자 했던 한국사회의 모순이 무엇이었는지를 밝히고자 한다.

16) 박미설, 「김소진 소설의 텍스트 언어학적 연구」, 대구카톨릭대 석사학위논문, 2005.
17) 김동성, 「김소진 소설 연구 : 기억의 서사화 방식과 그 의미」, 가천대학교 대학원 박사학위논문, 2012.
표란희, 「김소진 소설의 인물연구」, 충남대학교 박사학위논문, 2011.

2. 본론

김소진 소설에 배경이 되는 공간들은 공통적으로 몇 가지 특성을 보인다. 그 첫 번째로 경계에 위치한 공간이라는 것이다. 경계란 내부와 외부를 나누는 문턱과 같은 공간이다. 문턱은 자신의 위치를 통해 내부와 외부를 분리시키는 동시에 내부와 외부 모두에 포함되는 구조적 특징을 보인다. 아감벤은 이러한 문턱의 구조를 비유적으로 예외상태와 연결하여 설명한다. 즉 문턱의 비유로서 예외상태는 정상상태와 비상상태가 모두 포함되어 식별불가능한 상태인 것이다. 어떤 질서가 이 질에 속하지 않는 것과 접촉하는 지점을 가리키는데, 여기에서 상이한 상관범주의 동일성과 차이가 뒤섞이면서 서로 분리되고 또 다시 연결된다.[18] 김소진 소설에서 위에서 정의한 공간과 유사하게 나타나는 공간은 아버지가 기억하는 거제포로수용소와 『장석조네 사람들』의 배경이 되는 미아리, 「열린 사회와 그 적들」의 밥풀떼기들이 위치한 화톳불 주변 공간을 들 수 있다. 이 공간들은 공통적으로 자신의 위치를 통해 도시와 시골을, 안과 밖을 나누는 공간이다. 김소진의 소설에서 경계와 같은 형태의 공간이 많이 사용되는 이유가 단순히 그 공간에 살아가는 존재들의 처참한 삶의 모습을 보여주기 위한 것은 아닌 듯 보인다. 오히려 그 공간에 존재하는 인간들이 그 공간에서을 벗어나 살 수 없는 이유와 그 공간에서 살아가는 방식을 통해 김소진이 전하고자 했던 진정한 의미가 있는 듯 보인다.

조명기[19]는 『장석조네 사람들』의 미아리를 도시 주변 공간의 로컬리

---

18) 고지현, 「조르조 아감벤의 '호모 사케르' 읽기」, 人文科學, Vol.93, 2011, 222쪽.
19) 조명기, 「김소진 소설에 나타난 도시 주변 공간의 로컬리티−『장석조네 사람들』을 중심

티 공간으로 규정하고 있다. 그는 미아리라는 공간의 의미를 "문학적·인식적 측면에서 로컬리티가 생성될 수 있는 토대를 형상화하여 보여주고 있다"고 밝히며 "중심부에서 추방당한 개인들이 집결해 있는 도시 주변 공간을 통해, 폐쇄적인 거대담론의 구조에서 배제된 가치를 구현할 수 있는 공간, 이원적 대립구조의 폭력에 예민하게 반응하면서 예방할 수 있는 공간의가능성을 문학적으로 타진하고 있다"는 결론을 내린다.

조명기의 연구는 『장석조네 사람들』의 배경이 되는 공간을 자본주의 도시와 단절된 공간, 자연 상태의 공간이라 분석함으로 나타난 결론일 것이다. 그러나 『장석조네 사람들』의 공간은 도시와 로컬이라는 구분이 가능한 공간이라기보다 도시와 로컬의 특성을 모두 포함한 공간으로 봐야 할 것이다. 즉 『장석조네 사람들』의 공간은 자본주의적 도시의 특성과 로컬리티한 특성 모두 보여주는 공간이다. 이러한 특징은 「열린 사회와 그 적들」에서도 쉽게 발견할 수 있다. 대치중인 두 진영 사이에 위치한 밥풀떼기들의 공간은 『장석조네 사람들』의 공간과 유사한 특징을 보인다. 밥풀떼기들이 머무는 공간은 경찰과 대치중인 학생진영이지만 학생들에게 배제됨으로써 그 학생진영이자 학생진영이 아닌 공간으로 바뀌게 된다. 또한 아버지가 등장하는 소설의 거제포로수용소 역시 이러한 특징을 발견할 수 있다. 그 공간은 한국전쟁이라는 이념적 분쟁 사이에 유일하게 이념적 판단이 정지된 공간이다.

으로」, 現代文學理論硏究, Vol.43, 2010.

> 수용소는 사실과 법, 규범과 적용, 예외와 규칙 사이에서 어느 한쪽으로 결정하는 것이 절대적으로 불가능한 공간이면서, 그럼에도 불구하고 그것들 사이에서 끊임없이 결정을 내리는 공간이다. … 수용소 내에서의 모든 동작과 모든 사건은 가장 사소한 것에서부터 가장 예외적인 것에 이르기까지 모두 벌거벗은 생명에 대한 결정이며, 독일인의 생명정치적 신체는 이를 통해 실현된다.[20]

김소진의 소설에 나타난 공간이 단순히 지리적 특징 때문에 예외적 공간이라 분석하기는 무리가 있을 것이다. 이는 김소진의 소설에 나타나는 공간이 지리적 위치 뿐만 아니라 공간이 가지고 있는 특이성, 그 내부에 존재하는 인물들의 존재 방식이 예외적 상태임을 확인시켜주고 있다는 것이다.

1) 기억으로 재생된 거제포로수용소

김소진 소설 중 「쥐잡기」, 「자전거 도둑」, 「두 장의 사진으로 남은 아버지」 등에 등장하는 아버지는 50년대 한국전쟁 당시의 기억을 화자인 아들에게 들려준다. 현대소설사에서 아버지는 대체로 아들세대가 공격하고 극복해야 할 대상이거나 찾고 계승해야 할 목표로 존재하거나 아들이 찾아야 할 부재하는 목재의 목표이기도 했다.[21] 하지만 김소진

20) 조르조 아감벤, 박진우 옮김, 『호모 사케르-주권 권력과 벌거벗은 생명』, 새물결, 2008, 327-328쪽.

21) 임계재는 김소진의 아버지를 세 가지 공식으로 정리한다. 첫 번째는 화자인 나의 아버지는 현실에서 경제적으로 무능하다, 두 번째는 남에게 자랑할 만한 점 없는 남루함이 그를 나타내는 특징이다. 마지막으로 자괴감에서 비롯된 외부세계와의 단절을 드러내듯 화자의 아버지는 자신을 위한 요구를 표출하지 않는다.
임계재, 「초라한 아버지의 자식 봉별기 : 구이즈(鬼子)의 <와청 허공의 보리밭(瓦城上空

소설의 아버지는 현대소설사의 아버지들과는 다르게 나타난다. 그는 전쟁의 기억을 통해 자신이 북에 가족을 남겨놓고 남쪽에 남게 된 죄책감에 대한 고백을 하거나 아버지로서의 기능을 하지 못하는 원인이 당시의 경험에 의한 것임을 말하는 듯 보인다. 김소진이 아버지의 기억을 많은 작품에서 반복적으로 사용하는 이유는 아버지라는 한 인물에 대한 설명을 위해서라기보다 그를 통해 전달하고자 했던 무엇이 있기 때문이라 볼 수 있다. 달리 말해 소설의 내용과 소재가 다른 소설에서 아버지라는 공통된 인물과 공통된 상황이 반복적으로 등장하는 이유는 작가 김소진이 아버지와 거제포로수용소를 통해 50년대의 한국사회를 보여주고자 했던 것이다.

> 수용소는 정상적인 법적 질서의 바깥에 놓인 한줌의 땅긴 하지만, 단순히 외부의 공간에 불과한 것은 아니다. 예외라는 용어의 어원상의 의미에 따르면, 수용소에서 배제된 것은 바깥에서 붙들린다는 것, 즉 바로 배제를 통해 포함되는 것이다. 이런 식으로 법질서에 포획되는 것은 무엇보다 예외상태 자체이다. 다시 말해 주권권력이 예외상태를 결정할 수 있는 능력에 기초를 두고 있는 것이라면, 수용소는 예외상태가 안정적으로 실현되는 구조인 것이다.[22]

아감벤은 수용소를 정상적인 법적 질서 바깥에 놓인 공간으로 법적 배제를 통해 포함되는 공간이라 설명한다. 예외란 일종의 배제이며 이는 일반적인 규범에서 배제된 개별 사례이다. 예외의 가장 고유한 특징은 "배제된 것은 바로 배제되었다는 사실 때문에 규칙과 완전히 무관해

的麥田)>과 김소진의 장・단편을 중심으로」, 중국문화연구 vol.20, 2012, 234쪽.

22) 조르조 아감벤, 김상운・양창렬 옮김, 『목적없는 수단』, 난장, 2009, 50쪽.

지지 않으며, 반대로 규칙이 정지라는 형태로 규칙과의 관계를 유지한다는 점[23]"이다. 여기서 규칙은 더 이상 적용되지 않고 예외로부터 철수하는 가운데 예외에 적용된다. 따라서 예외상태란 질서 이전의 혼돈이 아니라 단지 질서의 정지에서 비롯된 상황일 뿐이다. 김소진 소설에 나타나는 한국전쟁은 예외상태라는 공간을 마련하는 중요한 상황이다. 달리 말해 한국전쟁은 모든 법과 규칙이 정지된 상태의 수용소를 창조하는 배경인 것이다. 김소진 소설에서 참혹한 한국전쟁에 대한 기록이 아닌 한국전쟁 내부에 존재한 공간, 수용소의 모습을 아버지의 입을 통해 그리는 이유는 거제포로수용소가 갖는 중요한 의미 때문일 것이다.

작품에 나타나는 포로수용소는 이데올로기의 구분 없이 전쟁의 포로를 수용하는 일종의 임시적 공간이다. 이로 인해 수용소 내부에서는 끝없이 죽고 죽이는 현상이 벌어지게 된다. 눈에 띄는 점은 소설 속 미군의 시선이다. 미군들은 수용소의 수감자들의 싸움을 이데올로기적 갈등에 의해 싸우는 인간이 아닌 "같은 민족끼리 수용소 안에서까지 티격태격(「쥐잡기」, p.21)" 하는 인간들이라 생각한다. 김소진의 아버지 역시 미군의 시선으로 수용소의 내부를 설명한다.

> 그에게 전쟁은 앞에총의 의미란 최소한 총구를 누구에게 겨눠야 하는지를 가르쳐주는 기본동작이자 사상, 즉 이데올로기의 첫걸음이었던 것이다. 아버지는 심지어 그것조차 알지 몰랐다는 것이다.
>
> —「개흘레꾼」(408쪽)

> 사람 목숨이 파리 목숨과 진배없던 시절이라 살아남기 위해선 침묵으

---

23) 조르조 아감벤, 박진우 옮김, 『호모 사케르—주권 권력과 벌거벗은 생명』, 새물결, 2008, 60쪽.

> 로 일관해야 했다. 수용소 안에서는 좌우충돌로 양쪽에서 무수한 사람들이 쥐도 새도 모르게 사라지는 걸 목격한 아버지로서는 당연한 처신으로만 여겨졌다.
>
> —「쥐잡기」(20쪽)

미군과 아버지의 태도는 수용소 밖의 전쟁 상황은 한반도 내의 이데올로기적 갈등으로 발생한 전쟁으로 인식하지만 수용소 내부의 싸움은 한 민족 간의 이해할 수 없는 다툼으로 인식하고 있음을 확인할 수 있다.

위의 예문에서 확인 할 수 있는 아버지의 특징은 공산주의와 민주주의라는 이데올로기 전쟁에서 적이 누구인지조차 알지 못하는 존재였다는 것이다. 아버지가 등장하는 소설에서 전쟁에 대한 묘사가 아닌 포로수용소에 대한 묘사만 나오는 것은 아버지가 이데올로기의 상징적 지위를 가지고 있지 않는 특징 때문이다. 아버지는 절대적 예외공간인 수용소로 추방된 존재이다. 그는 전쟁이라는 상황에 필요하지 않는 존재이며 이러한 존재를 수용하는 곳이 포로수용소이다. 미군의 시선에서 확인되는 것은 수용소의 인간들이 민족이라는 공통된 존대들로 취급될 뿐 어떠한 이데올로기적 구분을 하지 않는다는 점이다. 거제포로수용소의 인간들은 이데올로기의 전쟁에 참여했음은 이곳에서 아무런 의미를 갖지 못한다. 오히려 중요한 것은 전쟁에서 배제된 존재라는 것이다. 포로라는 이름으로 호명 되는 순간 그들에게 기존에 부여됐던 어떠한 상징적 지위가 사라지게 된다. 소설에서 아버지에게 부여된 이름(P.W)은 수용소 밖에서 주어진 상징적 지위를 상실한 존재, 어떠한 의미와 가치가 없는 존재, 오직 생물학적 생명을 지닌 존재임을 보여주는 이름이다.

수용소 내부의 존재들이 대면하는 것은 그 어떤 매개도 없이 순수한 생물학적 생명에 다름 아니다. 수용소는 법이 전면적으로 중지되고 모든 것이 가능해지는 예외의 공간이며 수용소에 들어갔던 사람들은 안과 밖, 규칙과 예외, 합법과 위법이 구별되지 않는 지대 속에서 움직이고 있으며, 여기서는 어떤 법적 보호도 사라져버린다.

> 내려온 명령의 내용을 듣고는 모두들 기가 턱 막혔다. 이쪽에 그대로 남을 사람 저쪽으로 되돌아갈 사람을 가르는데 호각 소리 하나로 판가름한다는 것이었다. 호각 소리에 따라 복도 하나 사이에 두고 이북 갈 사람은 저쪽에 앉고 이남에 남을 사람은 이쪽에 앉으라는 소리였다.
>
> ㅡ「쥐잡기」(20쪽)

수용소 밖의 법은 중요하지 않다. 공산주의와 민주주의라는 이데올로기에 대한 판단을 도울 수 있는 어떠한 기준도 존재하지 않는다. 그들에게 적용되는 것은 '호각소리'일 뿐이다. 여기에서 호각소리는 수용소 밖에서는 적용될 수 없는 법이다. 오직 수용소 내부에서만 작동하는 법이자 수용소 내부의 존재들에게만 적용되는 법이다. 이러한 법의 원리로 인해 그들의 선택은 전적으로 자신의 생명을 지킬 수 있는 것이 된다. 김소진의 아버지가 북쪽에 가족을 남겨두고 남쪽에 남게 된 이유가 자신의 생명을 지켜 준 흰쥐 때문이라는 내용은 그의 선택이 가족을 버릴 수밖에 없을 만큼 자신의 생명을 지킬 방법은 그것 외에는 없었음을 의미한다.

김소진 소설에 반복적으로 나타난 아버지와 거제포로수용소를 통해 두 가지 사실을 발견할 수 있다. 첫 번째는 전쟁 상황에서 생겨난 예외적 공간인 수용소와 그 내부의 인간들의 모습이다. 거제포로수용소는 전쟁에 필요한 존재가 아닌 전쟁에 필요 없다 판단된 존재를 강제적으로 추방하고 배제한 공간이다. 이는 주권자에 의해 정상적인 법에서 배제되는 것이자 한편으로 이러한 배제로 곧 법 안에 포함되는 구조를 보인다. 전쟁이라는 상황에서 배제된 존재들은 정상적인 법이 아닌 그들에게만 적용되는 법이 있는, 구체적인 법이 아닌 예외가 곧 법인 공간으로 추방됨을 의미한다. 수용소 내부의 존재들이 선택할 수 있는 것은 오직 자신의 생명을 지킬 수 있는 선택뿐이다. 문제는 그 선택조차 자신의 자유의지가 아닌 주권자의 결정에 의한 선택인 것이다.

두 번째로 확인할 수 있는 것은 거제포로수용소 내부의 존재들이 어떤 존재인가 하는 질문이다. 추방은 개인을 안전지대에서 비안전지대로 배제함을 의미하는 것이며 배제는 공간적 차원이 아니라 생명과 법, 외부와 내부의 구분이 불가능한, 비식별영역으로의 추방을 의미한다. 이렇게 추방된 공간에서 인간은 조에(zōé)와 비오스(bíos)의 구분이 불가능한 벌거벗은 생명으로 바뀌게 된다.[24] 벌거벗은 생명으로써의 포로들은 자신들이 가지고 있는 상징적 지위에 대한 아무런 보장을 받지 못하는 위험에 놓이게 된다. 이는 오직 예외적 상태인 수용소라는 공간으로 추방되었기 때문에 발생하는 것이자 배제를 통해 그들이 주권자의 법안에 포함됨으로써 나타나는 현상이다.

김소진은 아버지의 기억을 통해 전쟁의 참담한 상황을 그리는 것이 아닌 전쟁 상황에 발생한 예외적 공간 포로수용소의 모습과 그 내부의 인간들의 모습을 보여주고자 한다. 중요한 것은 아버지를 통해 보여주고자 했던 것은 과거에 있었던 아버지의 체험을 기록하는 것이 아니라 70년대와 90년대에도 유사한 방식으로 나타나고 있음을 보여주고자 했

---

24) 조르조 아감벤, 『호모 사케르-주권 권력과 벌거벗은 생명』, 새물결, 2008, 33쪽.

다는 것이다.

2) 도시 변두리의 공동체

김소진 소설을 시대적으로 구분한다면 첫 번째는 아버지가 기억하는 50년대의 한국전쟁 시대, 두 번째 김소진이 유년시절 보냈던 미아리 산동내, 『장석조네 사람들』의 배경이 되는 70년대, 마지막으로 현재라는 시간에 해당되는 90년대 현재로 구분할 수 있을 것이다. 이 중 『장석조네 사람들』은 70년대를 배경으로 사용한다. 이는 아버지가 회상하는 과거와 화자가 이야기하는 현재의 가운데 위치하는 시대이다.

김소진의 소설에는 '미아리'라는 공간이 반복적으로 등장한다. 잘 알려져 있듯 '미아리'는 김소진의 소설의 원형이자 창작의 모태라고 할 수 있다.[25] 김소진의 소설에서 미아리라는 공간이 반복되어 나타나는 이유는 미아리가 보여주는 공간적, 정치적 특이성 때문이다.

『장석조네 사람들』은 연작형식을 통해 각 작품에 담긴 인물들을 통일성 없는 객체들로 표현한다. 그들은 '별을 세는 남자(들)'이거나 '끝방 최씨', '폐병쟁이 진씨' 등으로 각각의 삶을 살아가는 존재이다. 『장석조네 사람들』의 인물들은 공통된 시간적 · 공간적 배경 안에 포함되어 있을 뿐 정치적 특징을 보이는 인물은 발견하기 어렵다. 즉 80년대 주인공들이 내장했던 영웅적 면모와는 완전히 상이한 주인공들은 등장하지 않는다.[26] 이러한 특징은 김소진의 『장석조네 사람들』의 인물들

25) 진정석, 「지속되는 삶, 끝나지 않는 이야기」, 『장석조네 사람들』, 문학동네, 2002.
26) 김형중, 「비루한 것들의 리얼리즘」, 『소진의 기억』, 문학동네, 268쪽.

이 90년대 작가들이 하고자 했던, 개인과 주체에 대한 규정적 작업이 아닌 통일성 없는 개인이자 객체로서 한 공간에 거주하는 자들로 그려낸다는 것에서 발견할 수 있다. 특이한 점은 단편적으로 등장했던 인물들이 마지막 작품 「빵」에서 모두 모인다는 것이다. 김소진의 소설 중 다수의 인물들이 한 공간에 모여 대화를 나누는 상황이 자주 등장한다.[27] 이는 그 공간이 단순히 인물들이 모여 있는 것만을 보여주는 것이 아니라 그들의 대화를 통해 소설의 시대적 상황을 그들의 대화를 통해 확인할 수 있게 만든다.

『장석조네 사람들』의 인물들에게 중요한 것은 하루하루 먹고사는 문제이다. 하지만 김소진은 가진 것 없는 그네들끼리 살아가는 데서 자연스럽게 움트는 연대의식과 "뭉쳐놓으면 하늘이라도 갈아치울 듯 하지만 개중에서 큰소리치는 사람 몇 만 입막음을 해놓으면 또 들쥐들 모양 뿔뿔이 흩어지는" 그네들의 모습까지 그려내고 있다. 이러한 특징은 김소진 소설이 단순한 세태 묘사가 아닌 오늘 우리네 삶에까지 잇닿는 진실을 담을 수 있는 것은 인간 자체를 보는 작가의 복합적인 시선 때문인 것이다.[28]

『장석조네 사람들』의 공간을 살펴보면 경쟁자본주의의 공간인 도시 내에 포함되어 있지만 도시적 공간이라기보다 도시와는 분명히 구별되는 공간으로 그려진다. 달리 말해 도시의 변두리에 위치한 미아리는 도시와 도시가 아닌 공간의 특성을 모두 가지고 있는 것이다. 변두리는 도시로 편입하려고 하지만 도시에서 끊임없이 타자화된 개인들이 모여

---

27) 아버지가 한국전쟁 당시 있었던 포로수용소를 배경으로 한 소설들, 「지하생활자들」, 「열린 사회와 그 적들」, 「빵」, 「비운의 육손이형」, 「혁명기념일」 등.

28) 유희석, 「김소진과 1990년대」, 『소진의 기억』, 문학동네, 2002, 240쪽.

다양한 모순을 형성하고 있는 배제된 공간이자 주변 환경의 열악함 속에서 끊임없는 불안정, 경제적 궁핍함, 무질서, 비도덕적, 비윤리적인 모습을 드러낸다. 이와 반대로 변두리는 도시와 함께 도시적 삶의 양식이 이미 철저하게 정치·경제·문화적으로, 그리고 이데올로기 및 언어로 자본의 요구에 영토화된 공간이며 이 공간의 삶은 다양한 가치가 혼재하면서 지배적 가치들을 비켜나가는 현실비판을 위한 가능성의 장의 특징을 보인다.[29] 변두기라는 공간이 갖는 이러한 양가적 특성은 아감벤이 정의한 예외적 공간과 매우 유사한 특징을 보인다. 즉, 변두리라는 공간 내부에는 도시라는 가치와 도시가 아닌 것의 가치가 구분 불가능한 상태로 혼재하는 것이다.

미아리라는 공간이 갖는 또 다른 특징은 이곳에 사는 존재들이 본래부터 미아리에 살았던 사람들이 아닌 자신들의 삶의 터전에서 쫓겨나고 버림받은 자들이 찾아와 형성한 공간이라는 것이다. 최영숙[30]은 도시빈민에 대해 70년대부터 한국사회의 산업화가 낳은 산업사회의 내재적인 문제에서 출발하여 농촌의 빈농들이 대거 도시로의 유입을 통해 형성된 달동네는 산업화 초기의 필수불가결한 요소였다고 밝힌다. 또한 산업화와 맞추어 이루어진 재개발 사업은 도시빈민 노동자들을 도시의 외곽지역으로 몰아냄으로써 도시의 극빈층으로 전락하게 만들었다고 설명한다. 이는 『장석조네 사람들』의 배경인 미아리라는 공간이 70년대 한국사회가 급진적 경제성장을 위해 불가피하게 만들어낸 희생적 산물이라는 것을 의미한다.

---

29) 유희식, 「1970년대 도시소설에 나타난 '변두리성' 연구」, 영남대학교 석사논문, 2003, 6쪽.
30) 최영숙, 「1970년대 한국 도시소설 연구」, 창원대학교 대학원 박사학위논문, 2007, 92쪽.

곽서기가 손가락으로 가리킨 사람은 상호였다.

…

"주동자 몇 명만 잡고 나머지 사람들은 다 해산 시켜."

…

"다 필요 없다. 이 새끼들아 빨리 서울시장을 데리고 와."

…

"지 요구사항이라는 게 따지고 보면 별것 아닙니다. 우선 취로사업 나온 영세민들에게 전표대로 밀가루 두 포 반씩을 내주고, 어제 썩은 밀가루 받은 사람은 그것도 보상해주겠죠?"

—「빵」(257-260쪽)

『장석조네 사람들』의 마지막 편 「빵」에서 고영만은 밀가루 배급에 대한 책임을 묻기 위해 경찰서장에게 시장을 데려올 것을 요구한다. 고영만의 요구는 도시의 시민으로서 정당하게 받아야하는 권리를 주장하는 행위로 보인다. 하지만 이후의 상황에서 주모자로 지목된 상호와 시장을 데려오라 요구한 고영만은 정당한 행위에 대한 보상이 아닌 부당한 선동에 대한 책임을 지게 된다. 고영만이 주장한 시민으로써 요구는 경찰서장에게 수용불가능한 것, 달리 말해 그들의 요구는 시민들에게 적용되는 것이지만 미아리 주민들에게는 적용되지 않는 법과 같이 나타난다. 이러한 특징은 도시 변두리 미아리라는 공간이 갖는 특수성 때문이다. 미아리는 조에와 비오스의 구분이 불가능한 인간들이 모여있는 혼재되어 있는 아노미적 공간이기 때문이다.

김소진은 『장석조네 사람들』의 미아리에 대하여 "보릿고개를 분쇄한다며 질주하던 개발독재의 바람이 드세던 시절, 삶의 터전에서 쫓겨난 사람들이 꾸역꾸역 몰려들 던 곳"[31]이라 회상한다. 김소진이 설명하는 미아리는 개발독재라는 주권자에 의해 삶의 터전을 뺏기고 추방당한 자들이 삶의 유지를 위해 선택한 공간이다. 하지만 미아리라는 공간은 그들의 삶을 유지시킬 수 있는 법이 존재하는 곳이 아니다. 오히려 이 공간은 법의 기능이 정지된 공간이다. 법의 기능이 정지된 공간의 인간은 결국 죽여도 되는, 죽여도 처벌받지 않는 존재로 바뀌게 된다. 이러한 특징은 곽서기의 지목과 경찰들의 폭력에서 쉽게 발견할 수 있다. 결국 곽서기는 미아리라는 공간이 법과 사실의 구분이 불가능한 아노미적 공간임을 아는 존재이자 또한 이로 인해 그들에 대한 폭력이 가능하다는 것을 아는 존재인 것이다.

미아리라는 공간이 보이는 두 번째 특징은 그 내부의 존재들이 "'괴기'나 '빵'에 대한 원초적인 식욕, 이성에 대한 본능적인 성욕, 정상적인 가정을 꾸리고픈 바람, '실팍한 애기'나 밀가루 몇 푸대처럼 아주 사소하고 기본적인 것"[32]을 원하는 자들이라는 점이다. 이는 다른 70년대 소설에 나타난 인물들과 같이 화려한 도시에 대한 환상을 갖거나 성공에 대한 동경하거나 궁핍한 삶에 대한 원망에 대해 보여주는 자들이 아니라 삶을 유지할 수 있는 기본적 조건을 원하는, 오직 생명을 유지할 기초적 조건을 바라는 존재인 것이다. 여기에서 우리는 김소진 소설이 보여주는 미아리라는 공간의 정치성을 발견할 수 있다. 미아리는 70년대 급속하게 성장하는 도시 중심적 경제발전의 희생물의 공간이자 다른 한 편 정치적으로 배제된 공간이다. 엄밀히 말해 정치적으로 배제된 미아리는 정상적인 법으로 관리되는 공간이 아닌 것이다. 미아리 주민들은 법과 사실의 구분이 불가능한 곳 머무는 자들이며 그들에게 부

---

31) 김소진, 「원체험, 기억 그리고 소설」, 실천문학 vol.39, 1995, 26쪽.
32) 진정석, 「지속되는 삶, 끝나지 않는 이야기」, 『장석조네 사람들』, 문학동네, 2002, 265쪽.

여된 가치는 오직 생명으로써의 존재일 뿐이다.

> - 우리들 생각에는 제가끔 손에 일한 날만큼 탄 전표들을 쥐고 있으니깐 그 표 수대로 킬로수를 셈해서 포대를 노놔주면 될 일인 듯 싶고….
> - 영감님이 지금 법대로를 찾으시는 모양인데, 이거 이러지 맙시다들. 나도 법대로 하면 편해요.
>
> ―「빵」(219쪽)

미아리 주민들에게 적용되는 법은 정상적인 법과는 분명한 차이를 보인다. 여기에서 정상적인 법이란 시민으로써 보장받아야 할 정당한 법이자 인간의 고유한 가치를 지킬 수 있는 법일 것이다. 그러나 곽서기는 미아리 주민들에게 적용되어야 할 정상적인 법이 미아리 내에 존재하지 않는다는 것을 확인시켜 준다. 결국 그들은 정상적인 법이 작동하는 공간이 아닌 정상적인 법과 사실의 구분이 불가능한 공간에 존재하고 있는 것이다. 그들에게 적용될 정상적인 법이 없다는 의미는 그들이 정상적 법 밖에 놓은 존재임을 의미한다. 그들은 법적인 아무런 상징적 지위나 가치가 없는 존재이다. 미아리가 정치적 공간이 아니라는 사실은 결국 미아리 주민들이 비오스적 인간이 아닌 조에적 인간임을 보여주는 것이다. 즉, 그들은 미아리라는 법과 사실의 구분불가능한 공간 내에서 벌거벗은 생명으로 관리되는 존재들이다. 미아리에 존재하지 않는 정치는 곽서기에 의한 통치로 나타난다. 특징적인 것은 곽서기의 폭력적 권력은 어디에서 발생하는 것인가이다.

곽서기의 은근한 협박이었다. 그는 취로사업에 관한 한은 전권을 쥐고 있는 인물인 만큼 한 번 그의 눈 밖에 나면 그걸로 끝이었다.

―「빵」(220쪽)

미아리 주민들은 생명을 지킬 수 있는 것을 요구하는 자들이다. 반면 곽서기는 그들의 생명을 유지할 수 있는 식료품을 관리하는 자이다. 달리 말해 미아리 주민들의 생명유지는 곽서기의 결정에 의해 결정되는 것이다. 이러한 형식은 주권자가 벌거벗은 생명의 생사여탈권에 대한 결정권을 가지고 있는 것과 유사해 보인다. 미셸 푸코는 군주 권력의 발생에 대하여 "잔혹한 신체형을 통해 드러나며, 죄수의 신체는 군주의 힘을 보여주기 위한 대상으로만 존재한다"고 밝힌다. 결국 군주의 힘은 신체형의 화려한 의식을 통해 신민들에게 끊임없이 각인시키게 되며 수형자의 신체를 통해 군주권력은 자신의 지배를 유지하게 되는 것이다.[33] 푸코의 주장처럼 곽서기의 권력은 미아리라는 공간 내부의 존재들이 그에게 복종함으로써 만들어지는 권력이다. 앞에서 살펴 본 바와 같이 미아리의 주민들은 삶의 터전을 잃고 추방된 자들이자 미아리라는 공간을 벗어날 수 없는 운명의 존재들인 것이다.

3) 비어있는 민주주의

90년대 한국 소설의 특징은 '문학이란 무엇이고 어디에 바쳐져야 하는가'라는 질문을 소설 안으로 끌어와서 직접적으로 탐문하는 이른바 '자기반영성'으로 나타나게 된다. 이러한 소설적 경향은 무엇보다도 거

33) 안현수, 「푸코의 권력이론의 양상과 "주체"의 문제」, 동서철학연구, 2014, 234-235쪽.

대 이데올로기의 퇴조와 후기 자본주의의 심화라는 문학장 외부의 변동과 관련되며, 문단 내적으로는 80년대 문학을 지탱하던 주된 가치 체계가 망실된 지점에서 당대 문학이 직면했던 혼돈과 불안한 모색을 반영한다.[34] 이러한 의미에서 김소진의 소설은 90년대 문학에서 중요한 가치를 획득한다. 김소진의 특장은, 과거의 역사적 사건을 통해 자신의 '비루한 생활을' 낱낱이 들춰보면서 1990년대 정치적 현실까지를 은유적으로 포착하는 데 있다.[35]

「열린 사회와 그 적들」은 1991년 봄 열사 김귀정의 시신을 독재정권으로부터 지키기 위해 병원 앞 공터에 모인 사람들의 이야기이다. 특징적인 것은 독재정권의 대변자인 경찰 진영과 학생운동 진영이라는 두 진영을 소재로 한 소설임에도 독재정권에 대항하는 영웅적 인물이 등장하지 않는다는 점과 독재정권에 대한 비판을 다루지 않는다는 점이다. 소설은 오히려 독재정권과 민주주의라는 두 진영 사이에 90년대를 비루한(abject) 모습으로 살아가는 존재들에게 집중하고 있다. 김소진의 이러한 소설적 특징은 80년대 문학적 특징에서 벗어난 것이자 90년대 문학이 하고자 했던 규정의 방식에서 벗어난 것으로 보인다. 그렇다면 김소진은 「열린 사회와 그 적들」을 통해 보여주고자 했던 것은 무엇인가. 이러한 물음에 대한 답은 어렵지 않게 발견할 수 있을 것이다. 그것은 열린 사회라 불리어지는 민주주의 이데올로기의 모순이다.

소설은 병원 앞에 대치하고 있는 두 진영에 대해서는 말하지 않는다. 소설의 중심은 민주주의 학생운동 진영과 그 진영에서 내에 존재하는,

34) 우찬제, 「90년대 소설의 문제적 성격 소설 내용의 가치 하락 문제를 중심으로」, 현대소설연구, 1995.

35) 유희석, 「김소진과 함께 1990년대」, 『소진의 기억』, 문학동네, 2007, 243쪽.

학생들에게 배제된 존재들의 이야기다. 여기에서 학생운동 진영이 두 공간으로 나뉘어져 있음을 확인할 수 있다. 첫 번째는 공간은 학생들과 병원환자들이 차지한 공간이다. 이 공간은 밥풀떼기들에게 허락되지 않는 공간이다.

> "당신들 밥풀때기들 때문에 민주화시위가 일반 시민들한테 얼마나 욕을 먹는 줄이나 아쇼? 당신들 도대체 누구, 아니 어느 기관의 조종을 받고 이런 망나니짓을 하는 거요?"
> 병원 현관 쪽에서 볼멘 소리가 들렸다.
> —「열린 사회와 그 적들」(71쪽)

> 전날 오후 백병원 구내에서는 시국 대토론회가 열리고 있었다.
> …
> "그만들 두지 못해! 이게 뭐하는 짓거리야. 더 이상 두고볼 수가 없다구. 이 따위로 나오면 우리는 당신들을 적으로 규정할 수밖에 없어."
> —「열린 사회와 그 적들」(82-86쪽)

위의 예문에 나타나는 공간의 특징은 학생들이 주장하는 민주주의적 시위에 참여하는 사람들이 모이는 공간이자 환자들의 입장에서 자신들의 권리를 보장 받아야 하는 공간이다. 학생들과 환자들은 밥풀떼기들이 민주적 시위를 하지 않는다는 이유로, 또는 자신들의 권리를 침해한다는 이유로 그들을 추방시키고자 한다. 중요한 것은 학생들과 환자들이 밥풀떼기들을 추방하고 배제시키는 방식이다. 밥풀떼기라 불리는 사람들은 학생들과 같은 공통의 목표, 독재정권에 대한 저항과 민주주의 실현이라는 목표를 가지고 있다. 그러나 학생들은 "초대"받은 들에게만 열린 사회임을 스스로가 이야기 한다. 여기에서 학생들이 말하는 초대란 대책위 집행위원들이 정한 질서와 규칙을 따를 것을 약속한 자들이다. 약속한 자들의 시위는 “어느 정도 룰을 지켜야 하는 경기나 마찬가지(p.85)”인 시위이다. 하지만 진정한 의미의 민주주의가 만인에 대한 보편적 실현이라는 점을 고려한다면 “이성적으로 눈뜬 다수에 의한(p.86)” 것은 민주주의가 아니다. 오히려 학생들이 주장하는 민주주의는 통치 이데올로기의 모습일 뿐이다. 밥풀떼기들이 학생들과 환자들의 공간에서 추방당하는 진정한 이유는 학생들이 정한 규칙과 질서에 따르지 않는다는 이유와 함께 그들이 주장하는 민주주의가 진정한 의미의 민주주의가 아님을 드려내기 때문이다.[36]

학생운동의 진영의 또 다른 공간은 밥풀떼기들이 머무는 공간, ‘화톳불’이 켜진 공간이다. 이 공간은 대치중인 학생들과 경찰 사이의 공간이자 학생들에게 추방당한 존재들이 모인 공간이다. 특징적인 것은 추방된 자들의 삶을 이곳에서 확인할 수 있다는 것이다. 그들은 90년대를 살아가는 비루한 자들이다. 달리 말해 밥풀떼기의 삶은 70년대 미아리 주민들의 모습과 다르지 않은 듯 보인다. 이는 시대와 상황은 바뀌었지만 현실을 살아가는 존재들은 여전히 같은, 당연한 권리를 주장하던 미아리 주민들의 법으로부터 배제된 모습과 민주주의의 갈망하는 시위 현장에서 추방당하는 밥풀떼기의 모습들이 모두 비루한 존재라는 점이다. 김소진의 소설에 등장하는 비루한 자들은 한국사회에서 배제되고 소외된 자들의 모습이 아니라 한국사회가 가지고 있는 진정한 모순을

36) 김영찬은 「열린 사회와 그 적들」을 관통하고 있는 것은 “어느 쪽에도 발붙이지 못한 채 이중으로 배제되고 소외된 하류 인생들에 대한 깊은 이해와 연민이며, 그들을 포용하기는커녕 문을 닫고 바깥으로 밀어내버리는 이른바 ‘열린 사회’의 허구성에 대한 통렬한 비판”이라고 설명한다.
김영찬, 「민주주의와 그적들」, 『소진의 기억』, 문학동네, 2007.

드러내는 존재들이다. 이는 김소진 소설이 "비루한 것들의 리얼리즘[37]" 을 통해 보여주고자 했던 것이다. 한편 비루한 존재들이 등장하는 소설의 결말이 "군화발과 곤봉으로 간단히 곤죽"이 되거나 "동네를 이길로 뜨"는 상황, 밥풀떼기들이 둘러싸고 있던 화톳불이 사그러드는 모습으로 그려지는 것은 아마도 그들을 통해 발견된 한국사회의 모순이 절대 극복되지 않음을 김소진은 보여주고 싶은 듯 하다.

밥풀떼기들이 모여 있는 공간의 또 다른 특징은 그들의 공간이 진정한 의미의 열린 공간이라는 것이다. 앞에서 살펴본 바와 같이 학생들과 환자들이 있는 공간은 밥풀떼기를 추방하는 공간인 반면 밥풀떼기들의 공간은 찾아온 자 스스로가 머물기를 포기한 채 떠나는 공간이다. 중요한 것은 그들이 떠나는 이유이다. 밥풀떼기들의 대화는 수직적 계층은 존재하지 않는다. 이곳은 계급과 그것과 관련된 모든 형태의 공포와 존경심과 경건함과 예의, 계급적 불평등 혹은 사람들 사이에 그 밖의 다른 형태의 불평등으로부터 비롯되는 모든 것이 정지되는 공간이다. 그러나 밥풀떼기들이 있는 공간에 찾아온 대책위 집행위원 현대형은 그 공간의 특수성을 인정하려 하지 않는다. 달리 말해 현대형은 밥풀떼기들이 만들고자 하는 세계를 거부한 것이다. 이러한 의미에서 밥풀떼기들이 모여있는 공간은 카니발적 공간이다. 카니발의 세계는 자유와 평등이 지배하는 세계이자 다른 한 편 역동적인 변화와 생성에 초점을 맞춘다.[38] 현대형이 밥풀떼기들의 공간을 떠나는 행위는 카니발적 공간이 갖는 본질적으로 비종결적이고 개방적이며 미래지향적인 특성에 대한

---

37) 김형중, 앞의 글, 문학동네, 2007, 260쪽.

38) M.바흐친, 김욱동 역, 『대화적 상상력－바흐친의 문학 이론』, 문학과지성사, 1994, 240쪽.

거부인 것이다.

「열린 사회와 그 적들」에 나타나는 공간을 통해 민주주의라는 이데올로기가 가지고 있는 모순과 진정한 의미의 열린 공간이 어디인가를 확인할 수 있다. 특히 이 작품에서 눈에 띄는 점은 대치중인 두 집단, 독재정권의 대리자인 경찰과 민주주의 시위 중인 학생진영의 충돌이 아닌 학생진영의 내부의 두 공간의 특징을 통해 민주주의의 모순을 확인할 수 있다는 점이다. 김소진은 90년대의 정치적 상황을 비루한 존재들을 통해 밝히고자 한다. 즉 학생들이 주장하는 90년대 민주주의 이데올로기 역시 독재정권과 다르지 않은, 자신들이 정한 규칙과 질서에 의해 실현되는 것임을 밝히는 한편 그러한 민주주의가 과연 올바른 민주주의인지에 대한 물음을 던지는 것이다.

3. 결론

김소진의 소설을 시대적으로 구분한다면 한국전쟁의 배경이던 1950년대 아버지의 시대로부터 1970년대 급진적 경제발전 시기를 지나 민주주의사회를 실현하고자 했던 1990년대를 배경으로 나눌 수 있을 것이다. 특징적인 것은 김소진의 소설이 과거로부터 90년대 현대라는 시대적 차이가 존재함에도 불구하고 모든 시기를 관통하는 공통의 문제점을 그려내고 있다는 점이다. 이는 김소진의 소설은 소설이 갖추어야 하는 가장 근본적인 기능과 역할에 충실했음을 의미한다.[39] 또한 김소

39) 현길언은 소설과 정치의 속성에 대하여 아래와 같이 정리한다.
"소설과 정치는 그 본질적 속성으로는 상반된다고 인식해 왔다. 정치가 통치 이데올로기에 의해 소속 집단 구성원을 통합함으로 집단적 목적을 추구하는데 있다면, 소설은 오

진의 소설이 소설의 근본적 기능과 역할을 보여주는 것이 각 시대에 나타나는 공간과 존재들에 의한 것이 특징적이다.

김소진 소설의 배경이 되는 거제포로수용소와 도시 변두리 미아리, 밥풀떼기들이 모여있는 화톳불 주변 공간은 공통적으로 배제되고 추방된 자들의 공간이다. 여기에서 중요한 것은 그들이 무엇으로부터 배제되고 추방되었는가이다. 아버지는 공산주의와 민주주의라는 이념적 대립으로 발생한 전쟁 상황에서 거제포로수용소로 추방당한 존재이다. 아버지의 추방은 그가 이념적 구분조차 하지 못하는 존재이기에 나타난 현상이다. 즉 전쟁이라는 극단적 상황에서 그는 아무런 상징적 지위도 갖지 못하는 존재이다.

미아리 주민들의 경우 70년대 한국사회의 급진적 경제발전 정책에 의해 삶의 터전에서 쫓겨나고 도시에서 배제된 자들이다. 중요한 것은 미아리라는 공간이 그들이 본래부터 살아온 지역이 아니라 삶의 터전에서 쫓겨나고 도시에서 밀려나 어쩔 수 없이 머물게 된 공간이라는 것이다. 그들에게 미아리는 벗어날 수 없는, 선택의 여지없이 머물 수 밖에 없는 공간으로 그려진다. 중요한 것은 소설에서 이러한 특징으로 모인 사람들에게 그들의 삶, 생명에 대한 권한을 쥐고 있는 곽서기의 폭력적 권력이 발생한다는 것이다. 곽서기는 미아리 주민들은 정상적인 법으로부터 배제된 존재이기에 그들에게 가하는 불법적인 행위에 대한 어떠한 처벌을 받지 않는다. 곽서기는 미아리 주민들에게 권력을 획득하고 획득된 권력으로 그들의 생명에 대한 결정권을 갖게 되는 것이다.

히려 그러한 중심 이데올로기에 의한 문제와 억압의 실체를 정직하게 인식함으로써 정치와는 다른 차원에서 인간과 사회의 문제를 추구해 왔다."
현길언, 「한국 현대소설과 정치성」, 현대소설연구, 2003, 51쪽.

밥풀떼기들 역시 위의 두 경우와 유사한 형태로 나타나는 존재들이다. 그들은 민주주의 시위의 학생진영에서 학생들에게 추방당한 존재로 등장한다. 여기서 특징적인 것은 김소진이 바라보는 민주주의에 대한 시선이다. 그는 독재정권의 대리자인 경찰에게 어떠한 관심도 보이지 않고 민주주의적 시위를 주창하는 학생들과 그들에게 추방당하는 밥풀떼기들에게만 집중한다.

김소진은 밥풀떼기들을 통해 민주시위 학생진영을 두 공간으로 나눈다. 그 첫 번째 공간은 학생들과 환자들이 민주주의를 외치는 있는 공간이고 두 번째는 밥풀떼기들이 모여있는 화톳불 주변이다. 두 공간의 대비는 민주주의가 모순이 드러나는, 초대받은 자들에게만 열린 공간과 모든 사람들에게 열린 공간의 대비이다. 달리 말해 학생들이 주장하는 민주주의는 그들이 머무는 공간이 아니라 밥풀떼기들이 모여있는 공간이라는 것을 비유적으로 보여주고 있는 것이다.

위 세 공간의 공통적 특징은 배제되고 추방된 존재들이 자신에 선택과는 상관없이 머물게 된다는 점이다. 또한 이 공간은 정상적인 법과 규칙, 절차가 무시되는 공간이다. 하지만 김소진이 보여주는 공간이 부정적인 공간으로만 그려지지 않는 이유는 배제되고 추방된 자들을 통해 한국사회가 가지고 있는 모순을 극복할 수 있음을 보여주기 위함이다. 이는 비루한 존재들이 갖는 특징과 관계되는 것이며 또한 그들이 모여있는 공간이 카니발적 공간이기에 가능한 것이다.

소비행위를 통한 평등과 공정

음악 오디션 프로그램을 중심으로

한 경 훈

1. 들어가는 말

97년 외환위기 이후 한국사회 일반적인 삶의 가치는 '어떻게 사느냐' 보다는 '어떻게 살아남느냐'의 측면으로 이행한다. 김홍중은 '87년 체제'와 '97년 체제'를 비교하며 전자를 '진정성의 체제'로, 후자를 '포스트 진정성의 체제'로 분석한다.[1] 87년 체제는 당시를 살아간 사람들이 공유할 수 있었던 진정성이란 가치가 존재 했지만, 97년 체제에서는 세 가지 생존 형식(경제적 생존, 사회적 생존, 생물학적 생존)만이 발견 되며, 이 같은 생존형식들은 현재까지 유효한 것으로 보인다.[2] 현재 인간들 간의 접촉을 유지해주는 장치로 가장 많이 활용되고 있는 매스미디어에서도 생존형식들을 살펴 볼 수 있다. 그 대표적인 예로 오디션 프로그

1) 김홍중, 「진정성의 기원과 구조」, 『마음의 사회학』, 문학동네, 2009.12.18.

2) 스펙, 웰빙, 멘토 등 신조어의 등장과 자기 계발 도서의 유행과 같은 사회·문화적 현상들에서도 잘 나타나고 있다.

램을 들 수 있다. 오디션 프로그램의 주된 구조는 '경쟁'이며 '생존'이다. 오디션 프로그램 속의 인물들은 몇몇 프로그램을 제외하고 대체로 심사위원과 도전자로 구분된다. 그리고 도전자들은 무대 위에서 서로 살아남기 위해 경쟁하고, 심사위원들은 도전자들을 합격과 탈락으로 생존 여부를 가른다.

한국에서 제작된 대부분의 오디션 프로그램들은 서양의 오디션 프로그램의 형식들을 차용하는 형태로 제작되었다. 서양과 한국의 오디션 프로그램에서 중요한 요소는 참가자들의 리얼리티일 것이다. 오디션 프로그램의 리얼리티는 잘 구성된 대본으로부터 벗어나 일반인 참가자들의 모습들을 관찰하는 형식으로 얻어진다. 리얼리티는 현실처럼 느껴지는 감정이다. 오디션 프로그램은 인터뷰를 통한 자기 고백, 참가자들 간의 갈등과 해결 그리고 경쟁에 인과성을 부과해 리얼리티를 얻는다. 이런 무-대본(non-scripted) 형식의 오디션 프로그램은 한국에서 2010년 전후로 방송 프로그램 제작에 영향을 미친다. 그 중 음악 오디션 프로그램은 한국에서 방영되는 오디션 프로그램 중에 독보적이라고 할 수 있다. 일련의 예로 2009년 방영된 <슈퍼스타K>는 인기 음악 오디션 프로그램으로 해마다 제작되며 방영될 때마다 사회적, 문화적 영향력을 끼치고 있다. 한국에서의 오디션 프로그램의 분석은 대체로 음악 오디션 프로그램에 집중된다. 오디션 프로그램의 연구들은 경제적 측면을 제외하면 다수의 연구가들이 부정적인 입장을 취하고 있다. 부정적 연구들은 대체로 주체의 상품화, 경쟁의 강요·긍정, 자기통치의 합리화 등 신자유주의 체제의 강화 측면으로 분석된다.[3] 정진웅은 오디션 프

3) 김수정, 「글로벌 리얼리티 게임쇼에 나타난 '자기통치'의 문화정치」, 『한국방송학보』, 24

로그램의 기존 연구들이 가진 이러한 비판적 입장을 수용하면서도 행위자성과 심층놀이라는 가능성에 주목하고자 한다. 행위자성이란 "참가자나 시청자가 (저항적)담론 실천을 수용하는 과정에서 발생할 수 있는 간파, 저항, 교란" 등의 움직임이다. 정진웅은 오디션 프로그램이 해석을 기다리는 텍스트로 간주하며 이러한 텍스트 속에서 '한국인으로 살아간다는 것의 의미를 새롭게 경험·발견·해석하는 계기'로 투영될 수 있는 심층놀이의 지점으로 파악한다.[4] 그러나 정진웅 연구는 시청자들의 시청 행위가 일차적으로는 소비행위임을 놓치고 있다. 보드리야르는 『소비의 사회』에서 '개인이나 사회가 생존하고 있을 뿐만 아니라 진정으로 살고 있다는 것을 느끼기' 위해 소비하고 있다고 주장하며 이러한 소비를 '소모'라고 정의한다. 신자유주의 사회에서는 소비자들이 '쓸데없는 낭비'를 통해 자신들의 우월성을 얻으며 소비가 가능한 장소들은 '개인적인 차원에서도 사회적인 차원에서도 가치, 차이 및 의미를

권 6호, 2010, 7~44쪽.
김수정, 「한국 리얼리티 프로그램의 정서구조와 문화정치학」, 『방송문화연구』, 23권 2호, 2011, 37~72쪽.
김영찬·김지희, 『오디션 프로그램의 서사적 특성에 관한 연구 : MBC <위대한 탄생>을 중심으로』 『방송과 커뮤니케이션』, 13권 3호, 2012, 46~75쪽.
송명진, 「서사 전략과 대중문화 콘텐츠－방송 오디션 프로그램 '슈퍼스타K2'와 '위대한 탄생'을 중심으로－」, 『대중서사연구』, 제25호, 2011.5, 205~228쪽.
정진웅, 「신장주의 호명, 저항, 심층놀이 : 서바이벌 오디션 프로그램의 문화정치적 함의」, 『한국문화인류학』, 47권 2호, 2014.7, 87~129쪽.
조인희·손준혁, 「오딘 프로그램이 사회 및 경제에 미치는 영향에 관한 연구 : 슈퍼스타K를 중심으로」, 『한국엔터테이먼트산업학회논문지』, 5권 3호, 2011.9.26.
이희은, 「텔레비전 버라이어티쇼의 사적인 이야기 서술」, 『언론과 사회』, 19호 2권, 2011. 여름, 2~48쪽.
최소망·강승목, 「텔레비전 오디션 리얼리티 쇼의 서사구조 분석 : <스타오디션 위대한 탄생>과 <슈퍼스타K 2>를 중심으로」, 『한국콘텐츠학회논문지』, 12권 6호, 2012.6, 120~131쪽.

4) 정진웅, 앞의 논문.

만들어버리는 장소'가 되고 있다. 오디션 프로그램은 문화자본이며,. 오디션 프로그램의 유행도 시청자들이 문화자본을 소비하려는 욕구의 측면으로 보아야 한다. 오디션 프로그램은 <슈퍼스타K> 이외에도 음악 오디션 프로그램인 <위대한 탄생>과 <K-POP스타>, 모델을 선발하는 <도전 슈퍼모델 코리아> 요리 프로그램인 <마스터셰프 코리아>, <한식대첩> 등 음악, 패션, 요리 등 문화적인 측면을 주 소재로 삼고 직접적으로 관찰될 수 있는 상품으로 만든다. 문화자본은 관찰되면서 개인의 감성적이고 정신적인 가치에 영향을 주며 상징적인 의미를 갖는다. 이글은 일차적으로 오디션 프로그램은 대중의 삶에 영향력을 끼치고 있다면 오디션 프로그램을 통해 경험·발견·해석하는 것은 무엇인가를 찾고자 한다? 또한 오디션 프로그램이 가지고 있는 평등과 공정에 대한 단어를 재-전유하려는 시청자들의 소비 행위를 통한 등장으로 유추해보고자 한다.

2. 자기계발형 예능의 계보와 오디션 프로그램

매스미디어 중 음악, 오락, 쇼 프로그램 등 영상매체를 통한 유희 목적의 예능프로그램들은 접근이 쉬우면서도 경향에 민감하다. 이러한 민감성은 오락프로그램들이 사회적 변화를 빨리 수용할 수 있도록 도와준다. 이 장에서는 오디션 프로그램의 소비를 분석하기 위해 사회적, 경제적 흐름을 살펴보고자 한다. 오락 프로그램에서 경쟁 및 자기계발 담론의 내면화가 사회적, 경제적 흐름을 통해 시작 영향을 받고 있는지를 짚고 넘어가려 한다.

1997년 외환위기는 한국인의 경제적, 사회적 흐름을 급격하게 변화

시켰다. 외환위기를 벗어날 방법으로 김대중 정부는 개방과 자유화, 구조조정 정책 등 IMF의 요구대로 경제정책이 실행되었다. 또한 '민주주의와 시장경제'라는 모토로 재벌개혁과 재벌 구조조정 및 벤처 기업과 IT산업 육성 등 발전국가적인 신자유주의 정책들이 정부 하에 추진되었다.[5] 신자유주의 정책은 IMF 위기 이후에도 노무현 정부과 이명박 정부 등 계속 유지되어 왔다. 한국의 신자유주의의 특이성은 국가가 시장의 개입을 최소화해야 한다는 지점을 벗어나 정부가 주도해서 경제발전을 목표로 이루어졌다. 이처럼 한국의 신자유주의는 "발전주의적 신자유주의"라는 특성을 갖는다.[6]

외환위기의 여파로 인해 중산층의 몰락은 시민들에게 살아남기의 욕망은 사회적 에토스로 형성되었다. 당시 사회 분위기는 '금모우기 운동', '달러 모우기 운동' 등 시민들의 단결을 요구하면서도 한편으로는 구조조정으로 인한 많은 실직자들과 노숙자들에 대한 뉴스들이 끊임없이 보도되면서 살아남기가 중요시된다. 국가를 살리고, 개인도 살아남아야만하다는 경제적 슬로건 속에서 방송 문화의 흐름도 변화한다. 『신문과 방송』 1999년 IMF 특집 기사를 보면 방송가도 대대적인 구조조정에 돌입하면서 드라마 및 대형 쇼 프로그램은 폐지되거나 예전 드라마가 재방영 되는 현상이 일어난다. 재미있는 점은 시트콤은 방송 3사(MBC, KBS, SBS)가 앞 다투어 개편하면서 시트콤 전성시대를 맞이하게 된다는 점이다. 시트콤의 드라마와 코미디의 결합과 낮은 제작비용은

5) Weiss 2003 ; 유종일, 「IMF위기 이후 신자유주의의 내부화 과정－한국과 브라질 비교」, 『아세아 연구』, 56권 3호, 2007에서 재인용

6) 윤상우, 「IMF위기 이후 신자유주의의 내부화 과정, 조영한, 한국사회에서 신자유주의 읽기 : "국면적인 경제 읽기"를 제안하며」 참조.

외환위기에도 쉽게 적응할 수 있었다. 더구나 생활이 어려워진 시민들에게 있어서 조그만 위안이 될 수 있다는 점에서 시트콤은 당대 많은 사랑을 받았다.

예능프로그램도 이처럼 시대상과 맞물려 변형되는데 시트콤과는 조금 다른 성격을 띤다. 이 시기에 혼종예능 형식과, 자기계발형식의 예능이 주로 발견된다. 당시 MBC 예능 프로그램 중 큰 인기를 끓었던 <느낌표> 속 코너 <책책책 책을 읽읍시다>는 독서 문화를 조장하며 교양과 예능의 결합 형태가 나타났다. 또한 과학과 예능이 만난 <호기심천국>과 <스펀지>, 오디션 프로그램이자 재능계발형태의 <영재 육성 프로그램 99%>과 <악동클럽>, 서바이벌 경쟁 형식의 <동고동락>과 <강호동의 천생연분> 등도 큰 인기를 끌었다. 혼종 예능과 자기 계발 형식의 예능들의 등장은 제작사의 제작비 절감과 함께 맞물려 국민들의 자기계발의 중요도가 맞물리는 측면으로 보인다.

2000년대 중반에 들어서야 리얼 버라이어티형 예능이 등장한다.. 리얼 버라이어티는 리얼과 버라이어티의 합성어로 시청자들은 인물들이 기존에 주어진 각본이나 대본을 벗어나 꾸며지지 않은 사적인 서사를 추구했다. 리얼 버라이어티의 등장은 외환위기를 종식된 시점과 맞물린다 이희은은 리얼버라이어티 예능의 발전을 신자유주의라는 사회적 흐름 속에서 찾는데 텔레비전이 '다양한 삶과 스타일을 다루어야 할 필요성'에서 원인을 찾았다. 리얼 버라이어티 예능형식은 <무한도전>으로 출발해 <1박 2일>과 <우리 결혼했어요>, <패밀리가 떴다> 등 많은 예능프로그램의 구조로 이들 프로그램은 대부분 스타들이 일상의 평범성과 연예인이란 특수성을 동시에 보여줘 친밀성을 획득하며 큰 인기를 얻었던 프로그램들이다. 평범함 속에서의 특수성은 삶의 다양성을 제시하며 대중의 소비 욕구를 자극했다.

이와 다르게 일반인 중심된 리얼 버라이어티 프로그램은 지상파가 아닌 케이블에서 이루어진다. 케이블에서 만들어진 프로그램들은 대부분 서바이벌 형식의 오디션 프로그램이다. 이들 프로그램이 케이블에서 중심적으로 이루어질 수밖에 없었던 이유를 김수정의 지적처럼 규범성을 강조하는 한국 방송문화의 특성과 연관해서 생각할 수 있다. 무대본 형식의 리얼 버라이어티는 참여자의 행위를 예측하거나 통제하기 어려움이 있다. 이러한 프로그램 특성으로 안전성을 추구하는 지상파보다 비교적 모험적이고 규범성이 낮은 케이블에서 시도될 수 있었다. 그러나 스타가 아닌 일반인들을 대상으로 서구 리얼리티 쇼의 경우 시청자의 프로그램 소비는 '비연출'을 통해 생성된 즉흥성으로 분석되고 있지만 한국의 오디션 서바이벌 형식을 통한 것도 비연출 속에서 참가자들을 통제한다는 사실이 나타난다. 그렇다면 이러한 점이 한국의 오디션 프로그램이 가지고 있는 특수성이 될 수 있을까?

동서양을 막론하고 대부분의 오디션 프로그램은 우승자가 나올 때까지 경쟁을 부추기며 탈락자를 골라내는 구조이다. 오디션 프로그램에서 살아남기는 리얼 버라이어티와 자기계발담론의 결합의 형태로 나타났다. 참가자들은 미션과 경쟁을 통해 자신의 가치를 성장시키고 그 성장을 실력으로만 드러내야 한다. 리얼버라이어티안의 캐릭터 구축의 차이는 김수정의 연구에서 주지하듯 서양의 리얼버라이어티 프로그램에서 악역이 캐릭터가 될 수 있지만 한국의 오디션 프로그램에서는 윤리적 규범을 넘어서는 행동은 캐릭터로 인정받지 못한다는 점을 지적한다. 특히 한국의 오디션 프로그램에서 캐릭터로 인정받기 위해서 인물은 실력은 있지만 어떠한 계기로 실력을 인정받지 못한 한계를 지니고 있어야 된다. 그러한 계기는 대체로 불우한 환경이나 역경 등 경제적인 측면과 긴밀한 연관성을 지닌 것으로 보이며[7] 이런 특이성은 한국의 음악 오디션 프로그램에서 강조하는 공정과 평등이란 단어와 관련된다. 한국 오디션 프로그램의 특징은 불평등한 사회에 기회를 제공하는 측면으로 등장한 것이다. 지나친 경제적 생존 경쟁으로 인해 발생된 사회적 불평등이 사회 인식에 만연하고 있었다. 특히 시민들에게 연고주의, 학벌주의, 과도한 경쟁 등이 불평등한 사회라는 인식을 크게 각인 시킨 것으로 보인다. 또한 일반인 대상으로 한 오디션 프로그램인 슈퍼스타K의 최초 방송시기인 2009년을 중심으로 한국 경제는 위기를 겪고 있었다. 당시 통계청 조사에 따르면 한국의 실업률은 2010년 2월 4.9%를 기록하고 청년 실업률은 2010년 2월 기준으로 10%를 넘었다. 2009년과 비교하여 실업자는 36만 8,000명이 늘어나고 3%대에 머물던 실업률도 대폭 상승함을 알 수 있다. 현재에도 청년 실업률은 2015년 3월 기준으로 11.1%를 넘어가고 있으며 법으로 보호받지 못하는 비정규직에 대한 문제도 높아지고 있는 상황이다. 불안한 미래 속에서 정규직을 준비하는 청년들 사이에서 specification에서 유래된 스펙이라는 신조어가 유행하고 있다. 스펙이란 후천적 투자로 이뤄진 인적 자본(human capital)에 관한 용어이다. 자신의 경력이나 취업 능력을 객관화해 설명하는 말이다. 2004년 신조어로 등장한 이 용어는 2007년 평균스펙은 보유자격증 2.03개 토익점수 721점 정도에서 현재는 스펙 5종 세트(어학, 자격증, 공모전, 봉사, 인턴), 스펙 7종 세트(학점, 토익, 인턴, 어학연수, 동아리, 봉사활동, 토익 스피킹) 등으로 늘어나고 있으며 외모관리 및 성형까지 스펙

---

7) 김수정, 「한국 리얼리티 프로그램의 정서구조와 문화정치학」, 48쪽.

의 범주로 들어가고 있다. 스펙을 미끼로 무보수로 일할 것을 강요하는 열정페이를 강요하는 곳도 등장하고 있다. 취업을 하기 위해서 만들어지는 이러한 스펙들은 그에 따른 경제력이 필요하며, 취업의 기회에서도 부익부빈익빈의 형태 혹은 비정규직 및 열정페이를 통한 능력 착취형태가 나타남에 따라 평등한 기회는 점차 사라져가고 경제적 불평등 관계는 강화된다. 고용 불안과 경제적 불평등 관계가 해결될 기미가 보이지 않는 사회 분위기에서 오디션 프로그램이 <슈퍼스타K 3> 첫 회 오프닝에 집어넣은 "공정사회의 사회적 신드롬을 불러일으킨 의미 있는 프로그램이라고 생각합니다"라는 당시 정병국 문화체육부 장관의 발언과 "실력 하나로 성공할 수 있다는 공정사회의 상징"이라는 사회자의 발언은 오디션 프로그램이 공정과 평등한 기회라는 사회적 갈증을 자극하고 판매하고 있음을 뒷받침 하는 하나의 사례가 된다.

3. 오디션 프로그램의 르시콜라주(recycalge)

오디션 프로그램이 유행시키고 있는 것은 평등과 공정사회에 대한 갈망이다. 오디션 프로그램은 경제적 불평등과 불안에서 야기된 평등과 공정사회에 대한 갈망을 자극하고 끊임없이 최신화 시킨다. 슈퍼스타K 광고영상에서 나오는 문구들은 '주인공은 바로 You'(슈퍼스타K 1), '당신을 위한 마지막 기회'(슈퍼스타K 3), '시작한 자가 끝내리라'(슈퍼스타K 4) 등 2인칭대명사를 통해 지원을 유도한다. 오디션 프로그램의 참가자들은 자신도 모르는 사이에 평등과 공정한 경쟁의 상징화된 상품으로, 혹은 평등과 공정으로 정당화된 '자기계발'의 성공적 상품으로 전시된다. 오디션 프로그램의 주된 포멧은 '경쟁'과 '살아남기'이다. 오디션프로그램의 흐름은 대체로 참가자들의 훈련 과정과 경쟁을 통한 탈락자 선정에 초점을 맞춘다. 한국의 오디션 프로그램에서 살아남기는 모두에게 똑같이 부여된 미션이나 훈련, 교육 등의 자기계발을 관찰형식으로 보여주며 여기서 실력이 부족하거나 대중의 지지를 받지 못하는 참가자를 투표 형식을 통해 탈락하게 된다. 관찰형식의 서사는 참가자들의 훈련과 미션 도중 사적인 고백과 관련되며, 참가자들의 자아 찾기 과정을 실제적으로 보여준다고 착각하게 만든다. "개인적인 이야기와 사적인 이야기가 가득차게" 된 리얼버라이어티 프로그램의 핵심은 "자율적인 자아라는 허구적 신화의 창출"에 있다 라는 이희은의 지적처럼 오디션 프로그램에서 시청자들에게 보여지는 것은 참가자들의 자기고백과 자기계발이 '나는 누구인가', '내 꿈은 무엇인가'라는 질문에서 출발해 그 이면에는 '나의 가치는 무엇인가', '나는 살아남기 위해 무엇을 해야 하는가'라는 질문으로 대신하는 형상이다. 결국 살아남는 것이 하나의 미덕이 된 사회에서 자기계발담론 형식의 예능은 살아남기가 곧 성공이자, '남들과 다른 나를 가질 수 있다'는 대중의 욕망을 자극한다.[8)] 오디션 프로그램은 초기에는 가수가 되고 싶은 참가자의 사적인 소망을 방송으로 송출하며 참가자 개개인을 통해 프로그램의 친밀성 획득 과정으로 활용한다. 생방송 진출자들에게 보상으로 주어지는 미용, 패션, 헬스 등 자기관리는 자기계발담론과 '살아남기'라는 사회적 가치에 접근을 용이하게 만든다. 특히 보상을 얻기 위한 경쟁을 시청자들이 평등하다고 느끼는 것은 우승자를 선출하는 과정이 아닌 탈락자를 배제하는 과정으로 특정 한 사람만의 사연에만 초점을 맞추지 않는다는 점에 있

8) 이희은, 앞의 논문.

다. 오디션 프로그램의 기회는 모두에게 주어져 있으며 대상이 되는 사람들인 참가자 전원에게 있다는 환상을 불러일으킨다.

우승자 선정 과정은 심사위원제도와 투표제도라는 2가지 모습으로 공정성을 시각화시킨다. 오디션 프로그램의 심사위원제도가 표방하고 있는 공정성의 원칙은 심사위원들이 지니고 있는 전문성과 권위에 의지하고 있다.[9] 심사위원들은 대체로 유명 가수, 음반제작자 및 작곡/작사가 등 해당 분야의 전문가들로 구성된다. 서양 오디션 프로그램과 한국 오디션 프로그램의 공정성의 차이는 심사위원들에게 얼마만큼의 역할을 맡기는가에 따라 다르다. <슈퍼스타K>의 '대국민투표'와 위대한 탄생의 '위대한 투표' 등 시청자들의 투표다. 이들 프로그램의 투표반영률은 프로그램에 따라 약간의 편차는 있지만 대체로 심사위원 점수 30%, 시청자 투표 70%로 구성된다. 이와 다르게 서양의 오디션 프로그램이 시청자들의 투표가 전적으로 영향을 끼치는 것과는 차이가 보인다. 개인의 가치 판단을 중요시 여기는 서양과 민족주의와 집단주의적 정서를 가진 한국과의 정서적 차이로 보일 수 있으나 다수결의 원칙을 통한 탈락자 선별과정이 합리적이거나 공정하지 않을 가능성을 생각한 것으로 보인다. 심사위원들의 권위 부여는 참가자들에 대한 인기투표가 아닌 오직 실력만으로 선별하겠다는 프로그램의 취지에 의거한다. 하나의 사례로 아메리칸 아이돌 시즌3의 경우 참가자 중 실력이 가장 뛰어나다고 극찬 받았던 흑인 가수가 탈락을 하게 되고 심사위원들은 미국 시청자들에게 '이 프로그램은 인기투표를 하는 프로그램이 아니라 진정한 실력자를 가려내는 프로그램이다'라고 발언한 적이 있다.

9) 정진웅, 앞의 논문 108쪽.

심사위원의 점수와 투표율은 실시간으로 공개되며 사회자는 생방송 경연 중간마다 투표가 생존과 탈락에 영향을 미치는 것을 언급으로 투표 참여를 유도한다. 김수정은 '심사방식'이 영미 리얼리티 쇼와 다르게 실시간 숫자 형식으로 공개되는 것은 한국의 숫자주의와 서열주의라는 한국적인 커뮤니케이션 형식이라 분석한다.(김수정, 2011) 그러나 김수정은 숫자주의를 박정희 국사정권이 정치적 정당성으로 이해하려고 한다. 오디션 프로그램에서의 숫자주의를 국민경제발전에 의존성이 축적되어 현재 한국의 특수한 사회적 정서로 보는 것보다, 숫자주의가 가진 명료성과 접근성의 측면에 더 초점을 맞춰야 할 것이다. 과학언어인 '수'는 의미의 전환, 불확실성이 철저히 배제되기 때문에 고정되어 있으며 국가, 세대, 정서, 환경을 초월해 접근하기 용이하다는 이점이 있다. 활용되는 심사위원의 점수 표기 및 합산 그리고 실시간 투표현황 등의 수치화는 심사위원과 시청자들의 주관적 판단들이 종합된 객관성을 얻으며 이를 실시간으로 전시시켜 타당성을 얻음으로 다수결의 원칙을 통한 민주주의적 공정성을 상품화 하려는 측면이다.

이처럼 오디션 프로그램에서 평등과 공정은 자기고백, 심사위원, 시청자는 투표라는 현시적 상징화를 통해 상품화되며 시청자들은 평등과 공정을 오디션 프로그램으로 소비한다. 평등과 공정의 소비는 "모든 과정과 관련되어 있는 소비의 비합리적인 사회적 과정"으로 평등과 공정이 상품으로 내면화 되는 문화의 르시클라주로 볼 수 있다. 보드리야르의 용어인 르시클라주(recycalge)란 '시대의 흐름에 맞도록 재충전해야 할 필요성'이자 '사회에 탈락하지 않기' 위한 재훈련 혹은 재교육의 의미로 사용된다. 오디션 프로그램은 평등과 공정을 현시하면서 어딘가에는 이런 곳이 존재한다는 환상을 상품으로 판매한다. 오디션 프로그램이 만든 상품은 수치화를 통해 평등과 공정의 이질적인 성격들을 제거하면서 프로그램의 근본적인 불평등성을 은폐하고 다시 한 번 프로그램을 긍정하도록 만든다.

4. '고유한 어떤 것'과 브리콜라쥬 문화

수치화된 평등과 공정사회는 내면화 돼 긍정사회의 구조를 만든다. 한병철은 긍정사회가 지닌 무비판성과 순응성을 비판한다. 무비판성과 순응성은 사회가 동일성과 획일적 구조에 사로잡히게 만든다.[10] 그러나 구조 안에선 어떤 것도 스스로 가치를 만들 수는 없다. 구조 안에서 가치가 되려면 구별될 수 있는 이항대립체제가 있어야만 된다. 가치는 관계에 의하여 생성되며 관계는 획일적으로 수평적이거나 수직적이지 않다. 현실은 언제나 타인과의 관계에 놓여있으며 관계는 유동적이며 단일하지 않다. 오디션 프로그램이 가진 긍정적 측면은 평등과 공정의 상품화를 통해 수치화된 체계 밖의 평등과 공정에 대한 논쟁의 가능성을 열어두고 있음에서 찾을 수 있다.

일반인을 대상으로 한 오디션 프로그램은 일반인들의 상품화를 통해 친밀성을 얻으며 그로 인해 평등한 기회를 마주한 타인과 관계 맺도록 만든다. 일반인 참가자들은 오디션 프로그램 안에서 만큼은 평등한 존재들이다. 그들의 실력은 심사위원들의 평가와 앞 뒤 참가자들의 실력과 비교되며 시청자들에게 참가자 개인이 가진 고유한 가치를 평가받도록 만든다. 오디션 프로그램들은 다양한 참가자들이 있는 만큼 가치

10) 한병철, 『투명사회』, 문학과 지성사, 2014.

와 경쟁은 과잉된다. 시청자들은 오디션 프로그램이 그러한 과잉들 속에서 자신의 주관에 따라 판단해야 하는 경우가 끊임없이 생긴다. 그러나 동시에 참가자들의 고유한 실력들이 어떠한 외부의 압력을 받지 않으며 평등과 공정의 상태 속에서 행해지는 경쟁들이 시청자들에게 주관적 판단을 기입하도록 만드는 놀이처럼 보일지라도 대중이라는 집단적 취향 역시 만들어진다. 오디션 프로그램에서 참가자들의 실력에 대한 시청자들의 주관적 판단은 투표나 심사뿐만 아니라 SNS나 인터넷 게시판의 소통을 통해 공감을 얻는다. 다수의 공감은 자신의 주관적 판단이 객관적이라는 착각을 불러일으키지만 문화나 정서의 유대감을 형성하며 기호체계로 포섭한다.

그러나 역설적으로 오디션 프로그램은 많은 타인들의 과잉으로 인해 오히려 '현재 확정해 줄 수 있는 단 하나의 기준이 없음'을 드러낸다. 오디션 프로그램이 우승자를 선별해가는 과정을 탈락자를 선별해가는 과정이자 평등과 공정은 탈락자의 선별 과정에서 언어가 아닌 현실로 형상화된다. 그러나 오디션 프로그램이 지향하는 평등과 공정한 기회가 불평등과 불공정함 혹은 폭력성을 지닌 사건들로 시청자들에게 목격되면서 혼란을 야기한다. 일련의 예를 몇 가지 들어보면 먼저 <슈퍼스타K 3>의 패자부활전은 기회에 대한 정의와 오디션 프로그램에 대한 그동안의 평가를 뒤집게 된 하나의 사건으로 시청자들에게 많은 지탄을 받았다. 사건을 요약하자면 <슈퍼스타K 3>의 제작진과 심사위원은 탈락한 참가자들에게 기회를 제공한다는 명목하에 참가자들을 경연장에 세워 단체로 <거위의 꿈>을 부르게 한다. 참가자들을 사이로 심사위원들이 돌아다니며 포옹하면 해당 참가자는 탈락으로 확정된다는 형식이었다. <거위의 꿈>의 노래 가사가 지니고 있는 희망적 메시지와는 반대로 노래를 처음부터 끝까지 눈물을 흘리며 부르는 여성과 심사위원이 탈락시킨 어린이가 끝까지 노래를 부르려는 모습이 방송으로 나가며 프로그램에 비인격적 행위에 대한 비난이 일었다. <위대한 탄생>의 경우 재일교포 출신의 권리세를 패자부활을 통해 생방송 무대 진출이 논란이 일었다. 권리세의 경우 발음과 가창력에 문제점이 있어 탈락했으나 패자부활전에서 방시혁 심사위원에게 합격의 기회를 얻었다. 그러나 합격에 대하여 시청자들은 패자부활전에서 '선곡도 실력이다' 주제와 자신의 발음과 실력에 맞지 않은 선곡으로 인해 심사위원들에게 많은 질타를 받으면서도 합격시켰다는 점에서 과연 외모로 평가한 것은 아닌지 논란이 일었다. <K-POP STAR 3>에서도 참가자 홍찬미에 대한 세 심사위원(박진영, 양현성, 유희열)의 평이 달랐는데 박진영은 도전자에게 '상업성'이 부족하다는 혹평을 내렸으며, 양현석은 "노래 듣는 이의 만족이 우선"이라는 평으로 혹평을 내렸다. 홍찬미는 유희열에게 선택받으면서 탈락을 모면했지만 검색어나 블로그 등에서 사람들의 사랑을 받았다는 점에서 심사위원들의 평이 개인적인 평가이며 '공정한 기준은 없다'라는 점과 심사위원 자질 논란 등으로 이어졌다. 마지막으로 앞서 말한 아메리칸 아이돌의 경우처럼 참가자들의 실력이 아닌 외모나 동정표로 인해 인기투표로 전락해 버린 경우도 오디션 프로그램의 논란이 되어왔다.

이와 같은 논란들은 오디션 프로그램이 내세운 평등과 공정에 끊임없이 의구심을 일으키는 현상으로 보인다. 먼저 공정은 "동등함과 차이를 함께 담아냄으로써 공평보다 상위에 서는 개념"이라는 윤평중[11]의

11) 윤평중, 「'정의란 무엇인가' 신드롬의 담론분석과 공정한 사회」, 『경제인문사회연구회

지적처럼 심사위원이나 프로그램 제작자의 권위에 위치하지 않으며 또한 여러 의견을 획일화시키는 다수결에 존재하는 것도 아니다. 롤즈(John Bordley Rawls)가 『공정으로서의 정의』에서 '기회균등의 원칙'은 모든 사람에게 직책과 직위가 공평하게 개방되어야 한다는 것이다. 그러나 오디션 프로그램에서 평등은 심사위원과 수치라는 침범할 수 없는 권위를 상정해 놓고 그 밑으로의 평등이기 때문에 탈락자들을 선별하는 과정에서 동등함과 차이를 함께 담아내지 못하는 일들이 사건으로 발생하는 것으로 보이며 이로 인해 시청자 내면의 평등과 공정의 개념들은 부유하게 된다. 그러나 논란들을 부정적으로만 볼 필요는 없다. 오히려 논란을 자주 이끌어 내면서 내면화 됐던 평등과 공정의 개념을 다시 재조립되는 현상으로 볼 수 있을 것이다.

유희란 '경제적인 것'도 아니며, '상징적인 것'도 아닌 "특수한 유형의 투자로 여러 가지 조합 그 자체를 즐긴다는 조합의 변화"를 즐기는 것이다. 유희는 '새로운 것에 대한 호기심'으로 순간적인 기분이나 정념의 진지함으로 되돌아가는 것이며, 혹여 이 진지함이 소극적일지라도 삶과 둘러싼 환경의 인식은 기존의 것과 차별점을 두면서 재조립할 수 있는 가능성을 지니고 있다. 이러한 놀이는 '고유한 어떤 것'이 발현된다고 볼 수 있다. 보드리야르의 용어인 '고유한 어떤 것'은 개인이 지닌 내면과 직접적 연관성을 맺으며, 타인과의 관계라는 '여분의 어떤 것'에 의해 확인된다. 여분은 너무 많은 풍부함 속에 있는 것으로 낭비의 체계 속에 있으며, 이러한 낭비는 소유자가 사물 자체를, 사물이 가지고 있는 사용가치 그대로를 소비하지 않을 때 '무용성과 유희적 조합에

발간자료』, 2011 13~46쪽.

의해 가치'를 지닌다.[12] 고유한 어떤 것이란 많은 차이들을 가지고 나만의 것으로 만들고자 하는 욕망이다. '고유한 어떤 것'은 진정성 차원의 문제로 이해될 수 있다. 진정성이란 '자신의 참된 자아를 실현하고자 하는' 욕망이다. 진정성은 공적인 측면과 사적인 측면을 포괄한다 김홍중은 한국사회를 '외환위기 이후 진정성이 와해'되어 있다고 판단한다. 그러나 오디션 프로그램 바깥에서 일어나는 논쟁들은 "외부로부터 부과되는 사회적 역할과 자신의 고유한 욕망 사이에 형성된 간극을 적극적으로 극복하고자 하는 근대적 주체의 자기통치 기획의 한 양태"이며 내면화 되고 기존에 있던 가치들을 통해 새롭게 재조립하는 과정이다. 구조인류학자 레비스트로스는 브리콜뢰르(bricoleur)를 "아무 것이나 주어진 도구를 써서 자기 손으로 무엇을 만드는 사람을 장인에 대비해서 가리키는 말"이라고 정의한다.[13] 오디션 프로그램 외부에서 시청자들의 논쟁화와 이 같은 브리콜라쥬 작업은 우발적이면서, 브리콜뢰르가 수집한 재료들이 기존의 용도를 정지시키고 대신할 수 있는 가능성을 내포하고 있다. 지나간 유행이나, 무용해진 문화들을 언제든지 쓸모가 있게 만드는 브리콜라쥬(bricolage)적 움직임은 시청자들이 오디션 프로그램이 내면화 시켰던 평등과 공정을 오디션 프로그램이 새롭게 재편성되고 개편될 때마다 개인의 주관적 의견을 공개해 논란화 시키는 움직임이다. 이러한 움직임은 보드리야르가 복고라고 정의한 '역사의

---

12) "풍부한 우리 사회의 막대한 낭비는 이렇게 읽어야 한다. 희소성에 도전하고 풍부함을 역설적으로 의미하는 것이 이 낭비이다." 보드리야르는 잠재적 무용성과 유희적 조합에 의해 가치를 지니는 것을 가제트라고 명명한다. 가제트는 사물이 본래 갖고 있는 목적성 및 유용성의 전면적 위기를 사물의 유희성의 양식을 통해 극복한다. 그러나 가제트는 사물 자체가 아니다. 가제트는 추상성 자체이다. 보드리야르, 위의 책.

13) 레비-스트로스, 『야생의 사고』 70쪽, 한길사, 1판 8쇄, 2013.10.15.

흐름을 부인하고 과거의 모델을 그냥 그대로 부활시키는 과정'과 다르다. 또한 '현실세계의 부인에 근거하는 기호의 예찬' 등의 소비적 방식에서 변화해 평등을 '현실태로 만들어내며 보편성의 효과를 만들어 내고자 하려는 움직임'을 지닌다. 논쟁화를 통해 시청자들은 오디션 프로그램을 상호텍스트적 성격을 갖도록 변환시킨다. 논쟁화는 수직적이거나 의미가 고정된 문화적 토포스를 폐기하고, 문화적 아토포스를 재생산한다. 문화적 아토포스는 동시 다발적으로 생성될 수 있으며 또한 고정적이지 않고 유동적이다. 그 안에서 소통을 통해 새로운 문화나 정서가 만들어 질 가능성이 있다. 특히 오디션 프로그램이 논쟁화를 통해 평등과 공정을 단순히 내세우는 가치에서 벗어나 각각의 사례 속에서 의미가 재-생성 되며 재전유 된다. 이처럼 문화적 아토포스에서 주어진 개념들은 전제되고 입증되며, 증명해야 하는 하나의 장소로 변환되는 것이다.

5. 나가며

오디션 프로그램에서 투표의 실질적인 효과는 참가자의 상품화보다는 오디션 프로그램의 성공을 지표로 활용되는 데 있다. 단적인 예로 <슈퍼스타K 2> 종영 후 M.net의 주가는 800억에 이른다고 추산되고 있으며, M.net의 주가는 <슈퍼스타K 2> 첫 방송일 당시 1,690원에서 종영 때는 3,130원으로 상승한다. 오디션 프로그램이 상품화 하려고 하는 것은 참가자 개인이 아닌 오디션 프로그램 자체이다. 오디션 프로그램이 끝나고 우승자가 살아남는 것은 우승자 능력에 달려있으며, 우승자는 프로그램이 끝나고 난 후에는 자기계발과 마케팅을 통해 음반 시장에서 스스로 살아남아야한다. 오디션 프로그램은 꾸준히 평등과 공정을 상품화하면서 시청자들에게 소비된다.

이 글의 논의는 오디션 프로그램의 일련의 논쟁적 상황만으로 한국사회가 급격한 변화가 현실화 될 수 있다고 주장하는 것은 아니다. 가장 주된 목표는 오디션 프로그램이 가진 상호텍스트성과 논쟁화를 통해 평등과 공정의 재-전유 가능성을 살펴보자는 취지였다. 먼저 한국의 외환위기 이후의 예능 계보를 훑어보면서 신자유주의 통치와 관련된 자기계발담론과 오디션 프로그램의 연관성을 살펴보았다. 그리고 오디션 프로그램이 평등과 공정을 상품화하면서 나타난 자기계발담론의 재훈련 과정을 살펴보고자 했다. 마지막으로 오디션 프로그램이 제시하던 평등과 공정이 시청자들에게 폭력성으로 야기될 때 역으로 시청자들이 논쟁화를 통해 평등과 공정을 입증하려는 시도를 보인다는 것을 살펴보았다. 기존의 연구는 신자유주의적 질서나 자기계발담론에 치우쳐져 상호텍스트로서의 가능성과 그로인한 문화의 재-전유 현상을 놓치고 있었다. 하지만 필자 능력의 한계뿐만 아니라 객관적인 자료의 부족으로 앞으로도 오디션 프로그램의 상호텍스트성과 가능성의 연구는 더 진행되어야 할 것으로 보인다.

필자 소개(원고 게재순)

한순미 조선대학교 자유전공학부 교수
문으뜸 조선대학교 국어국문학과 박사과정
박인성 서강대학교 국어국문학과 박사과정
김형중 조선대학교 국어국문학과 교수
차승기 조선대학교 국어국문학과 교수
오문석 조선대학교 국어국문학과 교수
이성민 조선대학교 국어국문학과 BK21+ 연구교수
김보광 조선대학교 국어국문학과 석사과정
김혜진 조선대학교 국어국문학과 박사과정
김주선 조선대학교 국어국문학과 박사과정
한국인 조선대학교 국어국문학과 석사과정
박길성 조선대학교 국어국문학과 박사과정
한경훈 조선대학교 국어국문학과 석사과정

아시아금기문화연구총서 3

문학, 권력, 금기

초판 인쇄 2015년 7월 17일
초판 발행 2015년 7월 27일

지은이 조선대학교 BK21+ 아시아금기문화전문인력양성사업팀
펴낸이 이대현
편 집 이소희
디자인 이홍주
펴낸곳 도서출판 역락
서울 서초구 동광로 46길 6-6 문창빌딩 2층
전화 02-3409-2058(영업부), 2060(편집부)
팩시밀리 02-3409-2059
이메일 youkrack@hanmail.net
역락블로그 http://blog.naver.com/youkrack3888
등록 1999년 4월 19일 제303-2002-000014호

ISBN 979-11-5686-215-4 94810
979-11-5686-212-3 (전3권)
정 가 27,000원

* 파본은 구입처에서 교환해 드립니다.